PEARSON CUSTOM LIBRARY
SPANISH

¡Anda! Curso intermedio 2/e
Volume 2
Purdue University Edition
SPANISH 202

D1415985

PEARSON

Pearson Learning Solutions, 501 Boylston Street, Suite 900, Boston, MA 02116
A Pearson Education Company
www.pearsoned.com

Printed in the United States of America.

V092

ISBN 10: 1-269-28785-0
ISBN 13: 978-1-269-28785-2

A GUIDE TO THE IN-TEXT ICONS

ACTIVITY TYPES

	Pair Activity	Indicates that the activity is designed to be done by students working in pairs.
	Group Activity	Indicates that the activity is designed to be done by students working in small groups.
	Audio	Indicates that related audio material is available in MySpanishLab as well as on CDs and on the Companion Website.
	World Wide Web	Includes helpful links and activities found on the Companion Website and in MySpanishLab.
	Video	Indicates that the video resources are available on a DVD or in MySpanishLab.
	Student Activities Manual	Indicates that additional practice activities are available in the Student Activities Manual. The manual is available in MySpanishLab as well as in printed form.
¡Hola!	MySpanishLab	Indicates that additional resources are available in MySpanishLab. For example, in MySpanishLab you will find a pronunciation guide, a mnemonic dictionary with tips to help you learn each chapter's vocabulary, and specialized information related to professions and careers.

Note to Students:

Your text has been customized to fit your course exactly. For this reason, you'll notice that your book includes two sets of page numbers. The Table of Contents and Index of your custom book refer to the sequential page numbers that are located in the bottom corner of each page. The second set of page numbers are the original page numbers of the parent text(s) from which your custom text is derived; use these page numbers when referencing MySpanishLab or other in-text references in your text.

Table of Contents

Scope and Sequence

FIRST

(The numbers next to the grammar and vocabulary sections indicate their location within the chapter.)

ii

SEMESTER

SECOND

(The numbers next to the grammar and vocabulary sections indicate their location within the chapter.)

iv

SEMESTER

Preface

Preface

Why *¡Anda!* 2e?

We were pleased by the enthusiastic response to the first edition of *¡Anda! Curso intermedio*, and we are honored that so many schools have chosen to adopt it for use in their intermediate Spanish courses. The response confirmed that many schools needed a new kind of Spanish program.

We wrote *¡Anda! Curso intermedio* originally because Spanish instructors told us that their courses were changing. In survey after survey, in focus group after focus group, they said that they were finding it increasingly difficult to accomplish everything they wanted in their elementary and intermediate Spanish courses. They told us that contact hours were decreasing, that class sizes were increasing, and that more and more courses were being taught partially or totally online. They told us that their lives and their students' lives were busier than ever. And as a result, they told us, there simply wasn't enough time available to do everything they wanted to do. Some reported that they felt compelled to gallop through their text in order to cover all the grammar and vocabulary, omitting important cultural topics and limiting their students' opportunities to develop and practice communication skills. Others said that they had made the awkward choice to use a text designed for first-year Spanish over three or even four semesters. Many instructors were looking for new ways to address the challenges they and their students were facing. We created *¡Anda! Curso intermedio* to meet this need.

The challenges we heard about from all these Spanish instructors still exist today, and thus our goals and guiding principles for the second edition of the *¡Anda! Curso intermedio* program remain the same as they were in the first edition. Nevertheless we have made many changes in response to helpful suggestions from users of the earlier edition, and we have sought to make the program even more flexible than its predecessor and even more focused on students' and instructors' needs.

NEW to This Edition

Among the many changes we have made to the *¡Anda! Curso intermedio* program are the following:

▶ New *learning objectives* accompanying each *Vocabulario* and *Gramática* chunk make the learning goal of each chunk transparent to students.

▶ New *¿Cómo andas?* self-assessment boxes align directly to the chapter objectives and are numbered to match with its corresponding *Comunicación* section, helping students tie the objectives to learning outcomes.

▶ A new *chapter opening organizer* now includes references to the complete *¡Anda!* program, allowing for easier integration of supplements and resources.

▶ Revised headings and design for each *Comunicación* section, now labeled I and II, help students and instructors effectively navigate the parts of the chapter.

- *Repaso* sections are now available in MySpanishLab. Icons in the text guide students to these resources for more detailed information and practice in an interactive setting that allows for more personalized instruction.
- *New readings* in the *Letras* Literary Reader have been included in this edition, along with new pre-, during, and post-activities in order to acquaint students with new literary works.
- Many new teacher annotations have been added to provide additional guidance and options for instructors and to aid in lesson planning and implementation.
- New *21st Century Skills* teacher annotations help instructors develop students' language proficiency for use in real-life settings.
- Various custom versions of the text are now available. In addition to the *complete text, split volumes* are now available, each containing a single semester's worth of material.

The *¡Anda!* Story

The *¡Anda! Curso elemental* and *¡Anda! Curso intermedio* programs were developed to provide practical responses to the challenges today's Spanish instructors are facing. Its innovations center around three key areas:

1 Realistic goals with a realistic approach

2 Focus on student motivation

3 Tools to promote success

Realistic goals with a realistic approach

¡Anda! is the first college-level Spanish program conceived from the outset as a four-semester sequence of beginning and intermediate materials. The *¡Anda!* program is divided into two halves, *¡Anda! Curso elemental* for beginning students and *¡Anda! Curso intermedio* for intermediate students, each of which can be completed in one academic year.

Each volume's scope and sequence has been carefully designed, based on research and feedback from hundreds of instructors and users at a wide variety of institutions. The vocabulary in both *¡Anda! Curso elemental* and *¡Anda! Curso intermedio* is high frequency, and the number of new words is controlled. The grammar scope and sequence is the result of extensive research in which hundreds of Spanish instructors across the country responded. Well over 80% of the respondents agree with the placement of the grammar topics for both the beginning and intermediate courses. This careful planning and attention to chunking of material results in students having adequate time throughout the courses to focus on communication, culture, and skills development, and to master the vocabulary and grammar concepts to which they are introduced.

iii

Each volume of *¡Anda!,* for both *Curso elemental* and *Curso intermedio,* has been structured to foster preparation, recycling, and review within the context of a multi-semester sequence of courses. The ten regular chapters are complemented by *two preliminary* chapters and *two recycling* chapters.

Capítulo Preliminar A	Capítulo Preliminar B
Capítulo 1	Capítulo 7
Capítulo 2	Capítulo 8
Capítulo 3	Capítulo 9
Capítulo 4	Capítulo 10
Capítulo 5	Capítulo 11
Capítulo 6 (recycling)	Capítulo 12 (recycling)

- In *¡Anda! Curso intermedio, Preliminary Chapter A* is a **review** of basic grammar structures that were presented in *¡Anda! Curso elemental* and is meant to jump-start your semester for those who are coming from a different school, or those who need a refresher, to get up to speed. Most students should be very familiar with the review material in this chapter.

- In *¡Anda! Curso intermedio, Preliminary Chapter B* is a **review** of Preliminary A through Chapter 5 and allows those who join the class midyear, or those who need a refresher, to get up to speed at the beginning of the second half of the book.

- *Chapters 1–5* and *7–11* are **regular** chapters.

- *Chapters 6* and *12* are **recycling** chapters. No new material is presented. Designed for in-class use, these chapters recycle and recombine previously presented vocabulary, grammar, and culture, giving students more time to practice communication without the burden of learning new grammar or vocabulary. Rubrics are provided in these chapters to assess student performance. They provide clear expectations for students as they review.

Each regular chapter of *¡Anda! Curso intermedio* provides a realistic approach for the achievement of realistic goals.

- New material is presented in manageable amounts, or **chunks,** allowing students to assimilate and practice without feeling overwhelmed.

- Each chapter contains a **realistic** number of new vocabulary words.

- Vocabulary and grammar explanations are interspersed, each **introduced at the point of need.**

- Grammar explanations are clear and concise, utilizing either deductive or inductive presentations, and include many supporting examples followed by practice activities. The inductive presentations, provide students with examples of a grammar concept. They then must formulate the rule(s) through the use of guiding questions. The inductive presentations are accompanied by a new *Explícalo tú* heading and an icon that directs them to Appendix 1, where answers to the questions in the presentations may be found.

- Practice begins with **mechanical** exercises, for which there are correct answers, progresses through more **meaningful,** structured activities in which the student is guided, but has some flexibility in determining the appropriate response, and ends with **communicative** activities in which students are manipulating language to create personalized responses.

Focus on student motivation

The many innovative features of *¡Anda! Curso intermedio* that have made it such a successful program continue in the second edition to help instructors generate and sustain interest on the part of their students, whether they be of traditional college age or adult learners:

- Chapters are organized around themes that reflect **student interests** and tap into students' **real-life experiences.**

- Basic **vocabulary** has been selected and tested throughout the textbook's development for relevance and support, while additional words and phrases are offered so that **students can personalize** their responses and acquire the vocabulary that is most meaningful to them. Vocabulary from beginning Spanish is also available in Appendix 2, so that students may recycle/review words they learned in their elementary Spanish course.

- Activities have been designed to foster active participation by students. The focus throughout is on giving students opportunities to speak and on allowing instructors to **increase the amount of student "talk time"** in each class period. The majority of activities **elicit students' ideas and opinions,** engaging them to respond to each other on a variety of levels. Abundant pair and group activities encourage students to learn from and support each other, creating a comfortable arena for language learning.

- **All of the material** for which students entering this class would be responsible is provided, including elementary grammar and vocabulary Appendices that give students a ready reference for what they learned during first-year Spanish.

- Each activity is designed to begin with **what the student already knows.**

- A **high-interest mystery story,** *Laberinto peligroso,* runs through each chapter. Two episodes are presented in each regular chapter, one as the chapter's reading selection (in the *Lectura* section), the other in a corresponding video segment (in the *Video* section).

- Both **"high"** and **"popular" culture** are woven throughout the chapters to enable students to learn to recognize and appreciate cultural diversity as they explore behaviors and values of the Spanish-speaking world. They are encouraged to think critically about these cultural practices and gifts to society.

Tools to promote success

The *¡Anda! Curso intermedio* program includes many unique features and components designed to help students succeed at language learning and their instructors at language teaching.

Student learning support

- Explicit, systematic **recycling boxes with page references** help students link current learning to previously studied material in earlier chapters or sections of *¡Anda! Curso intermedio.* Recycling boxes with page references to elementary vocabulary and grammar direct the student to *¡Anda! Curso elemental* or to an appendix in *¡Anda! Curso intermedio* where this material is repeated for those who used a different elementary program.

- Integrated-process strategies—Listening (*Escucha*), Reading (*Lectura*), Writing (*Escribe*), and Speaking (*¡Conversemos!*)—help students process the concepts and become self-sufficient learners.

- **Periodic review and self-assessment** boxes (*¿Cómo andas? I*) and (*¿Cómo andas? II*) help students gauge their understanding and retention of the material presented. A final assessment in each chapter (*Y por fin, ¿cómo andas?*) offers a comprehensive review. **Scoring rubrics** are also available in *Chapter 6* and *Chapter 12* to assist both students and instructors with assessment.

- **Student notes** provide additional explanations and guidance in the learning process. Some of these contain cross-references to other student supplements. Others offer learning strategies (*Estrategia*) and additional information (*Fíjate*).

- **MySpanishLab** offers students a wealth of online resources and a supportive environment for completing homework assignments. When enabled by the instructor, a "Need Help" box appears as students are doing online homework activities, providing links to English and Spanish grammar tutorials, e-book sections, and additional practice activities—all directly relevant to the task at hand. Hints, verb charts, a glossary, and many other resources are available as well.

- A **Workbooklet,** available separately, allows student to complete the activities that involve writing without having to write in their copies of the textbook.

Instructor teaching support

One of the most important keys to student success is instructor success. The *¡Anda! Curso intermedio* program has all of the support that you have come to expect and, based on our research, it offers many other enhancements.

- The **Annotated Instructor's Edition** of *¡Anda! Curso intermedio* offers a wealth of materials designed to help instructors teach effectively and efficiently. Strategically placed annotations explain the text's methodology and function as **a built-in course in language teaching methods.**

- **Estimated time indicators** for presentational materials and practice activities help instructors create lesson plans.

- Other annotations provide additional activities and suggested answers.

- **The annotations are color-coded** and labelled for ready reference and ease of use.

- A treasure trove of supplemental activities, available for download in the **Extra Activities** folder in MySpanishLab, allows instructors to choose additional materials for in-class use.

Teacher Annotations

The teacher annotations in the *¡Anda! Curso intermedio* program fall into several categories:

- Methodology: A deep and broad set of methods notes designed not only for the novice instructor but also for experienced instructors. The notes serve as either an induction into teaching or as an excellent refresher.

- Section Goals: Set of student objectives for each section.

- National Standards: Information containing the correlation between each section with the National Standards as well as tips for increasing student performance.

- **21st Century Skills:** Interpreting the new Partnership for the 21st Century skills and the National Standards. These skills enumerate what is necessary for successful 21st century citizens.

- **Planning Ahead:** Suggestions for instructors included in the Chapter openers to help prepare materials in advance for certain activities in the chapter. Also provided is information regarding which activities to assign to students prior to them coming to class.

- **Warm-up:** Suggestions for setting up an activity or how to activate students' prior knowledge relating to the task at hand.

- **Suggestion:** Teaching tips that provide ideas that will help with the implementation of activities and sections.

- **Note:** Additional information for instructors regarding specific activities as well as background knowledge instructors may wish to share with students.

- **Expansion:** Ideas for variations of a topic that may serve as wrap-up activities.

- **Follow-up:** Suggestions to aid instructors in assessing student comprehension.

- **Additional Activity:** Independent activities related to the ones in the text that provide further practice.

- **Alternate Activity:** Variations of activities provided to suit each individual classroom and preference.

- **Heritage Language Learners:** Suggestions for the heritage language learners in the classroom that provide alternatives and expansions for sections and activities based on prior knowledge and skills.

- **Recap of *Laberinto peligroso*:** A synopsis of the both the *Lectura* and *Video* sections for each episode of *Laberinto peligroso*.

Other Teacher Annotations

There are several other annotations that offer ease in lesson preparation and instructional delivery.

- **Audioscript:** Instructors are guided to the *Instructor's Resource Manual* for the complete scripts of the *Escucha* sections.

- **Writing sample for *Escribe* section:** These teacher notes provide a sample of what students should be writing in each *Escribe* section. These samples are included for reference and assessment purposes.

The authors' approach

Learning a language is an exciting, enriching, and sometimes life-changing experience. The development of the *¡Anda! Curso intermedio* program, and now its second edition, is the result of many years of teaching and research that guided the authors independently to make important discoveries about language learning, the most important of which center on the student. Empirically research-based and pedagogically sound, *¡Anda! Curso intermedio* is also the product of extensive information gathered firsthand from numerous focus group sessions with students, graduate instructors, adjunct faculty, full-time professors, and administrators in an effort to determine the learning and instructional needs of each of these groups.

The Importance of the National Foreign Language Standards in *¡Anda!*

The *¡Anda! Curso intermedio* program continues to be based on the *National Foreign Language Standards*. The five organizing principles (the 5 Cs) of the Standards for language teaching and learning are at the core of *¡Anda! Curso intermedio:* **Communication, Cultures, Connections, Comparisons,** and **Communities.** Each chapter opener identifies for the instructor where and in what capacity each of the 5 Cs are addressed. The **Weave of Curricular Elements** of the *National Foreign Language Standards* provides additional organizational structure for *¡Anda! Curso intermedio*. The components of the **Curricular Weave** are: **Language System, Cultural Knowledge, Communication Strategies, Critical Thinking Skills, Learning Strategies, Other Subject Areas,** and **Technology.** Each of the Curricular Weave elements is omnipresent and, like the 5 Cs, permeates all aspects of each chapter of *¡Anda! Curso intermedio*.

- The *Language System*, which is comprised of components such as grammar, vocabulary, and phonetics, is at the heart of each chapter.

- The *Comunicación* sections of each chapter present vocabulary and grammar at the point of need and maximum usage. Streamlined presentations are utilized that allow the learner to be immediately successful in employing the new concepts.

- *Cultural Knowledge* is approached thematically, making use of the chapter's vocabulary and grammar. Many of the grammar and vocabulary activities are presented in a cultural context. A cultural context organizes the two-page chapter openers and always starts with what the students already know about the cultural theme / concept from their home, local, regional, or national cultural perspective. The *Notas culturales, Perfiles,* and *Vistazo cultural* sections provide rich cultural information about each Hispanic country as well as notable Hispanics.

- For *¡Anda! Curso intermedio,* the authors have created the *Letras* Literary Supplemental Reader, which gives instructors the option of including authentic literature in their Intermediate course. The readings correspond to the chapter themes and include short stories, poems, plays, and novel excerpts written by writers from various parts of the Spanish-speaking world, including the United States. All readings are accompanied by process-oriented activities and strategies that focus on literary terminology to ensure that students are reading as effectively as possible.

- *Communication and Learning Strategies* are abundant with tips for both students and instructors on how to maximize studying and in-class learning of Spanish, as well as how to utilize the language outside of the classroom. *¡Anda! Curso intermedio* moves students to higher levels of speaking proficiency by adding detailed conversational strategies in *¡Conversemos!* These strategies guide not only the current chapter but are also presented in progression to allow students to use them in future chapters. *¡Conversemos!* focuses on language functions, helping students put the language to use in a natural, conversational way.

- *Critical Thinking Skills* take center stage in *¡Anda! Curso intermedio*. Questions throughout the chapters, in particular tied to the cultural presentations, provide students with opportunities to answer more than discrete-point questions. The answers students are able to provide do indeed require higher-order thinking, but at a linguistic level completely appropriate for beginning language learner.

- With regard to *Other Subject Areas*, *¡Anda! Curso intermedio* diligently incorporates **Connections** to other disciplines via vocabulary, discussion topics, and suggested activities. This edition also highlights a **Communities** section, which includes experiential and service learning activities in the Student Activities Manual.

■ Finally, *Technology* is taken to an entirely new level with **MySpanishLab** and the *Laberinto peligroso* DVD. The authors and Pearson Education believe that technology is a means to the end, not the end in and of itself, and so the focus is not on the technology *per se*, but on how that technology can deliver great content in better, more efficient, more interactive, and more meaningful ways.

By embracing the *National Foreign Language Standards* and as a result of decades of experience teaching Spanish, the authors believe that:

■ A **student-centered classroom** is the best learning environment.

■ Instruction must **begin where the learner is,** and all students come to the learning experience with prior knowledge that needs to be tapped.

■ All students can learn in a **supportive environment** where they are encouraged to take risks when learning another language.

■ **Critical thinking** is an important skill that must constantly be encouraged, practiced, and nurtured.

■ **Learners** need to **make connections** with other disciplines in the Spanish classroom.

With these beliefs in mind, the authors have developed hundreds of creative and meaningful language-learning activities for the text and supporting components that employ students' imagination and engage the senses. For both students and instructors, they have created an instructional program that is **manageable, motivating,** and **clear.**

The complete program

¡Anda! Curso intermedio is a complete teaching and learning program that includes a variety of resources for students and instructors, including an innovative offering of online resources.

For the student

Text
The *¡Anda! Curso intermedio* student text is available as a complete version, consisting of two preliminary chapters and twelve regular chapters. Also available is Volume 1, consisting of Preliminary A and Chapters 1 through 6. Other custom options are available to meet the needs of students and their instructors.

Student Activities Manual
The printed Student Activities Manual is available both in a complete version and in a separate volume corresponding to Volume 1 of the student text. The contents of the Student Activities Manual are also available online.

Answer Key to Accompany Student Activities Manual
An Answer Key to the Student Activities Manual is available separately, giving instructors the option of allowing students to check their own homework. The Answer Key includes answers to all Student Activities Manual activities.

Letras Supplemental Literary Reader

Letras is a supplemental literary reader with selections corresponding to the chapter themes. This reader covers different genres, authors, and styles. Pre-, during and post-activities accompany the selections.

Workbooklet

Also available is a Workbooklet that allows students to complete writing activities without having to write in their copies of the textbook.

Audio CDs to Accompany Text

A set of audio CDs contains recordings of the vocabulary, the *Escucha* section recordings, and recordings for the *Lectura* section of each episode of *Laberinto peligroso*. Also recorded are the *Notas culturales*, *Perfiles*, and *Vistazo cultural* sections. Finally, the set also contains audio material for the listening activities in the *¡Conversemos!* section of the student text. These recordings are also available online.

Audio CDs to Accompany Student Activities Manual

A second set of audio CDs contains audio material for the listening activities in the *Student Activities Manual*. These recordings are also available online.

Video on DVD

The entire *Laberinto peligroso* video is available on DVD. Also available is the award-winning *Vistas culturales* video, which contains nineteen 10-minute vignettes with footage from every Spanish-speaking country. Each of the accompanying narrations, which employ vocabulary and grammar designed for Spanish language learners, was written by a native of the featured country or region. All the video materials are also available online.

For the instructor

Annotated Instructor's Edition

The *Annotated Instructor's Edition* offers a wealth of materials designed to help instructors teach effectively and efficiently.

- Strategically placed annotations explain the text's methodology and function as a built-in course in language teaching methods.

- Estimated time indicators for presentational materials and practice activities help instructors create lesson plans.

- Other annotations provide additional information, activities, and suggested answers.

- The annotations are color-coded and labelled for ready reference and ease of use.

Instructor's Resource Manual

The Instructor's Resource Manual contains complete lesson plans for all chapters as well as helpful suggestions for new instructors and those who are unfamiliar with the U.S. educational system. It also provides videoscripts for all episodes of the *Laberinto peligroso* video, and audioscripts for listening activities in the Student Activities Manual. The Instructor's Resource Manual is available to instructors online at the *¡Anda! Curso intermedio* Instructor Resource Center.

Testing Program

The Testing Program is closely coordinated with the vocabulary, grammar, culture, and skills material presented in the student text. For each chapter of the text, a bank of testing activities is provided in modular form; instructors can select and combine modules to create customized tests tailored to the needs of their own classes. Two complete, ready-to-use tests are also provided for each chapter. The tests and testing modules are available to instructors online at the *¡Anda! Curso intermedio* Instructor Resource Center.

Testing Audio CDs

A special set of audio CDs, available to instructors only, contains recordings corresponding to the listening comprehension portions of the Testing Program.

Extra Activities

Supplemental in-class activities corresponding to the themes, grammar, and vocabulary taught in each chapter are available online for instructors to use with their class.

Grammar PowerPoints

Each grammar point of *¡Anda! Curso intermedio* is accompanied by a PowerPoint grammar presentation for use in or out of class.

Instructor Resource Center

Several of the supplements listed above—the Instructor's Resource Manual, the Testing Program, Extra Activities, and the Workbooklet—are available for download at the access-protected *¡Anda! Curso intermedio* Instructor Resource Center (www.pearsonhighered.com). An access code will be provided at no charge to instructors once their faculty status has been verified.

Online resources

MySpanishLab

MySpanishLab is an innovative, nationally hosted online learning system created specifically for students in college-level language courses. It brings together—in one convenient, easily navigable site—a wide array of language-learning tools and resources, including an interactive version of the *¡Anda! Curso intermedio* Student Activities Manual, an electronic version of the *¡Anda! Curso intermedio* student text, and all materials from the *¡Anda! Curso intermedio* audio and video programs. Readiness checks, chapter tests, and tutorials personalize instruction to meet the unique needs of individual students. Instructors can use the system to make assignments, set grading parameters, listen to student-created audio recordings, and provide feedback on student work. Instructor access is provided at no charge. Students can purchase access codes online or at their local bookstores.

Companion Website

The open-access Companion Website includes an array of activities and resources designed to reinforce the vocabulary, grammar, and cultural material introduced in each chapter. It also provides audio recordings for the student text and Student Activities Manual, links for Internet-based activities in the student text, and additional web exploration activities for each chapter. All contents of the Companion Website are also included in MySpanishLab.

Viajando por aquí y por allá

5

Viajando por aquí y por allá

¿Te gusta ir de viaje? En el mundo hispano hay muchos lugares bonitos que puedes visitar. Hay lagos, montañas, playas, ciudades con centros comerciales y parques de atracciones. Y la tecnología puede llegar hasta cualquiera de esos lugares. ¡Vamos a explorar!

PREGUNTAS

1 ¿Cómo prefieres viajar? ¿Por qué?

2 ¿Adónde te gusta viajar?

3 ¿Cómo usamos la tecnología para viajar?, ¿y en nuestra vida diaria?

©Patryk Kosmider/Shutterstock

186

187

Comunicación I

05-01 to 05-03

Los viajes Discussing travel and means of transportation

¡Anda! Curso elemental, Capítulo 2. Los deportes y los pasatiempos; Capítulo 4. Los lugares; Capítulo 10. Los medios de transporte; El viaje, Apéndice 2.

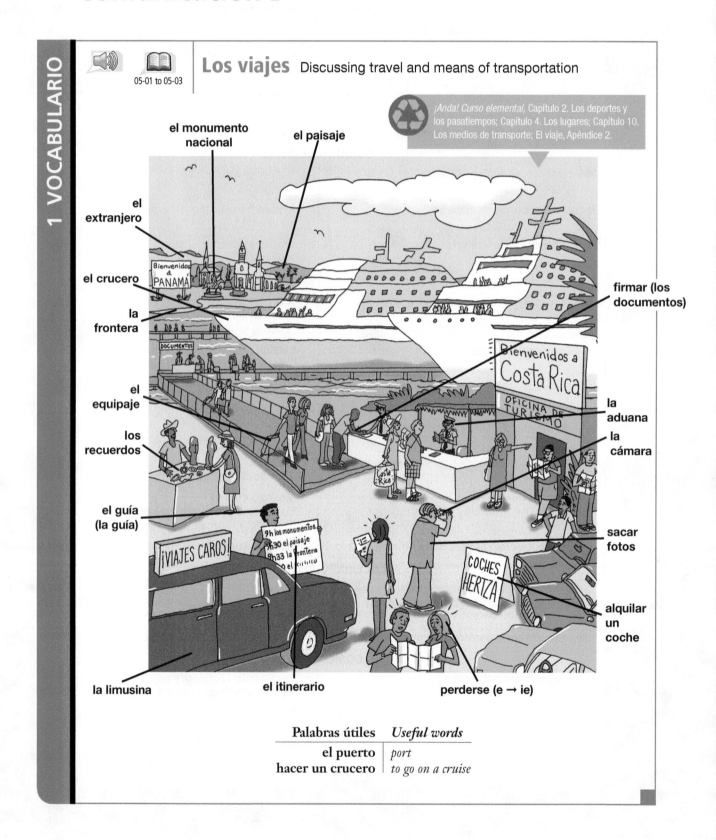

el monumento nacional

el paisaje

el extranjero

el crucero

la frontera

firmar (los documentos)

el equipaje

la aduana

los recuerdos

la cámara

el guía (la guía)

sacar fotos

alquilar un coche

la limusina

el itinerario

perderse (e → ie)

Palabras útiles	*Useful words*
el puerto	*port*
hacer un crucero	*to go on a cruise*

REPASO

¡Hola!
Repaso & Spanish Tutorial

05-04 to 05-06

Por y para Expressing time, location, purpose, destination, and direction

For a complete review of **por** and **para**, go to MySpanishLab or refer to **Capítulo 11** of *¡Anda! Curso elemental* in Appendix 3 of your textbook. The following vocabulary activities that appear in your textbook incorporate this grammar point. Practicing new vocabulary with a review grammar point helps to strengthen and increase your knowledge of Spanish.

5-1 **Viaje** ¿Qué necesitas para viajar? Con un grupo de cuatro compañeros/as de clase, hagan una lista de lo que necesitan y/o lo que van a ver en su "viaje". Cada persona del grupo debe tomar por lo menos **dos** turnos. ¡Diviértanse! ◼

MODELO	E1 [JOE]:	*Llevo un mapa.*
	E2 [ABBY]:	*Voy a la frontera y Joe lleva un mapa.*
	E3 [MARK]:	*Uso un guía para no perderme, Abby va a la frontera y Joe lleva un mapa…*

 ¡Anda! Curso intermedio, Capítulo 2. El subjuntivo para expresar pedidos, mandatos y deseos, pág. 91.

 ¡Anda! Curso elemental, Capítulo 10. Los medios de transporte; El viaje, Apéndice 2.

5-2 **En un mundo (im)perfecto**

Siempre hay recuerdos de los viajes. Termina las siguientes oraciones de manera lógica, usando el vocabulario nuevo de **Los viajes.** ◼

©Bryan Busovicki/Shutterstock

MODELO Mañana, mis amigos y yo salimos para…

Mañana, mis amigos y yo salimos para Panamá en un crucero de dos semanas.

1. Me gustó pasear por…
2. Mis amigos y yo salimos para…
3. Fui a la frontera por…
4. Compraron unos recuerdos para…
5. ¿Alquilaste un coche por…?
6. Yo pagué más de $100 por…

¡Anda! Curso intermedio, Capítulo 2. El subjuntivo para expresar pedidos, mandatos y deseos, pág. 91.

 ¡Anda! Curso elemental, Capítulo 10. Los medios de transporte; El viaje, Apéndice 2.

5-3 Agentes de viajes Ustedes son agentes de viajes y les dan a sus clientes recomendaciones sobre los viajes que ellos van a hacer. Túrnense. Sean creativos y usen **por** y **para** cuando sea posible. ■

MODELO   ir por tren

Es aconsejable que vayan por tren porque es más rápido y económico.

1. no manejar en esa ciudad
2. revisar el coche antes de alquilarlo
3. comprar un boleto de ida y vuelta
4. llegar a tiempo al aeropuerto
5. renovar (*renew*) el pasaporte
6. no llevar demasiado equipaje

Estrategia

Remember that you can use the following verbs and expressions to create your recommendations for **5-3**: *aconsejar, recomendar (e → ie), sugerir (e → ie → i), es aconsejable / deseable / mejor / preferible / recomendable que...*

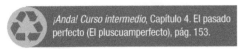

¡Anda! Curso intermedio, Capítulo 4. El pasado perfecto (El pluscuamperfecto), pág. 153.

¡Anda! Curso elemental, Capítulo 8. El imperfecto, Apéndice 3; Capítulo 10. Los medios de transporte, Apéndice 2.

5-4 ¿Por o para? Carlos planea las vacaciones de la familia. ∎

Paso 1 Túrnense para descubrir los planes finales de Carlos usando **por** y **para.**

Carlos y su familia trabajaban demasiado. (1) _____ más de cinco años habían hablado de irse de vacaciones y (2) _____ fin decidieron que iban a hacerlo (3) _____ finales de julio. Era el primero de mayo y todavía no habían decidido (4) _____ cuánto tiempo se iban a ir. Carlos quería ir (5) _____ tres semanas y hacer un crucero (6) _____ el Caribe, pero sus hermanos y sus padres no podían dejar el trabajo (7) _____ más de diez días. Tampoco les quedaba mucho dinero (8) _____ las vacaciones porque acababan de renovar su casa.

Entonces, ya era hora de decidir adónde y cómo ir. (9) _____ Carlos, si no podían hacer un crucero, era mejor alquilar una camioneta (*truck*) y una tienda de campaña y viajar (10) _____ el oeste de los Estados Unidos (11) _____ conocer los parques nacionales. Se puede hacer camping (12) _____ menos dinero que quedarse en un hotel. También, Carlos pensaba pasar (13) _____ la carretera Panamericana, quizás la parte entre Denver, Albuquerque y San Antonio. Sabía que había atascos (*traffic jams*) a causa de la construcción, pero no le importaba. Sus padres se conocieron en un pueblo en la carretera Panamericana cerca de San Antonio, y Carlos pensaba que (14) _____ esa razón iba a ser una buena sorpresa (15) _____ ellos. (16) _____ ayudar a sus padres, Carlos tenía la intención de planear toda la ruta yendo (17) _____ unos caminos interesantes en vez de pura autopista.

Decidieron tomar sus sugerencias, y sus padres se lo agradecieron. (18) _____ los hermanos no fue tan emocionante aquella decisión; ¡querían ir a Disneylandia!

Paso 2 Túrnense para explicar por qué usaron **por** o **para** en cada espacio en blanco. Sigan el modelo.

MODELO 1. Por, *duration of time*

5-5 Preguntas para Carlos Túrnense para hacerle **seis** preguntas a Carlos de la actividad **5-4** sobre sus planes, y luego contéstenlas. Pueden añadir información. Practiquen **por** y **para** en sus preguntas y sus respuestas. ∎

Estrategia

When you create with language, you use *critical thinking skills* such as *hypothesizing*. Create questions that might not be directly answered in **5-4.** Then create hypothetical, plausible answers that Carlos might give.

MODELO E1: *¿Por qué querías viajar por el Caribe en un crucero?*

E2 (CARLOS): *Quería viajar por el Caribe en un crucero porque me gustan las playas y quería descansar y relajarme un poco.*

¡Anda! Curso elemental, Capítulo 9.
El pretérito y el imperfecto, Apéndice 3.

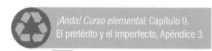 **5-6** **Mi viaje en un crucero por el río Amazonas** Lee el folleto sobre el crucero y después escribe una entrada de diario para describir lo que viste e hiciste durante el viaje. Puedes añadir más detalles. Usa por lo menos **cinco** de las palabras nuevas de **Los viajes**. También usa **por** y **para** por lo menos **cinco** veces. Después, compara tu entrada con la de un/a compañero/a. ■

MODELO   *Querido diario:*

El domingo pasado salimos de Iquitos, Perú, para Tabatinga, en Brasil. Hicimos un viaje por barco por el río Amazonas. Vimos e hicimos muchas cosas interesantes. Por ejemplo, por la mañana...

Este crucero de siete días sale los domingos de Iquitos, Perú, y lo lleva en el barco RÍO AMAZONAS a Tabatinga, Brasil, de regreso a Iquitos. Viajar en un barco cómodo le permite gozar de un recorrido inolvidable por la selva y conocer algunas comunidades nativas. También puede observar la exuberante flora y fauna de la selva tropical.

El barco
RÍO AMAZONAS:

ITINERARIO:

- **Primer día:** Navegación río abajo a través de la zona industrial de Iquitos y una breve visita a los campos de caña de azúcar°.   *sugar cane*
- **Segundo día:** Observación de aves° por la mañana. Visita a pueblos indígenas.   pájaros
- **Tercer día:** Caminata por la selva, pesca de pirañas en un lago pequeño y observación de los caimanes°.   un tipo de *alligator*
- **Cuarto día:** Llegada a la Isla de Santa Rosa. Mañana libre para pasear y hacer compras.
- **Quinto día:** Por la mañana, visita a la villa de Atacuari; por la tarde, visita al remoto hospital de leprosos de San Pablo.
- **Sexto día:** Breve parada en Pijuayal para un chequeo de documentos, una visita a Pevas para intercambiar artículos fabricados por artesanía de los nativos.
- **Séptimo día:** Llegada a Iquitos temprano por la mañana.

©guentermanaus/Shutterstock

2 VOCABULARIO

🔊 📖
05-07 to 05-09

Viajando por coche
Becoming familiar with cars and automobile travel

♻ ¡Anda! Curso elemental, Capítulo 10. Los medios de transporte, Apéndice 2.

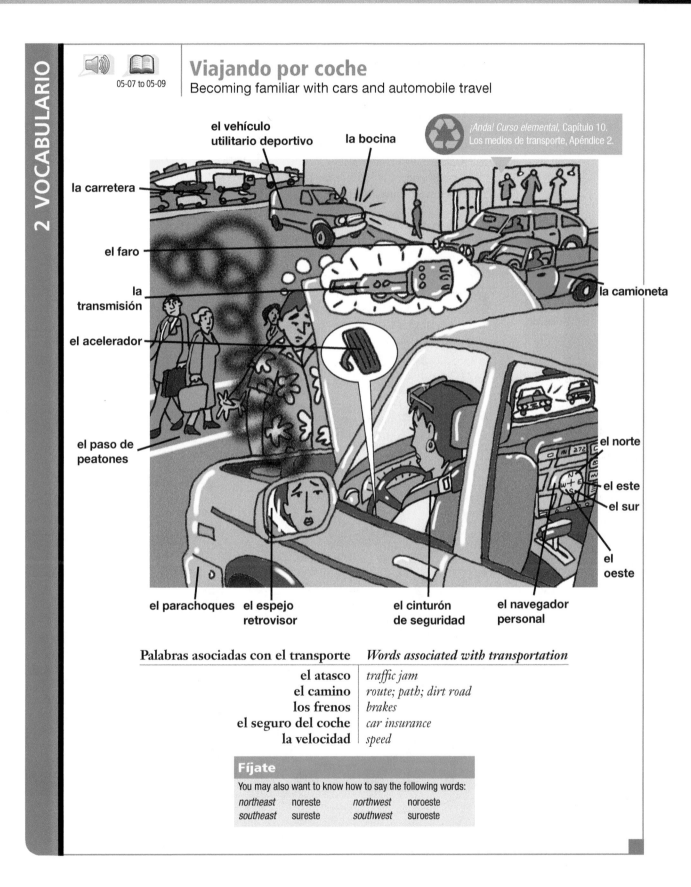

el vehículo utilitario deportivo
la bocina
la carretera
el faro
la transmisión
el acelerador
el paso de peatones
el parachoques
el espejo retrovisor
el cinturón de seguridad
el navegador personal
la camioneta
el norte
el este
el sur
el oeste

Palabras asociadas con el transporte	Words associated with transportation
el atasco	traffic jam
el camino	route; path; dirt road
los frenos	brakes
el seguro del coche	car insurance
la velocidad	speed

Fíjate

You may also want to know how to say the following words:

northeast	noreste	northwest	noroeste
southeast	sureste	southwest	suroeste

5-7 **Combinaciones** Combinen los elementos de las dos columnas para formar oraciones lógicas. Túrnense. ∎

1. _____ Deja de tocar la bocina…
2. _____ Cruzaron la calle…
3. _____ Compré una transmisión nueva…
4. _____ Salieron esta mañana…
5. _____ Para obedecer la ley (*the law*)…
6. _____ Piden setecientos dólares al año…

a. por el seguro de coche.
b. para la frontera.
c. siempre se pone el cinturón de seguridad.
d. para el vehículo utilitario deportivo viejo.
e. por el paso de peatones.
f. para no molestar a los vecinos.

¡Anda! Curso elemental, Capítulo 10.
Los medios de transporte, Apéndice 2.

Workbooklet

 5-8 **Mi carrito** ¿Conoces bien tu carro? Escribe los nombres de las partes en el dibujo. Después, comparte tu trabajo con un/a compañero/a. ∎

Estrategia

When you study vocabulary, writing the words down is a useful technique. Making a list helps you remember the new words better and learn their spellings. Study the words from your written list by looking at each English word as a prompt and saying the Spanish word. Check off the words you know well, and then concentrate on those you do not know yet.

5-9 **Piloto de carreras (*Race car driver*)** Juan Pablo Montoya empezó a competir oficialmente en carreras de karting de su país a la edad de seis años. Vamos a ver lo que él nos cuenta. Completa el siguiente párrafo sobre Montoya con las palabras apropiadas de la siguiente lista. Después, comparte tu trabajo con un/a compañero/a. ■

Fíjate

The term *karting* refers to racing in go-karts, smaller-sized cars built for children to race on tracks. They are often found at amusement parks.

Fíjate

In Spanish-speaking countries, dates are written differently: day/month/year, e.g., *17/6/2014*.

Número del vehículo:	42
Fecha de Nacimiento:	20/09/1975
Lugar de Nacimiento:	Bogotá, Colombia
Altura:	1,68 m
Peso:	72 kg.
Residencia:	Miami, Florida
Familia:	Connie, esposa, e hijos Sebastian, Paulina & Manuela
Pasatiempos:	deportes aquáticos, golf

Walter G Arce/Shutterstock

carretera	cinturones	bocina	frenos
navegador personal	transmisión	velocidad	vehículo utilitario deportivo

Desde niño me han gustado las carreras. De karting fui a Fórmula Uno, donde me quedé por varios años. Pero desde el año 2007 soy piloto de carreras de stock car con NASCAR y vivo en los Estados Unidos. Mucha gente me pregunta cuál es mi carro favorito —aunque tengo varios coches muy buenos, mi favorito es mi (1) _____. Tiene más de doscientas mil millas, pero es como nuevo para mí porque lo acabo de restaurar (*restore*). Por ejemplo, anda bien porque la (2) _____ es nueva. Para la seguridad de mis hijos puse nuevos (3) _____. Para poder parar con rapidez y precisión, tengo unos (4) _____ nuevos también. Es un coche muy seguro y lo suficientemente grande para poder llevar a mis hijos con todas sus cosas y mis perros a la playa o de excursión. Para no perderme compré un (5) _____. Una cosa que no cambié fue la (6) _____ porque funciona y suena (*sounds*) muy bien. Cuando quiero correr más (ir más rápido), no lo hago en la (7) _____ donde hay muchos otros carros; me meto en mi auto de carrera y puedo ir a alta (8) _____ en la pista de carreras.

 5-10 **Un coche distinto** Lleva a clase una foto de un coche. Puede ser un coche extraordinario o un coche "regular". Descríbeselo a un/a compañero/a de clase usando por lo menos **diez** palabras nuevas del vocabulario **Viajando por coche.** ■

3 GRAMÁTICA

05-10 to 05-12   ¡Hola! Spanish/English Tutorials

Los pronombres relativos *que* y *quien*
Connecting sentences and clarifying meaning

The words **que** and **quien** can link two parts of a sentence. When used in this way que (*that, which, who, whom*) and quien(es) (*who, whom*):

- do not have accents.
- refer back to *nouns* in the **main clause** (main part of the sentence).
- provide a smooth transition from one idea to another, eliminating the repetition of the noun.

¡¿Es ésta la limusina que alquilamos por $200?!

1. **Que** is the **most frequently used** and can refer to *people, places, things, or ideas*.

¿Es ésta	**la limusina**	que	alquilamos por doscientos dólares?
Is this	*the limosine*	*(that)*	*we rented for two hundred dollars?*

La agente de viajes que conocimos ayer viajó por todo el mundo hace tres años.	*The travel agent (that) we met yesterday traveled around the world three years ago.*
El itinerario y los mapas son algunas de las cosas que necesitamos llevar con nosotros.	*The itinerary and the maps are some of the things (that) we need to take with us.*
El monumento nacional que quieren visitar está en el centro de la ciudad.	*The national monument (that) they want to visit is in the center of the city.*

2. **Quien(es)** may also be used in a clause set off by commas when it refers *to people*, BUT **que** is normally used instead of **quien.**

El guía, quien / que nos llevó por toda la ciudad, no nos acompaña mañana.	*The guide, who took us around the city, is not accompanying us tomorrow.*

3. What follows are some additional guidelines for using **que** and **quien**:

   a. Use **que** after the simple prepositions **a, con, de,** and **en** to refer to *places, things, or abstract ideas*—NOT *people*.

   b. To refer to *people* after the simple prepositions **a, con, de,** and **en**, *you must use* **quien(es).**

El **avión** en que volamos ahora es uno de los más grandes del mundo.	*The plane in which we are now flying is one of the largest in the world.*
Los **peatones** con quienes cruzan necesitan apurarse un poco.	*The pedestrians with whom they are crossing need to speed up a bit.*

Fíjate	**Fíjate**
Note that while the word *that* can sometimes be omitted in English, **que** and **quien** are always needed in Spanish: *El atasco **que** vimos ayer duró cuatro horas.* The traffic jam (that) we saw yesterday lasted four hours.	A *dependent clause* cannot stand alone as a complete sentence and depends on the main clause to complete its meaning. In the following sentence, the underlined portion is the dependent clause: *El itinerario y los mapas son algunas de las cosas **que** dejamos en casa.*

5-11 **Selecciones** Termina el siguiente párrafo con **que** y **quien**. Después, compara tu trabajo con el de un/a compañero/a. Túrnense para explicar sus elecciones. ◼

La agencia (1) _____ ofrece viajes baratos no tiene problemas económicos sino unos arreglos muy especiales con la comunidad. Ayer, sin embargo, cuando llamamos a la agencia, el agente con (2) _____ hablamos no nos pudo ayudar mucho. Ese agente, (3) _____ se mudó aquí de Santiago, Chile, no sabe mucho sobre las ofertas (4) _____ tienen. Por ejemplo, no sabe si hay cruceros muy económicos (5) _____ hagan giras por todo el Caribe. Mis padres, (6) _____ hacen un viaje casi todos los años, dicen que hay cruceros enormes (7) _____ salen del puerto de nuestra ciudad. Dicen que se puede hacer muchas actividades a bordo: nadar en la piscina, relajarse en el jacuzzi, tomar el sol, asistir a diferentes clases para hacer ejercicio, como el pilates y el yoga, ir al cine, visitar los bares y las discotecas para tomar y bailar y comer las veinticuatro horas del día. ¡Mis amigas, con (8) _____ pienso hacer el crucero, nunca van a querer dormir!

 5-12 **¿Has visitado la luna?** Combinen las oraciones usando **que** y **quien** para evitar la repetición. ◼

©Daniel Wiedemann/Shutterstock

MODELO   El Valle de la Luna está en Bolivia. El Valle de la Luna es un lugar muy curioso.
El Valle de la Luna, que está en Bolivia, es un lugar muy curioso.

1. El Valle de la Luna está a diez kilómetros del centro de La Paz. Es un lugar muy extraño.
2. El paisaje ofrece un gran contraste. Es un paisaje extraterrestre.
3. El Valle de la Luna está al lado de un pueblo. El pueblo se llama Malilla.
4. El día que estuve allí había un hombre encima de una roca enorme. El hombre tocaba una flauta.
5. El taxista nos cobró veinte dólares por llevarnos allí. Nos encontramos con el taxista al lado del bar Max Beber.

 5-13 La historia de Rapunzel Su profesor/a los va a poner en grupos de tres o cuatro estudiantes y les va a dar ocho papeles que contienen la historia de Rapunzel. Ustedes tienen que poner los papeles en orden y contar la historia. ■

 5-14 ¿Quién puede ser? En grupos de cuatro o cinco, túrnense para dar pistas (*clues*) sobre una persona de la clase hasta que alguien pueda adivinar quién es. Enfóquense en el uso de **que** y **quien.** ■

MODELO   E1: *Estoy pensando en una persona que tiene una camioneta roja y lleva jeans. También es una persona a quien le gusta mucho el básquetbol y con quien trabajo mucho en la clase.*

E2: *¿Es Mark?*

E1: *Sí, es Mark.*

 5-15 Biografía Ahora piensen en unas personas famosas para continuar el juego de la actividad **5-14.** Deben dar de **tres** a **cinco** pistas, o más si los compañeros no pueden adivinar quién es. ■

4 VOCABULARIO

05-13 to 05-16

Las vacaciones Planning and illustrating vacations

¡Anda! Curso elemental, Capítulo 10. El viaje, Apéndice 2.

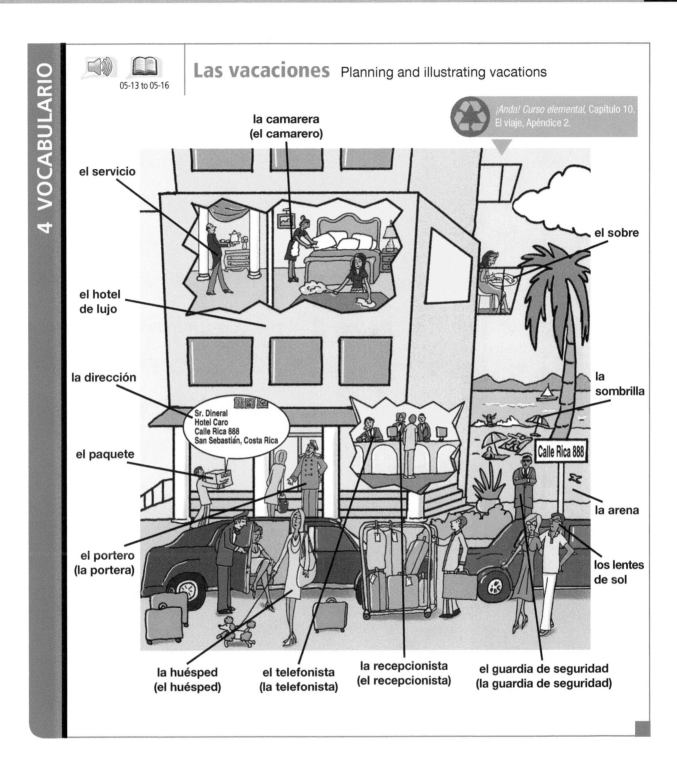

la camarera
(el camarero)

el servicio

el sobre

el hotel
de lujo

la dirección

la sombrilla

Sr. Dineral
Hotel Caro
Calle Rica 888
San Sebastián, Costa Rica

Calle Rica 888

el paquete

la arena

el portero
(la portera)

los lentes
de sol

la huésped
(el huésped)

el telefonista
(la telefonista)

la recepcionista
(el recepcionista)

el guardia de seguridad
(la guardia de seguridad)

5-16 **Veo, veo** ¿Qué ves en el dibujo de la página 199? Dile a un/a compañero/a lo que ves. Túrnense. ■

MODELO   E1:   *Veo a una persona hablando por teléfono.*

               E2:   *Ves al telefonista.*

               E2:   *Veo algo para proteger los ojos.*

               E1:   *Ves los lentes de sol.*

NOTAS CULTURALES

05-17 to 05-18

©Pablo H Caridad/Shutterstock

©Pablo H Caridad/Shutterstock

El fin del mundo y los glaciares en cinco días:

Para los viajeros que quieren algo diferente en sus vacaciones

Día 1: *Punta Arenas:* Llegada entre las 09:00 y las 16:00 horas al puerto en el crucero "Sueño". Cóctel de bienvenida con el capitán, quien encabeza el crucero.

Día 2: *Isla Magdalena y los pingüinos:* Visita la Isla Magdalena y los pingüinos magallánicos. Excursión al Parque Nacional Cabo de Hornos. Noche a bordo.

Día 3: *Ushuaia:* Navegación y llegada a Ushuaia, Tierra del Fuego, la ciudad más austral del mundo. Gira de la ciudad. Noche en hotel de 4 estrellas.

Día 4: *El Calafate y el Perito Moreno:* Traslado°   *transfer* al aeropuerto; vuelo a Calafate. Exploración de los glaciares masivos de El Calafate, Patagonia. Noche en hotel de 4 estrellas.

Día 5: *El Calafate – Punta Arenas:* Desayuno. Traslado en autobús al aeropuerto. Vuelo a Punta Arenas.

Fíjate

Perito Moreno is one of the few glaciers that is growing and expanding instead of receding.

Preguntas

1. ¿Qué lugares incluye el recorrido de este viaje? ¿Qué van a ver los pasajeros? ¿Con quién tienen el cóctel de bienvenida?
2. ¿Qué medios de transporte se mencionan? ¿Adónde van en cada uno de los medios de transporte?
3. ¿Cuáles son los medios de transporte más comunes para las vacaciones en tu cultura?

5-17 Entrevista Circula por la sala de clase haciendo y contestando las siguientes preguntas. Debes hablar por lo menos con **cinco** personas diferentes. Después, tu profesor/a va a pedirles la información para averiguar qué tienen en común. ■

1. Cuando viajas, ¿normalmente te quedas en hoteles de lujo o en hoteles más económicos? ¿Por qué?
2. Típicamente, ¿en qué se diferencian los hoteles de lujo de los hoteles más económicos?
3. ¿Te gusta tomar el sol o prefieres quedarte bajo una sombrilla cuando estás en la playa? ¿Por qué?
4. ¿Siempre llevas lentes de sol? ¿Qué marca (*brand*) prefieres? ¿Cuánto te costaron? ¿Dónde los compraste? ¿Por qué te gustan?
5. ¿Coleccionas sellos o tarjetas postales? ¿Conoces a alguien que los coleccione? ¿De dónde has recibido tarjetas postales?

©iStockphoto/Thinkstock

Estrategia

Answer in complete sentences when working with your classmates. Even though it may seem mechanical at times, using complete sentences leads to increased comfort with speaking Spanish.

 5-18 Nuestra historia Mira el dibujo en la página 199, **Las vacaciones.** Con un/a compañero/a, creen una historia sobre lo que pasó aquel día. Túrnense, incluyendo por lo menos **diez** oraciones. ■

MODELO   Empezó como un día normal en el Hotel Caro.

      E1: *Hacía sol y no llovía en la playa.*

      E2: *Pero, llegaron dos huéspedes en una limusina…*

 ¡Anda! Curso elemental, Capítulo 9. Un resumen de los pronombres de complemento directo e indirecto y reflexivos. Apéndice 3.

 5-19 Tus vacaciones ideales ¡Qué suerte! Ganaste $100.000 dólares en un concurso para realizar el viaje de tus sueños. Después de regresar del viaje, te entrevistó un periodista de la revista *Viajes.* Un/a estudiante hace el papel del periodista y el/la otro/a el papel del ganador. Túrnense para formar y contestar las siguientes preguntas usando **el pretérito** y **el imperfecto.** ■

1. ¿Adónde / decidir / ir? ¿Por qué?
2. ¿En qué hotel / quedarse?
3. ¿Qué servicios / ofrecer / en el hotel?
4. Cuando / estar / en el hotel, ¿cómo / pasar / el tiempo (día y noche)?
5. ¿Viajar / por la región? ¿Qué excursiones / hacer?
6. ¿Perderse / en algún momento? Da algún ejemplo.
7. ¿Sacar / muchas fotos?
8. ¿Cómo / viajar? —¿Alquilar / un carro / o / ir / en taxi y autobús / o / caminar?

Estrategia

Both you and your partner should answer the questions individually, according to your dream vacations.

ESCUCHA

Un anuncio de radio

05-19 to 05-21

When pinpointing specific information, it is usually necessary for you to know the topic or context of what you will hear in advance. Then you need to anticipate what you will want and/or need to know. When pinpointing specific information, you may wish to write or make a brief mental list of specific questions or topics upon which you will focus your listening. When performing this strategy in real life in an interpersonal setting, you would want to follow up with clarifying questions if you did not glean all the details.

5-20 Antes de escuchar

Vas a escuchar un anuncio de radio para la agencia de viajes Zona del Viaje. Si estás pensando en tomar un viaje y oyes este anuncio, ¿qué información esperas sacar? Escribe **tres** cosas que crees que vas a escuchar en el anuncio. ■

©REDAV/ Shutterstock

1. _____
2. _____
3. _____

 5-21 A escuchar Lee esta lista de información que puede ser importante para este tipo de promoción y escucha el anuncio. ■

1. El tipo de viaje	
2. Las ofertas (*special offers*)	
3. El precio	
4. Lo que está incluido en ese precio	
5. Cómo comprar el viaje	

 5-22 Después de escuchar Llena el cuadro de la actividad **5-21** con la información que escuchaste y compáralo con el de un/a compañero/a. Después, decidan si el viaje es una buena oferta y si a ustedes les gustaría hacerlo. ■

¿Cómo andas? I

	Feel confident	Need to review
Having completed **Comunicación I,** I now can . . .		
• discuss travel and means of transportation. (p. 188)	☐	☐
• express time, location, purpose, destination, and direction. (MSL)	☐	☐
• become familiar with cars and automobile travel. (p. 193)	☐	☐
• connect sentences and clarify meaning. (p. 196)	☐	☐
• plan and illustrate vacations. (p. 199)	☐	☐
• compare notes on travel and transportation. (p. 200)	☐	☐
• pinpoint specific information. (p. 202)	☐	☐

Comunicación II

¡Anda! Curso elemental, Capítulo 2.
En la universidad, Apéndice 2.

5 VOCABULARIO

05-22 to 05-23

La tecnología y la informática
Indicating how technology is useful, both at home and in travel

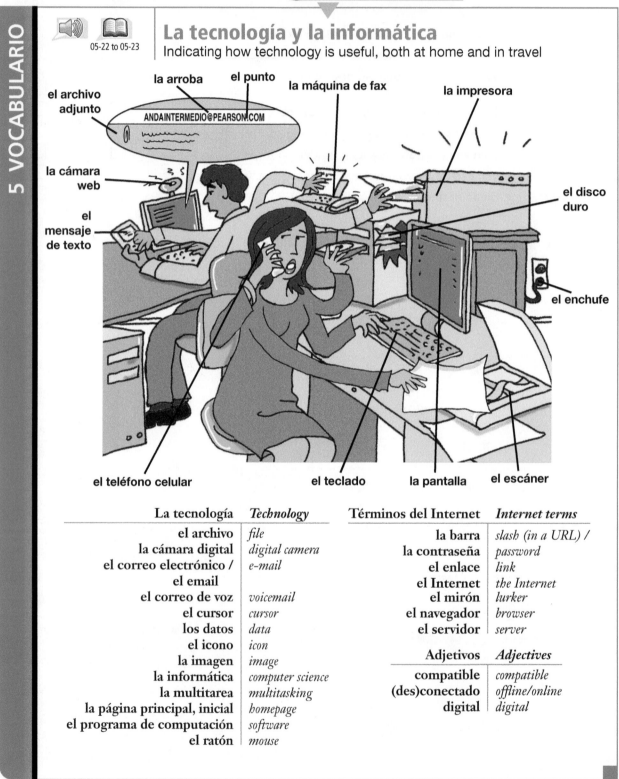

la arroba · el punto · la máquina de fax · la impresora · el archivo adjunto · el disco duro · la cámara web · el mensaje de texto · el enchufe · ANDAINTERMEDIO@PEARSON.COM · el teléfono celular · el teclado · la pantalla · el escáner

La tecnología	*Technology*	Términos del Internet	*Internet terms*
el archivo	*file*	la barra	*slash (in a URL) /*
la cámara digital	*digital camera*	la contraseña	*password*
el correo electrónico / el email	*e-mail*	el enlace	*link*
el correo de voz	*voicemail*	el Internet	*the Internet*
el cursor	*cursor*	el mirón	*lurker*
los datos	*data*	el navegador	*browser*
el icono	*icon*	el servidor	*server*
la imagen	*image*		
la informática	*computer science*	**Adjetivos**	*Adjectives*
la multitarea	*multitasking*	compatible	*compatible*
la página principal, inicial	*homepage*	(des)conectado	*offline/online*
el programa de computación	*software*	digital	*digital*
el ratón	*mouse*		

El pretérito y el imperfecto (continuación)
Conversing about events in the past

For a complete review of the preterit and the imperfect, go to MySpanishLab or refer to **Capítulo 9** of *¡Anda! Curso elemental* in Appendix 3 of your textbook. The following vocabulary activities that appear in your textbook incorporate this grammar point. Practicing new vocabulary with a review grammar point helps to strengthen and increase your knowledge of Spanish.

5-23 ¿Cierto o falso? Es el año 2050. Un abuelo habla con su nieta, y bromea (*jokes around*) con ella sobre cómo era la tecnología en el año 2000. La nieta decide si las oraciones del abuelo son ciertas o falsas. Si son falsas, corríjanlas (*correct them*) para hacerlas ciertas. Túrnense. ■

MODELO   E1 (ABUELO):   Cuando usaba el Internet necesitaba tener un mirón.

E2 (NIETA):   *No, abuelo. Cuando usted usaba el Internet necesitaba tener un navegador.*

Fíjate

Most Spanish-speaking countries use either *el computador* or *la computadora* for *computer*. In Spain, *el ordenador* is used.

1. Guardaba mis documentos en el mirón.
2. Mandaba mensajes, revisaba el presupuesto personal y escribía un reporte —todo a la vez— la multitarea era parte de mi vida.
3. Para comprar algo por el Internet necesitaba usar la impresora y el disco duro, pero una vez no los usé.
4. Podía leer mi correo electrónico sin la pantalla.
5. El cursor y el teclado eran necesarios para poder escribir los correos electrónicos en la computadora.

 ¡Anda! Curso elemental, Capítulo 5. Los pronombres de complemento directo; Capítulo 8. Los pronombres de complemento indirecto, Apéndice 3.

5-24 Busco un cibercafé que...

Ustedes son unos ejecutivos importantes de una compañía multinacional y están en Arequipa, Perú, para una conferencia. Necesitan acceso a la tecnología porque la maleta en que tenían todos los materiales para la presentación se perdió. Encuentran este anuncio sobre el Cibercafé Dos Mundos. Hablen de lo que pueden hacer (y de lo que no pueden hacer) allí para preparar de nuevo la presentación. ¡Sean creativos! ■

MODELO *Es bueno que el Cibercafé Dos Mundos tenga un fax. Entonces podemos decirle a la secretaria que nos mande una copia de los documentos que están en la maleta perdida.*

CIBERCAFÉ DOS MUNDOS

Plaza Bolívar
Arequipa, Perú
tel. (54)-42-3082
www.cibercafedm.pe

PUEDES CONECTAR TU EQUIPO

Workbooklet

¡Anda! Curso elemental, Capítulo 5. Los pronombres de complemento directo; Capítulo 8. Los pronombres de complemento indirecto; Capítulo 9. Expresiones con *hacer*, Apéndice 3.

5-25 **La tecnología en mi vida** Llena el cuadro con información sobre el uso que tú haces de la tecnología. Después, pídele a un/a compañero/a su información. Usa **los pronombres de complemento directo e indirecto** para evitar la repetición. Finalmente, compartan sus datos con otros compañeros para averiguar qué tienen ustedes en común. ■

MODELO   teléfono celular

    E1: *¿Tienes un teléfono celular?*

    E2: *Sí, y es un teléfono nuevo de Motorola.*

    E1: *¿Cuándo lo compraste?*

    E2: *Lo compré hace cinco meses.*

    E1: *¿Cuántas veces al día lo usas?*

    E2: *Lo uso por lo menos veinte veces al día.*

    E1: *¿Para qué lo usas?*

    E2: *Lo uso para llamar a mis amigos, para mandar mensajes de texto y para leer mi email.*

Estrategia

Note the options for answering the questions in **5-25**. As you work with your partner, always push yourself to be as creative as possible. By varying your answers, you practice and review more of the structures, which in turn helps you become a strong speaker of Spanish.

APARATO	MARCA (*BRAND*)	CUANDO LO/ LA COMPRÉ	CON QUÉ FRECUENCIA LO/LA USO	PARA QUÉ LO/LA USO
teléfono celular	Motorola	Hace cinco meses	Por lo menos veinte veces al día	Para llamar a mis amigos, para mandar mensajes de texto y para leer mi email
calculadora				
cámara digital				
cámara de video digital				
fax				
reproductor de MP3				
televisión HD o 1080p				

5-26 **¿Qué puede ser?** Van a describir aparatos electrónicos usando cuatro pistas (*clues*). ■

Paso 1 En grupos de tres o cuatro, escojan un aparato y escriban las cuatro pistas. La primera pista debe ser la más general y la cuarta la más específica.

MODELO E1: (escáner)

Es tan útil como una computadora.

Se comunica con una computadora.

Copia y transmite información.

Con esta máquina, puedo mandarle por computadora una página de un libro a mi amiga.

©Iakov Filimonov/Shutterstock

Paso 2 Túrnense para adivinar.

MODELO E2: *¿Es una impresora?*

E1: *No. Adivina de nuevo.*

E3: *¿Es un escáner?*

E1: *¡Sí! ¡Correcto!*

Paso 3 Escojan dos aparatos para presentar a los otros grupos.

 5-27 **Un invento muy importante** En grupos de tres o cuatro, inventen un aparato que mejore la calidad (*quality*) de nuestra vida. Necesitan describir el aparato con un dibujo y con palabras, explicar sus usos y decir a quién(es) le(s) ayudaría (*would help*). ■

©Leks052/Shutterstock

6 GRAMÁTICA

05-27 to 05-29 Spanish/English Tutorials

El subjuntivo con antecedentes indefinidos o que no existen
Depicting something that is uncertain or unknown

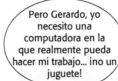

Pero Gerardo, yo necesito una computadora en la que realmente pueda hacer mi trabajo... ¡no un juguete!

So far you have used the subjunctive to indicate wishes, recommendations, suggestions, and commands. You have also used it to express doubt, uncertainty, disbelief, and denial as well as emotions and opinions.

The subjunctive is also used to express the possibility that something is uncertain or nonexistent. If it is clear that the ***person, place or thing*** does exist, then the indicative is used. Note the following sentences.

Quiero comprar **una** computadora que sea compatible con el sistema que tengo.	*I want to buy **a** computer that is compatible with the system I have.* (may not exist)
Quiero comprar **la** computadora que es compatible con el sistema que tengo.	*I want to buy **the** computer that is compatible with the system I have.* (the computer exists)
Necesitamos **un** servidor que sea lo suficientemente grande para satisfacer todas nuestras necesidades.	*We need **a** server that is large enough to accommodate all our needs.* (does not yet exist for the speaker)
Necesitamos **el** servidor que es lo suficientemente grande para satisfacer todas nuestras necesidades.	*We need **the** server that is large enough to accommodate all our needs.* (the server exists)
No conocemos a nadie que sepa cifrar los documentos.	*We don't know anyone who knows how to encrypt the documents.* (speakers do not know anyone)
Conocemos a alguien que sabe cifrar los documentos.	*We know someone who knows how to encrypt the documents.* (speakers do know someone)

Estrategia

To determine whether you should use the subjunctive or the indicative, ask the question: *Does the person, place, or thing exist at that moment for the speaker?* If it does, then use the indicative; if not, the subjunctive is needed.

COMUNICACIÓN II

 5-28 **Trabajos nuevos** Son ayudantes para el jefe de una compañía internacional nueva que necesita muchos empleados. Usando la información de la lista, túrnense para describir al tipo de persona que necesitan o buscan. ■

MODELO   hablar varios idiomas

Necesito / Busco un secretario / ayudante que hable varios idiomas.

1. saber organizar una oficina
2. querer trabajar los fines de semana
3. tener experiencia con muchos programas de computación
4. hablar inglés perfectamente
5. ser honesto/a y eficiente
6. entender los programas de computación de la oficina
7. escribir bien las cartas y reportes
8. ser intérprete y traductor/a

 5-29 **A repasar** Han hablado de los aparatos tecnológicos que tienen, e incluso han inventado un aparato nuevo. Ahora vamos a repasar un poco. Terminen las siguientes oraciones de manera lógica. ■

©Korn/Shutterstock

MODELO   Quiero un teléfono celular que (no existe todavía)…

Quiero un teléfono celular que no sea tan caro.

Quiero el teléfono celular que (ya existe)…

Quiero el teléfono celular que cuesta veinte dólares, como el que tiene Pati.

1. Mis padres quieren una computadora que…
2. Mis padres quieren la computadora que…
3. Necesito un teléfono celular que…
4. Necesito el teléfono celular que…
5. Busco una cámara digital que…
6. Quiero comprar la cámara digital que…

5-30 **El mío es mejor** Tu amigo/a siempre tiene lo mejor de todo y siempre lo exagera. Túrnense para responder tal como respondería él/ella (*as he/she would respond*) a las siguientes oraciones. ■

MODELO   Busco una computadora que _____ (reconocer) mi voz.

E1:   *Busco una computadora que reconozca mi voz.*

E2 (AMIGO): *Yo tengo una computadora que reconoce mi voz y me llama por teléfono cuando tengo un correo electrónico importante.*

1. Necesito una pantalla para mi computadora que _____ (ser) tan grande como la pantalla de mi televisión.
2. Quiero encontrar una impresora que _____ (poder) imprimir, copiar y escanear.
3. ¿Hay una computadora que _____ (escribir) lo que dice una persona?
4. ¿Tienes un teléfono que _____ (poder) mostrar películas?
5. No existe un carro que _____ (ser) realmente económico.
6. Busco una televisión que _____ (tener) todas las características que _____ (tener) mi computadora.

5-31 **El teléfono ideal** Hoy en día un teléfono celular es mucho más que un teléfono —es útil pero también puede ser casi como un juguete (*toy*). ¿Cuáles son las características y usos más importantes para ti? Haz una descripción de **tres** o **cuatro** oraciones sobre el teléfono perfecto para ti, usando **el subjuntivo con antecedentes indefinidos o que no existen**. Después, comparte la descripción con un/a compañero/a. ■

MODELO   *Quiero un teléfono que sea pequeño y que…*

5-32 **¡No existen!** Hagan una lista de por lo menos **diez** cosas que no existen, pero que quieren que existan. Sigan el modelo. ■

MODELO   E1: *No existe un tren que sea tan rápido como un avión.*

E2: *No existe un IPhone que sea barato.*

…

5-33 **Enamórate en BuscaPareja.com** Piensas utilizar un servicio en Internet para encontrar el amor. Pero primero, necesitas decidir cuáles son las características personales en una pareja más importantes para ti. Haz una lista de **diez** características y después compártelas con un/a compañero/a. Usa **el subjuntivo**. ■

MODELO   *Necesito un hombre / una mujer que sea inteligente. Busco una persona que…*

7 VOCABULARIO

05-30 to 05-32

Las acciones relacionadas con la tecnología
Describing technology

Algunos verbos	*Some verbs*		
actualizar	*to update*	**guardar**	*to save; to file*
arrancar	*to boot up; to start up*	**hacer clic**	*to click*
borrar	*to delete; to erase*	**hacer la conexión**	*to log on*
cifrar	*to encrypt*	**imprimir**	*to print*
conectar	*to connect*	**navegar**	*to navigate; to surf*
congelar	*to freeze; to crash*	**pegar**	*to paste*
cortar	*to cut*	**prender**	*to start*
descargar	*to download*	**pulsar el botón derecho**	*to right-click*
deshacer	*to undo*	**reiniciar**	*to reboot*
digitalizar	*to digitalize*	**sabotear**	*to hack*
enchufar	*to plug in*		
escanear	*to scan*		

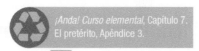

¡Anda! Curso elemental, Capítulo 7.
El pretérito, Apéndice 3.

5-34 Poner todo en orden   Juntos pongan las siguientes oraciones

en orden correcto para explicar lo que hizo José Luis con su computadora. ■

_6_ Después de que se abrió mi página principal, fui a leer mi correo electrónico.

_4_ Hice la conexión con mi contraseña.

_8_ Después de borrar el *spam*, abrí un mensaje de mi sobrino que tenía un archivo adjunto.

_2_ No sé cómo, pero alguien la había desenchufado. Entonces, la enchufé.

_10_ Navegué por el Internet un poco y por fin apagué la computadora.

_5_ Mi página principal se abrió.

_7_ Borré unos treinta mensajes de *spam*.

_9_ Imprimí el archivo que era una foto de él detrás del volante de su coche nuevo.

_1_ Traté de encender la computadora, pero no prendió.

_3_ Luego la prendí.

5-35 Ayer en el cibercafé   Ayer fue un día de mucho trabajo en el

cibercafé. Describan el dibujo, incluyendo en la descripción por lo menos **una oración** sobre cada persona. ■

¡Anda! Curso elemental, Capítulo 8. Los pronombres de complemento directo e indirecto usados juntos; Capítulo 10. Los mandatos informales, Apéndice 3.

 5-36 **¿Qué debo hacer?** Túrnense para darle consejos a su amigo Federico. ■

MODELO E1 (FEDERICO): Quiero mostrarles las fotos de mis vacaciones en Perú.

E2 (USTEDES): *Descarga las fotos y muéstranoslas.*

1. Mi computadora funciona mal y tarda mucho en abrir las ventanas nuevas.
2. Este programa de computación no hace lo que necesito.
3. Mi iPhone se congeló.
4. No me gusta leer los documentos que me mandan en la pantalla.
5. Necesito información sobre los cibercafés de Barcelona.
6. Tengo demasiados mensajes en mi correo electrónico.

  5-37 **El uso de la computadora** ¿Cómo usas tu computadora? ¿Cuánto tiempo pasas delante de tu computadora? ■

Workbooklet

Paso 1 Completa el cuadro con tu información personal.

	PROGRAMA DE COMPUTACIÓN O PÁGINA WEB	ACCIÓN(ES)	DÍAS	HORAS	MINUTOS
YO					
E1					
E2					
E3					

Paso 2 Entrevista a por lo menos **tres** personas para averiguar cómo ellos usan la computadora.

MODELO E1: *¿Qué programas de computadora usas más?*

E2: *Uso Word y PowerPoint más.*

E1: *¿Cuáles son tus páginas web favoritas?*

E2: *Escribo mucho en Facebook y…*

Paso 3 Comparen cómo todos los estudiantes de la clase usan la computadora. ¿En qué aspectos son parecidos? ¿En qué aspectos son diferentes?

MODELO E1: *Paso una hora al día de lunes a viernes escribiendo documentos en Word. ¿Y ustedes?*

E2: *Yo paso menos tiempo en Word; generalmente media hora durante la semana. Trabajo más con Excel por mi trabajo.*

E3: *Escribo en Word una hora, pero paso tres horas en Facebook…*

PERFILES

05-33 to 05-34

Viajando hacia el futuro

La tecnología puede ser muy útil: nos ayuda a comunicarnos, trabajar y viajar. Las siguientes personas tienen algo que ver con la tecnología, los viajes o las dos cosas a la vez.

©Tiziou Jacques/CORBIS Sygma

¿Conoces a alguien que sea astronauta? **Franklin Díaz-Chang** (n. 1950), de San José, Costa Rica, comenzó a trabajar para la NASA como astronauta en el año 1981 y ha participado en siete vuelos al espacio exterior. Tiene un doctorado en física aplicada del Instituto Tecnológico de Massachusetts.

Fíjate

Franklin Díaz-Chang's father is a Costa Rican of Chinese descent.

©Alexander Gordeyev/Shutterstock

¿Hay muchas personas a quienes no les guste andar en bicicleta? **Alberto Contador** (n. 1982 en Madrid, España) ha andado mucho en bicicleta. Ha ganado el Tour de Francia tres veces, en los años 2007, 2009 y 2010. También en el año 2008 ganó el Giro de Italia y la Vuelta a España. Con esto, se convirtió en el quinto corredor de la historia en ganar las tres grandes competencias de ciclismo.

©Kondrachov Vladimir/Shutterstock

Augusto Ulderico Cicaré (n. 1937 en Polvaredas, Argentina): A los doce años abandonó sus estudios formales y se dedicó a los inventos tecnológicos. Se enamoró del vuelo, y por fin elaboró la máquina de su pasión: el helicóptero. Hoy en día sigue inventando y es el jefe de la compañía de helicópteros Cicaré, famosos en todo el mundo.

Preguntas

1. ¿Cómo usan estas personas la tecnología para viajar?
2. Estas personas utilizan la tecnología en sus profesiones de una manera u otra. ¿Cómo piensas usar la tecnología en tu futuro?
3. ¿Qué profesiones utilizan la tecnología con más frecuencia?

5-38 **¡Tengo la pantalla negra!** Hace cinco días que pediste ropa nueva por el Internet. Estabas tratando de ver el estado de tu pedido (*order*) cuando de repente ¡tu computadora se congeló! Llama para pedir asistencia técnica. Crea un diálogo con un/a compañero/a, preguntando y describiendo lo que pasó en **ocho** pasos. Incluye por lo menos **cinco** de los siguientes verbos. ■

apagar	borrar	descargar	funcionar	grabar
guardar	imprimir	navegar	prender	quemar

MODELO   E1:   *¿En qué puedo servirle?*

            E2:   *¡Mi computadora se congeló!*

 5-39 **Entrevista** Circula por la clase haciendo y contestando las siguientes preguntas. ■

©Jules Frazier/Photodisc/Thinkstock

1. ¿Cuántos cibercafés hay cerca de la casa de tus padres?, y ¿cerca de la universidad? ¿Por qué crees que hay tantos (o tan pocos)? ¿Qué hacen las personas en los cibercafés?
2. ¿Cuál es más inteligente: la computadora o el ser humano (*human being*)? Explica.
3. ¿Cuáles son algunas cosas que la computadora puede hacer que una persona no puede hacer? ¿Cuáles son algunas cosas que una computadora no puede hacer que una persona sí puede?
4. ¿Tienes la televisión por cable o satélite? ¿Cuántos canales recibes? ¿Cuántos canales recibes que son en español?
5. ¿Cómo te comunicas con tus compañeros/as? ¿y con amigos que viven lejos de ti?
6. ¿Cómo te comunicas con tus padres y otros parientes?
7. ¿Cuál es el aparato que no tienes, pero que más necesitas? ¿Por qué lo necesitas? ¿Qué marca prefieres? ¿Cuánto cuesta?
8. ¿Es la tecnología siempre aplicable, necesaria y/o deseada?

 ¡Anda! Curso elemental, Capítulo 10. Los mandatos informales; Los mandatos formales, Apéndice 3.

 5-40 **Un anuncio comercial** Han creado un nuevo modelo de computadora a la moda, y para promocionarla tienen que crear un anuncio comercial de **quince segundos.** Deben hablar de las características generales y enfocarse en lo que es realmente nuevo (e increíble) de su producto. Pueden empezar con unas cuantas preguntas retóricas, usando el **subjuntivo con antecedentes indefinidos o que no existen.** ■

MODELO   *¿Quiere comprar una computadora que haga todo su trabajo y más en un instante? ¿Existe una computadora que no necesite un teclado tradicional? Fíjense en el nuevo modelo RELÁMPAGO…*

¡CONVERSEMOS!

ESTRATEGIAS COMUNICATIVAS Asking for input and expressing emotions

Many aspects of our lives (including travel and using technology) have us asking for opinions and suggestions as well as expressing emotions. What follows is a variety of ways to ask for input and to respond to situations both positively and negatively.

Para obtener información *Asking for input*
- **¿Qué le/te parece?** *What do you think (about the idea)?*
- **¡Qué bueno!** *Good!*
- **¡Fenomenal!** *Phenomenal!*
- **¿Le/Te parece bien?** *Do you like the suggestion?*
- **¡Formidable!** *Super!*
- **¡Qué emoción!** *How exciting!, How cool!*
- **¿Qué opina/s?** *What do you think?*
- **¡No me digas!** *You don't say!, No way!*
- **¿Qué dice/s?** *What do you say?*

- **¡No puede ser!** *This / It can't be!*
- **¿Le/Te importa?** *Do you mind?*
- **¡Ya no lo aguanto!** *I can't take it anymore!*
- **¿Le/Te importa si...?** *Do you mind if . . . ?*

Para expresar emoción *Expressing emotions*
- **¡Qué barbaridad!** *How awful!*
- **¡Qué pena!** *What a pity / shame!*

 5-41 **Diálogo** Adriana quiere que ella y su esposo David planeen unas vacaciones para celebrar su aniversario de boda. Ella busca una gira que tenga un poco de todo. Escucha el diálogo para descubrir los detalles. ■

1. ¿Qué sugiere Adriana?
2. ¿Qué recomienda David?
3. ¿Qué pasa al final y cómo se expresan?

 5-42 **¿Quién me puede ayudar?** Haz una llamada para buscar a alguien que te pueda ayudar con un aparato tecnológico que no está funcionando. Túrnense, usando el vocabulario de este capítulo y las expresiones nuevas. ■

MODELO
E1: *¿Aló?*
E2: (Quieres hablar con alguien que sepa algo de tu aparato.)
E1: *¿En qué le puedo ayudar?*
E2: (Dile que tu aparato no funciona y quieres saber su opinión de la situación.)
E1: *¿Qué opina usted?*
E2: (Expresa tu frustración con la situación.)

©steve estvanik/Shutterstock

5-43 **¿Qué opinas?** ¡Están en un atasco y van a llegar tarde al aeropuerto donde van a iniciar el viaje de sus sueños! Creen un diálogo de por lo menos **ocho** interacciones, expresando su frustración y pidiendo sugerencias. ■

MODELO   E1: *¡Qué barbaridad! ¡Qué atasco!*

                E2: *¿Qué te parece si tomamos la carretera?…*

¡Anda! Curso intermedio, Capítulo 4.
El presente perfecto de subjuntivo, pág. 168.

5-44 **¿Conoces a alguien que…?** Conocemos a muchas personas que han tenido una gran variedad de experiencias en sus vidas. ■

Workbooklet

Paso 1   Pregúntales a tus compañeros si conocen a alguien a quien le hayan pasado las siguientes cosas.

¿CONOCES A ALGUIEN QUE…?		
haber ido en una limusina _____	tener un iPad _____	haber hecho un crucero _____
haber borrado archivos importantes sin querer _____	navegar diariamente en la computadora _____	haber creado una página personal en el Internet _____
haber tenido un accidente porque los frenos no funcionar _____	no tener teléfono celular _____	usar demasiado la bocina _____

Paso 2   Cuando tu compañero/a contesta, pídele una opinión o expresa una emoción apropiada.

MODELO   E1: *¿Conoces a alguien que haya ido en una limusina?*

                E2: *No, no conozco a nadie que haya ido en una limusina.*

                E1: *¿Qué opinas de las limusinas?…*

                     o

                E2: *Sí. Yo he ido en una limusina.*

                E1: *¡Qué emoción! ¿Te gustó?…*

¡Anda! Curso intermedio, Capítulo 2. El subjuntivo para expresar pedidos, mandatos y deseos, pág. 91; Capítulo 4. Las celebraciones y los eventos de la vida, pág. 148; La comida y la cocina, pág. 159.

5-45 **¿Qué te parece?** Tu compañero/a de clase y tú acaban de obtener un trabajo ideal como planeadores de fiestas exóticas. ¡Su cliente es Oprah Winfrey y quiere que planeen una fiesta extraordinaria para cien personas fuera de los Estados Unidos! Creen un diálogo de por lo menos **veinte** oraciones que incluya la siguiente información: ■

©Dallas Events Inc/ Shutterstock

1. El destino y cómo llegar
2. Los invitados (*guests*) y la comida
3. Sus dudas acerca de la existencia de ciertas cosas (*certain things*)
4. Pregúntense sus opiniones y expresen sus emociones

MODELO   E1: *¡No puede ser! Oprah Winfrey nos llamó y quiere que planeemos una fiesta para ella.*

                E2: *¡No me digas! ¿Qué te parece…?*

ESCRIBE

05-37

El proceso de revisar

Estrategia	
Peer editing	Before you begin to edit a peer's writing sample, it is helpful to know upon what to focus your attention. Two important categories are *clarity* and *accuracy*. *Clarity* refers to how well you, the reader, understand the message of the writing.

Accuracy pertains to how correctly the writer has used the target language. For example, are the grammar and punctuation correct? The peer editor helps the original writer improve upon the sample with suggestions and corrections.

 5-46 Antes de revisar Estudia la siguiente guía de revisión. Luego cambia papeles con tu compañero/a y lee su composición. ■

> **Estrategia**
> Peer editing gives you the opportunity to read a classmate's work carefully. This will, in turn, help you edit and polish your own writing.

LA GUÍA DE REVISIÓN

I. Clarity of expression

1. What is the main idea of the narration?
State it in your own words; then verify with the author.
_____

2. My favorite part is: _____
3. Something I do not understand: _____

II. Accuracy of Grammar and Punctuation

The peer editor should check for the following:
1. Agreement (*Concordancia*)
_____ Subject/verb agreement (e.g., *Mi hermana y yo fuimos.*)
_____ Noun/adjective agreement (e.g., *Llegamos a una playa bonita.*)
2. _____ Usage of the preterit and the imperfect (e.g., *Cuando yo era niña fui a…*)
3. _____ Usage of subjunctive, where appropriate
4. _____ Spelling and accent marks

5-47 A revisar Ahora, usa la guía para revisar la narración. ■

1. Lee el párrafo por primera vez y concéntrate en la claridad de expresión. Si no entiendes algo, debes indicarlo. Si tienes algunas ideas para mejorar o aclarar el párrafo, escríbelas.
2. Ahora, lee el párrafo otra vez para ver si la gramática es correcta. Si encuentras un error, escribe las correcciones.
3. Haz comentarios beneficiosos para tu compañero/a y también señala (*point out*) las partes que consideras bien hechas.

🍦🍦 **5-48** **Después de revisar** Completen los siguientes pasos. ▪

Paso 1 Comparte tus comentarios con el autor del párrafo.

Paso 2 Después, lee los comentarios de tu compañero/a sobre tu párrafo y pide clarificación si es necesario.

Paso 3 Finalmente, revisa tu párrafo con la información de la revisión de tu compañero/a.

¿Cómo andas? II

	Feel confident	Need to review
Having completed **Comunicación II,** I now can . . .		
• indicate how technology is useful, both at home and in travel. (p. 204)	☐	☐
• converse about events in the past. (MSL)	☐	☐
• depict something that is uncertain or unknown. (p. 208)	☐	☐
• describe technology. (p. 211)	☐	☐
• identify some people for whom travel and technology are important. (p. 214)	☐	☐
• ask for input and express emotions. (p. 216)	☐	☐
• use peer editing to improve narrative expression. (p. 218)	☐	☐

Vistazo cultural

RAL • VISTAZO CULTURAL • VISTAZO CULTURAL • VISTAZO CULTURAL • VISTAZO CULTURAL • VISTAZO CULTURAL • VISTAZO CULTURAL • VISTAZO CULTURAL • VISTAZO

05-38 to 05-39

Un viaje por mundos diferentes en Nicaragua, Costa Rica y Panamá

Héctor Robles Matos,
estudiante de turismo

©Photos.com/Thinkstock

Estudio turismo ecológico en la Universidad del Turismo (UTUR) en San José, Costa Rica. Es muy importante en mi país y las agencias de viajes de primera categoría buscan gente que tenga buena formación en esta área. Una profesora mía me sugirió la posibilidad de añadir el estudio de la administración hotelera. Con esta combinación, va a ser muy fácil conseguir un buen trabajo que me guste.

©rj lerich / Shutterstock

©charles taylor / Shutterstock

Algunos autobuses decorados en América Central

Estos autobuses pintados son un método popular de transporte público en muchas ciudades latinas, y en la Ciudad de Panamá se llaman *los diablos rojos*. Tienen diseños artísticos y/o folklóricos, y los chóferes tienen mucho orgullo (*pride*) de su artesanía creativa. Muchos clientes esperan en la parada hasta que llegue su autobús favorito.

©Matt Ragen/Shutterstock

Las islas de Maíz

Un lugar muy tranquilo para las vacaciones caribeñas son las islas de Maíz, que quedan a unas cincuenta millas de la costa de Nicaragua. La arena es blanca, el clima agradable, hay buenos lugares para bucear y hacer snorkeling, y los costos son bajos. Estas islas son un paraíso tropical.

La construcción del canal de Panamá: 1534–1914

La construcción del canal fue terminada en el año 1914 a un costo de unos $375.000.000. Hoy en día, su tecnología e ingeniería siguen siendo impresionantes. La primera investigación de la posibilidad del canal fue en el año 1534, después de la exploración de la región por Vasco Núñez de Balboa, explorador español.

©rj lerich/Shutterstock

220

El canopy en Costa Rica

¿Buscas una aventura que sea divertida y única? Una excursión por el canopy de la selva en líneas de cable puede ser para ti. Es una actividad muy popular para los ecoturistas; se puede apreciar la naturaleza desde un punto muy alto en los árboles de la selva nubosa.

La tecnología "verde"

En Costa Rica, la tecnología está convirtiendo los desperdicios (*waste products*) de animales en formas de energía. En un intento de ser más "verde", se cambia el gas metano a combustible para la calefacción y la electricidad. Este ejemplo buenísimo de reciclaje apoya el ecoturismo, de mucha importancia para el país.

La isla Ometepe con los volcanes Concepción y Maderas

El lago Nicaragua, también conocido como el lago Cocibolca, es el lago más grande de América Central. Contiene un archipiélago de más de 350 isletas y una isla grande, Ometepe, formada de dos volcanes: Concepción y Maderas. Es el único lago del mundo que tiene tiburones de agua dulce (*freshwater*).

El volcán Arenal cerca de La Fortuna, Costa Rica

A muchos turistas les gusta combinar una visita al volcán Arenal y luego una caminata en la selva nubosa (*cloud forest*) de Monteverde. La ruta más corta entre estos dos lugares turísticos es el muy popular viaje de *jeep-boat-jeep*. Cruzando el lago Arenal recorta el viaje a tres horas. ¡Qué viaje!

Preguntas

1. ¿Cuáles son los medios de transporte indicados en los tres países?
2. ¿Cómo se usa la tecnología para crear un planeta más "verde"?
3. En los capítulos anteriores, has tenido *un vistazo* de México, España, Honduras, Guatemala y El Salvador. De todos estos lugares incluyendo los tres países de este capítulo, ¿adónde prefieres ir de viaje? ¿Por qué?

221

05-42

Laberinto peligroso

EPISODIO 5

©Pearson Education/PH College

Lectura

Estrategia Using a dictionary

It is important to learn the skillful use of a dictionary. Learning how to use one will help you properly identify parts of speech and word usage. As a language learner, you will need to pay attention to dictionary abbreviations and conventions. Additionally, cross-checking (looking up Spanish to English and vice versa) will help you pinpoint the best translation for a particular context. Remember, you do not have to look up every word—just those whose meaning is vital for your comprehension.

5-49 **Antes de leer** Cuando leemos, muchas veces no entendemos todas las palabras que hay en el texto, y por eso es importante tener un buen diccionario que nos ayude. Sin embargo, antes de consultar un diccionario hay que tratar de adivinar el significado de la palabra por medio del contexto. Basándote en el contexto de cada oración y la definición de la palabra en un diccionario, escribe una definición para cada palabra. ■

a. **cómplice** / Ella era su cómplice en el crimen.

b. **crónica** / Leímos diferentes crónicas para la clase de historia.

c. **ladrón** / Los detectives descubrieron quién era el ladrón.

d. **bibliotecario** / El bibliotecario me ayudó a encontrar el libro.

e. **equivocado** / Se dio cuenta de que estaba equivocado; su novia no le había mentido.

f. **exposición** / En el museo hicieron una exposición de las obras de artistas locales.

  DÍA 23 *Cómplices, crónicas, mapas y ladrones*

Celia llegó tarde porque había estado navegando en el Internet buscando más datos. Cisco la estaba esperando. Después de conversar sobre cosas que no tenían mucha importancia, Celia intentó cambiar el tema de la conversación.

—¿Qué tal vas con tus proyectos? —preguntó.

—Bastante bien; estoy haciendo unas investigaciones interesantes —respondió Cisco.

pretending —¿Te puedo preguntar qué temas estás investigando? —preguntó Celia, fingiendo° poco interés.

smiling —¿Sabes que no hay nadie que sepa nada de lo que estoy investigando? —preguntó Cisco, sonriendo°.

222

—Sí y también te puedo decir que no conozco a ningún periodista que hable de sus investigaciones con otros periodistas, aunque sean amigos. Todos somos tan competitivos —afirmó Celia, mirándole los ojos.

—Entonces, ¿por qué me preguntas lo que estoy haciendo? —preguntó Cisco, todavía sonriendo.

—Porque busco un colaborador que sea inteligente y que tenga contactos en la ciudad. Creo que es posible que tú seas esa persona. ¿Estoy equivocada? —respondió Celia.

coincidence —¡Qué casualidad°! Para uno de mis proyectos yo también necesito un colaborador, uno que tenga experiencia como investigador. Busco a alguien a quien le interese el tema del medio ambiente, más concretamente las selvas tropicales. Pienso que es muy probable que tú seas la persona perfecta —dijo Cisco.

—Tienes razón. Me interesa mucho el medio ambiente y he estudiado las selvas tropicales *confidence* —afirmó Celia, con seguridad°.

—¿Recientemente? —En lugar de preguntar, parecía que Cisco pedía una confirmación de algo que ya sabía.

—Sí —confirmó Celia, sonriendo.

Entonces, empezaron a compartir algunos de los resultados que sus respectivas investigaciones habían producido. Con cada dato que salía, estaban cada vez más fascinados porque descubrían todo lo que tenían en común. Los dos querían aprender más sobre los indígenas que vivían en las selvas tropicales y que dependían de esas selvas para vivir. Celia dijo que tenía muchas ganas de viajar por esos lugares y de perderse por las selvas. Quería conocer a los indígenas, de quienes sabía que podía aprender mucho. Cisco reaccionó con mucha emoción porque él también quería hacer ese viaje. Pero se preguntaba, ¿con quién podía compartir una experiencia tan singular? Celia le respondió que él tenía que buscar a otra compañera de viaje porque ella no iba a hacer ningún viaje con él. Cisco respondió con un comentario parecido, explicándole que no buscaba el sufrimiento que tenía que ser ir al extranjero con una mujer como Celia. Después de ese *exchange* intercambio° incómodo, volvieron a hablar de las selvas tropicales. Celia propuso un viaje a un lugar más cercano: la biblioteca.

Al llegar a la biblioteca, descubrieron que había una gran colección de mapas antiguos de las selvas, y que algunas personas los usaban para identificar los mejores lugares donde encontrar plantas medicinales. Los bibliotecarios, quienes estaban digitalizando toda la colección para facilitar el acceso de los investigadores a los mapas y también para proteger esos documentos tan antiguos y frágiles, los ayudaron a encontrar los mapas de las zonas que más les interesaban y también les enseñaron la exposición en la biblioteca de crónicas de la época colonial, libros históricos muy importantes que tenían datos relevantes a su investigación. Mientras exploraban los testimonios de los cronistas, Celia miró hacia arriba y vio a un hombre a quien creía conocer. No sabía de dónde ni por qué lo conocía.

robbery Unos días más tarde, el periódico los sorprendió con una noticia sobre el robo° de algunos de los mapas que habían consultado. También había desaparecido una de las crónicas de la exposición. ¡Parecía increíble!

5-50 **Después de leer** Contesta las siguientes preguntas. ■

1. ¿Por qué estaba sorprendido Cisco cuando Celia le preguntó por el tema de su investigación?
2. ¿Por qué le preguntó Celia a Cisco por el tema de su investigación?
3. ¿Por qué quería colaborar Cisco con Celia?
4. ¿A dónde querían viajar Celia y Cisco? ¿Por qué querían viajar allí?
5. ¿Por qué fueron Celia y Cisco a la biblioteca?
6. ¿Qué robaron los ladrones de la biblioteca?

 # Video

05-43 to 05-44

5-51 **Antes del video** En *Cómplices, crónicas, mapas y ladrones* viste cómo cambia la relación entre Cisco y Celia. Antes de ver el episodio en video, contesta las siguientes preguntas. ■

1. ¿Por qué crees que Celia y Cisco buscaban ayuda para sus investigaciones?
2. ¿Por qué piensas que dijeron que no querían viajar juntos?
3. ¿Quién crees que era el hombre que Celia vio en la biblioteca?
4. ¿Por qué piensas que los ladrones robaron los mapas y la crónica de la biblioteca?

©Pearson Education/PH College

Sé que había un gran atasco en la carretera principal.

Hace unos días también desaparecieron algunos documentos del laboratorio en el que trabajo.

La persona que ha robado estos mapas debía conocer perfectamente el funcionamiento de los diferentes sistemas de seguridad informáticos.

Episodio 5

«*¿Somos sospechosos?*»

Relájate y disfruta el video.

5-52 **Después del video** Contesta las siguientes preguntas. ■

1. ¿Por qué tenían que hablar Celia y Cisco con la policía?
2. ¿Qué esperan los policías que Celia y Cisco puedan hacer?
3. ¿Qué recordó Celia del hombre que vio en la biblioteca?
4. ¿Qué decía el mensaje de correo electrónico que recibieron Celia y Cisco?

224

LETRAS

05-48 to 05-53

Acabas de terminar otro episodio de **Laberinto peligroso.** Explora más lecturas en la colección literaria, **Letras.**

Y por fin, ¿cómo andas?

	Feel confident	Need to review
Having completed this chapter, I now can . . .		

Comunicación I

• discuss travel and means of transportation. (p. 188)	☐	☐
• express time, location, purpose, destination, and direction. (MSL)	☐	☐
• become familiar with cars and automobile travel. (p. 193)	☐	☐
• connect sentences and clarify meaning. (p. 196)	☐	☐
• plan and illustrate vacations. (p. 199)	☐	☐
• pinpoint specific information. (p. 202)	☐	☐

Comunicación II

• indicate how technology is useful, both at home and in travel. (p. 204)	☐	☐
• converse about events in the past. (MSL)	☐	☐
• depict something that is uncertain or unknown. (p. 208)	☐	
• describe technology. (p. 211)	☐	☐
• ask for input and express emotions. (p. 216)	☐	☐
• use peer editing to improve narrative expression. (p. 218)	☐	☐

Cultura

• compare notes on travel and transportation. (p. 200)	☐	☐
• identify some people for whom travel and technology are important. (p. 214)	☐	☐
• share information about interesting vacations and explore green initiatives in Nicaragua, Costa Rica, and Panama. (p. 220)	☐	☐

Laberinto peligroso

• employ a bilingual dictionary with a reading passage and relate Celia and Cisco's discoveries in their research of the rain forest. (p. 222)	☐	☐
• hypothesize about threatening e-mails. (p. 224)	☐	☐

Comunidades

• use Spanish in real-life contexts. (SAM)	☐	☐

Literatura

• distinguish elements in a sonnet. (Literary Reader)	☐	☐

VOCABULARIO ACTIVO

Los viajes	Trips
la aduana	customs
la cámara	camera
el crucero	cruise ship; cruise
el equipaje	luggage
el extranjero	abroad
la frontera	border
el/la guía	guide
el itinerario	itinerary
la limusina	limousine
el monumento nacional	national monument; monument of national importance
la oficina de turismo	tourism office
el paquete	package
el paisaje	countryside, landscape
el puerto	port
los recuerdos	souvenirs

Las vacaciones	Vacations
la arena	sand
el/la camarero/a	maid
la dirección	direction
el/la guardia de seguridad	security guard
el hotel de lujo	luxury hotel
el/la huésped	guest
los lentes de sol	sunglasses
el paquete	package
el/la portero/a	doorman
el/la recepcionista	receptionist
el servicio	room service
el sobre	envelope
la sombrilla	umbrella
el/la telefonista	telephone operator

Viajando por coche	Traveling by car
el acelerador	accelerator, gas pedal
la bocina	horn
la camioneta	van; station wagon; small truck
la carretera	highway
el cinturón de seguridad	seat belt
el espejo retrovisor	rearview mirror
el este	east
el faro	headlight
los frenos	brakes
el navegador personal	GPS; navigation system
el norte	north
el oeste	west
el parachoques	bumper
el paso de peatones	crosswalk
el sur	south
la transmisión	transmission
el vehículo utilitario deportivo	sport utility vehicle (SUV)

Palabras asociadas con el transporte	Words associated with transportation
el atasco	traffic jam
el camino	route; path; dirt road
el seguro del coche	car insurance
la velocidad	speed

Verbos útiles	Useful verbs
alquilar un coche	to rent a car
firmar (los documentos)	to sign (documents)
hacer un crucero	to go on a cruise
perderse (e → ie)	to get lost
sacar fotos	to take pictures/photos

La tecnología	Technology
el archivo	*file*
la cámara digital	*digital camera*
la cámara web	*web camera*
el correo electrónico; el email	*e-mail*
el correo de voz	*voicemail*
el cursor	*cursor*
los datos	*data*
el disco duro	*hard drive*
el enchufe	*plug*
el escáner	*scanner*
el icono	*icon*
la imagen	*image*
la impresora	*printer*
la informática	*computer science*
la máquina de fax	*fax machine*
el mensaje de texto	*text message*
la multitarea	*multitasking*
la página principal, inicial	*homepage*
la pantalla	*screen*
el programa de computación	*software*
el ratón	*mouse*
el teclado	*keyboard*
el teléfono celular	*cell phone*

Términos del Internet	Internet terms
el archivo adjunto	*attachment*
la arroba	*at (in an e-mail address/ message: @)*
la barra	*slash (in a URL: /)*
la contraseña	*password*
el enlace	*link*
el Internet	*the Internet*
el mirón	*lurker*
el navegador	*browser*
el punto	*dot (in a URL)*
el servidor	*server*

Algunos adjetivos	Some adjectives
compatible	*compatible*
(des)conectado	*offline; online*
digital	*digital*

Algunos verbos	Some verbs
actualizar	*to update*
arrancar	*to boot up, to start up*
borrar	*to delete; to erase*
cifrar	*to encrypt*
conectar	*to connect*
congelar	*to freeze; to crash*
cortar	*to cut*
deshacer	*to undo*
descargar	*to download*
digitalizar	*to digitalize*
enchufar	*to plug in*
escanear	*to scan*
guardar	*to save; to file*
hacer clic	*to click*
hacer la conexión	*to log on*
imprimir	*to print*
navegar	*to navigate; to surf*
pegar	*to paste*
prender	*to start*
pulsar el botón derecho	*to right-click*
reiniciar	*to reboot*
sabotear	*to hack*

Bienvenidos a mi comunidad

7

Bienvenidos a mi comunidad

¿Qué hay en tu ciudad? Generalmente, en una ciudad hay edificios, iglesias, casas y parques. También hay tiendas donde se venden productos especiales. ¡Exploremos los diferentes lugares de tu comunidad!

PREGUNTAS

1 Explica cómo es tu ciudad o pueblo.

2 ¿Cuáles son algunos edificios que se encuentran en tu ciudad o pueblo?

3 ¿Qué te gusta de tu ciudad o pueblo? ¿Qué quieres cambiar?

©Voronin76/Shutterstock

289

Comunicación I

¡Anda! Curso elemental,
Capítulo 4. Los lugares,
Apéndice 2.

07-01 to 07-04

Algunas tiendas y algunos lugares en la ciudad
Describing stores and other places in a city

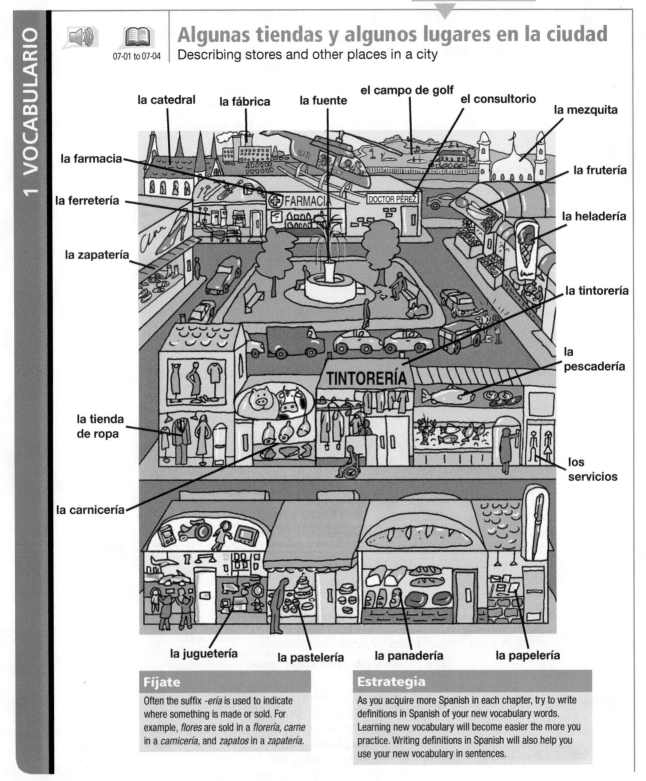

Fíjate

Often the suffix *-ería* is used to indicate where something is made or sold. For example, *flores* are sold in a *florería*, *carne* in a *carnicería*, and *zapatos* in a *zapatería*.

Estrategia

As you acquire more Spanish in each chapter, try to write definitions in Spanish of your new vocabulary words. Learning new vocabulary will become easier the more you practice. Writing definitions in Spanish will also help you use your new vocabulary in sentences.

Para comprar cosas...	To buy things . . .
el/la **dependiente/a**	*store clerk*
el **dinero en efectivo**	*cash*
el **escaparate**	*store window*
la **ganga**	*bargain*
la **liquidación**	*clearance sale*
el **mostrador**	*counter*
la **oferta**	*offer*
la **rebaja**	*sale; discount*

REPASO

¡Hola!
Repaso &
Spanish Tutorial

07-05 to 07-08

Ser y *estar*   Choosing between *ser* and *estar*

For a complete review of **ser** and **estar**, go to MySpanishLab or refer to **Capítulo 4** of *¡Anda! Curso elemental* in Appendix 3 of your textbook. The vocabulary activities that follow incorporate this grammar point. Practicing new vocabulary with a review grammar point helps to strengthen and increase your knowledge of Spanish.

 7-1 **¿Qué, quién o dónde?** Alejandro y Carmen conversan sobre su ciudad. Túrnense para crear oraciones de las siguientes palabras, usando siempre **ser** o **estar**. ■

©Monkey Business Images/Shutterstock

MODELO   dependiente / detrás del mostrador
El dependiente está detrás del mostrador.

1. pastelería / en el centro de la ciudad
2. mi madre / dependienta en una tienda de moda
3. la ferretería / cerca del consultorio
4. el dinero en efectivo / en mi bolso
5. campo de golf / en las afueras / muy grande

¡Anda! Curso intermedio, Capítulo 2. El subjuntivo para expresar pedidos, mandatos y deseos, pág. 91.

 7-2 **¿Dónde están?** Hoy es un día ocupado y hay muchas personas por todas partes de la ciudad. Túrnense para decidir dónde están. ■

©Blend Images/Shutterstock

MODELO Mi novio me dice que me compre un vestido muy elegante pero no muy caro para llevar a la boda de su hermano.

Está en una tienda de ropa elegante.

1. Es imprescindible que Tanya prepare una cena deliciosa porque el jefe de su esposo viene a cenar. Al jefe no le gusta la carne.
2. Hoy es el cumpleaños de la hija de Marisol y Luis y es importante que tengan un pastel delicioso para celebrarlo con ella.
3. Pienso tener una fiesta y mis padres me dicen que compre unas invitaciones muy elegantes.
4. Los nietos de Paula vienen de visita y su esposo le sugiere que organice actividades para entretenerlos (*keep them entertained*).
5. El traje de Felipe está muy sucio y su madre desea que se lo ponga mañana para ir a la catedral.
6. Quiero una tarjeta de crédito nueva que tenga mi foto.

> **Estrategia**
>
> In **7-2**, what tense is *compre* in the *modelo*? What tense is *prepare* in item 1? Also note the following verbs: 2. *tengan*, 3. *compre*, 4. *organice*, 5. *ponga*, 6. *tenga*. Why do you need to use that tense in all of these sentences? If you are uncertain, review page 87 on uses of the *present subjunctive*.

 ¡Anda! Curso intermedio, Capítulo 4. La comida y la cocina, pág. 159; Más comida, pág. 164.

¡Anda! Curso elemental, Capítulo 7. La comida, Apéndice 2.

 7-3 **Vamos de compras** Tu compañero/a y tú van de compras. Tienes una lista de las cosas que necesitas comprar, y ahora tienes que decidir a qué lugares tienes que ir para comprarlas. Túrnense. ■

MODELO E1: *¿Qué necesitamos comprar primero?*
E2: *Necesitamos comprar pan para la cena.*
E1: *¿Dónde está la panadería?*
E2: *Está enfrente de la frutería…*

> **Estrategia**
>
> *¡Anda! Curso intermedio* has provided you with recycling references to help guide your continuous review of previously learned material. Make sure to consult the indicated pages if you need to refresh your memory.

pan
medicina
zapatos nuevos para la boda de mi prima
galletas
chuletas de cordero
helado para el cumpleaños de mi suegro
cosas para reparar la casa
sandía y toronjas

> **Fíjate**
>
> Some things you might buy in a hardware store are: *un martillo* (a hammer), *unos clavos* (nails), and *unos tornillos* (screws).

7-4 **Definiciones** Crea definiciones para **cinco** de las palabras o expresiones del vocabulario nuevo, **Algunas tiendas y algunos lugares en la ciudad.** Después, compártelas con un/a compañero/a. ■

MODELO   E1: *Pago con esto cuando no quiero usar ni cheques, ni tarjeta de crédito, ni tarjeta de débito. ¿Qué es?*

           E2: *Es el dinero en efectivo.*

 ¡Anda! Curso elemental, Capítulo 11. Las preposiciones y los pronombres preposicionales, Apéndice 3.

  7-5 **El mejor de los mejores** En tu opinión, ¿cuáles son los mejores negocios? ■

Workbooklet

Paso 1   Llena el cuadro con tus selecciones personales. Para los números 8, 9 y 10, selecciona tres lugares diferentes.

Paso 2   Entrevista a tres compañeros/as para averiguar cuáles son sus preferencias.

MODELO   E1: *¿Cuál es el mejor restaurante?*

           E2: *Para mí, el mejor restaurante es El Caribe Grill. ¿Cuál es el mejor para ti?*

EL/LA MEJOR	YO	E1	E2	E3
1. restaurante			El Caribe Grill	
2. pastelería				
3. juguetería				
4. tienda de ropa				
5. heladería				
6. farmacia				
7. campo de golf				
8. ¿...?				
9. ¿...?				
10. ¿...?				

Paso 3   Comparte las selecciones con el/la profesor/a para saber cuáles son los negocios favoritos de la clase.

7-6 **Nuestras preferencias** Túrnense para hacerse y contestar las siguientes preguntas. ■

1. Cuando quieres ir de compras, ¿adónde vas? ¿Cómo pagas generalmente?
2. ¿Cuál es tu tienda favorita? ¿Qué tipo de tienda es? ¿Qué fue la última cosa que compraste allí?
3. ¿Qué tiendas tienen los escaparates más interesantes?
4. ¿Tienes una pastelería favorita? ¿Por qué es tan buena?
5. ¿Cuál es la ferretería más conocida de tu pueblo o ciudad? ¿Por qué es tan conocida? ¿Dónde está?
6. ¿Cuáles de tus prendas llevas a una tintorería?
7. ¿Cuáles son algunos de los campos de golf prestigiosos? ¿Dónde está(n)?

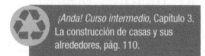 *¡Anda! Curso intermedio*, Capítulo 3. La construcción de casas y sus alrededores, pág. 110.

 ¡Anda! Curso elemental, Capítulo 4. Los lugares; Capítulo 10. Los medios de transporte; Capítulo 11. El medio ambiente, Apéndice 2.

7-7 **Mi pueblo ideal** Tienes la gran oportunidad de trabajar en equipo con el famosísimo arquitecto español Rafael Moneo. Van a planear una comunidad nueva, teniendo en cuenta el medio ambiente. ■

Paso 1 Planea la comunidad del futuro, dibujando dónde se encuentran las tiendas y otros lugares de tu ciudad. Describe los materiales que se van y no se van a utilizar.

Paso 2 Preséntale tus planes a un/a compañero/a de clase en por lo menos **doce** oraciones.

Un edificio del arquitecto Moneo

©rubiphoto/Shutterstock

2 GRAMÁTICA

07-09 to 07-12 Spanish/English Tutorials

El subjuntivo en cláusulas adverbiales (expresando tiempo, manera, lugar e intención)

Expressing uncertainty in time, place, manner, and purpose

You have been practicing the use of the subjunctive to express wishes, doubts, feelings, and emotions. You have also used the subjunctive to talk about things and people that may or may not exist.

Before learning additional occasions to use the subjunctive, let's review the definition of a *clause*. A clause is a group of words that has a *subject* and a *verb* and is used as a part of a sentence. A clause can be *independent / main* (it expresses a complete thought and makes sense on its own) or *dependent / subordinate* (it is not a complete thought and cannot stand alone, nor does it make sense without another part of the sentence).

Tengo que ir al banco después de que salgamos del cine.

Look at the following sentence:

I want to go to the bank . . .
(*independent / main clause:* It makes sense by itself)

. . . after we go to the movies.
(*dependent / subordinate clause:* This is not a complete thought and does not make sense alone without another part of a sentence.)

Dependent clauses begin with words called *conjunctions*. *Conjunctions* are words that **connect two parts of a sentence**. Conjunctions in English include *that, before, after,* etc.

You will now learn a series of words and phrases that may require the subjunctive when expressing time, manner, place, and/or purpose.

Estrategia

You may remember that an *adverb* describes the time, manner, place, or purpose of an action. It usually answers the questions *how? when? where?* or *why?*

Tengo que ir al banco <u>después</u>.
I have to go to the bank <u>afterward</u>.
(Answering the question *when?*)

1. The **subjunctive** is always used after the following phrases (conjunctions):

a menos que	*unless*	en caso (de) que	*in case*
antes (de) que	*before*	para que	*so that*
con tal (de) que	*provided that*	sin que	*without*

Nos veremos en el campo de golf a menos que *llueva*.

Te voy a comprar el vestido con tal (de) que te lo *pongas* varias veces.

Pasa por la tintorería en caso (de) que *esté* listo mi traje.

We'll see each other at the golf course unless it rains.

I am going to buy you the dress provided that you wear it several times.

Stop by the dry cleaners in case my suit is ready.

(continued)

2. The indicative is always used after these phrases when they are followed by **facts:**

ahora que	now that	ya que	since; because
puesto que	given that		

David es muy generoso ahora que *tiene* el trabajo de dependiente.	David is very generous now that he has the job as a store clerk.
Puesto que *va a comprar* un carro nuevo, me va a regalar el viejo.	Given that he is buying a new car, he is giving me the old one.
Mi hermano siempre me trae pasteles, ya que *trabaja* en una pastelería.	My brother always brings me cakes, since he works in a bakery.

3. With the following phrases, both the indicative and the subjunctive can be used:

a pesar de que	*in spite of*	**después (de) que**	*after*
aun cuando	*even when*	**en cuanto**	*as soon as*
aunque	*although; even if*	**hasta que**	*until*
cuando	*when*	**luego que**	*as soon as*
de manera que	*so that*	**mientras (que)**	*while*
de modo que	*so that*	**tan pronto como**	*as soon as*

To determine whether the subjunctive or the indicative is needed, one must ask the following question:

From the point of view of the speaker, has the action already occurred?

- 3.1 If the answer is *yes*, the indicative is needed.
- 3.2 If the answer is *no* (e.g., the action has yet to occur), the subjunctive must be used.
- 3.3 When one of the preceding adverbs of time expresses a completed or habitual action known to the speaker, it is clear that the action has already taken place, therefore requiring the use of the indicative. Compare the following examples.

Vamos a ir a la farmacia tan pronto como mi hermano *salga* del consultorio.	We will go to the pharmacy as soon as my brother leaves the doctor's office.

(From the speaker's point of view, the brother has *not* left the doctor's office yet.)

Fuimos a la farmacia tan pronto como mi hermano *salió* del consultorio del médico.	We went to the pharmacy as soon as my brother left the doctor's office.

(From the speaker's point of view, *yes*, the brother has left the doctor's office already.)

Piensa trabajar en esa juguetería aunque no le *gusten* los niños.	He is thinking about working in that toy store even though he doesn't / may not like children.
Trabajó seis meses en esa juguetería aunque no le *gustaban* los niños.	He worked in that toy store for six months although he didn't like children.

- 3.4 In a sentence with **no change of subject,** you should use any of the prepositions **antes de, después de, hasta, para,** and **sin** followed by the *infinitive*.

Necesitamos pasar por el banco **antes de** *salir* de viaje.	We need to go to the bank before leaving on the trip.
Ayer salimos de la tienda **sin** *pagar*.	Yesterday we left the store without paying.

¡Anda! Curso
intermedio, Capítulo 2.
El subjuntivo, pág. 87.

7-8 Buenas decisiones

Cada día tomamos muchas decisiones, aunque no parecen tener mucha importancia. Túrnense para escoger la forma correcta de cada verbo en paréntesis para completar las siguientes oraciones. Después, expliquen por qué escogieron esas formas. ■

1. No quiero ir al consultorio del médico a menos que (tengo, tenga) fiebre.
2. Necesitamos ir a la catedral antes de que el cura (se va, se vaya).
3. Necesitamos pasar por la panadería tan pronto como (salimos, salgamos) de clase.
4. Siempre preferimos hacer compras cuando (hay, haya) buenas ofertas.
5. La dependienta tiene que preparar los escaparates puesto que no (tenemos, tengamos) muchos clientes esta mañana.
6. En cuanto (termina, termine) la tarea, necesito ir a la tintorería para recoger los trajes.

7-9 En nuestra ciudad

Todos tienen sus preferencias en sus ciudades. Terminen las siguientes oraciones con **el subjuntivo** o **el indicativo** de los verbos en paréntesis. Túrnense. ■

1. Cuando (yo) _____ (comer) en el Restaurante Río Grande, siempre pido el pescado a la parrilla, y de postre, el pastel de tres leches.
2. Mi esposo y yo pensamos abrir una cuenta en el Banco Central con tal de que nos _____ (ofrecer) un interés alto.
3. Mis amigos van a jugar al golf en el Campo Sur tan pronto como _____ (llegar) de vacaciones a Paraguay.
4. La tienda favorita de tu padre debe de ser la Ferretería Mundo Nuevo ya que él _____ (ser) carpintero.
5. No pienso comprar nada allí hasta que _____ (empezar) la gran liquidación.

7-10 Decisiones...

Si estás en Asunción, Paraguay, hay que visitar La Alemana. ¡Es un lugar increíble! Vamos a experimentarla a través de nuestra imaginación. Crea oraciones usando elementos de las dos columnas. Después, compártelas con un/a compañero/a. ■

MODELO No puedo hacer un pedido (*place an order*)... a menos que ustedes me (decir) lo que quieren.

No puedo hacer un pedido a menos que ustedes me digan lo que quieren.

LA ALEMANA, S.A.

Confitería • Panadería • Rotisería • Heladería

Nuestras especialidades son:
☞ bollos
☞ pan dulce alemán
☞ tortas

**Del Escudo c/Avda. Brasilia (a 2 cuadras de Avda. Artigas)
· Asunción, Paraguay**

1. __D__ Mi mamá va a querer comprar aquellos bollos de dulce de leche... S
2. __C__ Van a ofrecer dos pasteles nuevos la semana que viene... I
3. __F__ Mis hermanos siempre están contentos... I
4. __Df__ Podemos organizar la cena... S
5. __Eb__ Hoy pienso comprar un pan dulce alemán... I
6. __A__ Nos encanta el helado... I

a. a pesar de que nuestro postre favorito (ser) la torta.
b. a menos que (costar) más de 24,000 PYG.
c. aunque normalmente no (cambiar) la lista de productos hasta finales del mes.
d. tan pronto como ella los (ver).
e. ya que (saber) qué vamos a servir de postre.
f. cuando (tener) una torta de La Alemana en las fiestas de cumpleaños.

NOTAS CULTURALES

La ropa como símbolo cultural

07-13 to 07-14

Cuando vayas a un país diferente, fíjate en la ropa de los escaparates de las tiendas. Muchas veces la ropa refleja la cultura del lugar. Por ejemplo, una prenda típica de los países del Caribe es *la guayabera*. Es una camisa liviana (*lightweight*) de tela fresca como el algodón, que tiene cuatro bolsillos (*pockets*), muchos pliegues (*pleats*) y se lleva fuera de los pantalones. Los hombres la llevan para estar cómodos en el clima caluroso.

Fíjate

The *guayabera* is a comfortable shirt that is elegant in its simplicity. It has several rows of tiny pleats and can have intricate embroidery as well.

©D. Heining-Boynton, HBPHOTOPRO.COM

En caso de que te encuentres al otro extremo del continente de Sudamérica, es posible que veas una prenda asociada con la cultura paraguaya. Es la tela de *aho po'i*, y se usa igual para camisas de hombre que para blusas de mujer. Significa "ropa liviana" y suele ser de algodón con bordados a mano (*hand embroidery*).

Fíjate

The name of this cloth, *aho po'i*, comes from the indigenous language *guaraní*. Along with Spanish, *guaraní* is an official language of Paraguay.

En el interior del continente, puedes encontrar unas prendas distintivas de la cultura boliviana: la pollera, una falda con muchas capas (*layers*), la manta y el sombrero tipo Borsalino de las cholas bolivianas. Las cholas llevan esta ropa para que la gente las reconozca como indígenas orgullosas de su herencia y seres dignos de respeto.

Fíjate

Las cholas refers to indigenous Bolivian women who have moved to urban areas from the countryside.

©Edyta Pawlowska/Shutterstock

Preguntas

1. Describe las prendas mencionadas en la lectura.
2. ¿Cómo reflejan estas prendas sus culturas de origen?
3. ¿Qué prendas son típicas de tu cultura? ¿Por qué son representativas de la cultura, en tu opinión? Compara las prendas representativas de tu cultura con las que se mencionan en la lectura.

7-11 Excusas, siempre excusas A Pascal le encanta jugar al golf. Sin embargo, no le gusta viajar a ninguna parte —¡prefiere dormir siempre en su propia cama! Ustedes lo invitan a acompañarlos al campo de golf Las Brisas de Santo Domingo en Chile. Contesten las siguientes preguntas como si fueran (*as if you were*) Pascal. Túrnense. ■

©holbox/Shutterstock

MODELO   E1: ¿Vas a ir a Chile? El campo de golf es fantástico. (a pesar de que)

          E2: *No voy a ir a Chile a pesar de que el campo de golf sea fantástico.*

1. Es uno de los mejores campos de golf de Latinoamérica. ¿Vienes? (aunque)
2. Hay un hotel magnífico cerca de Las Brisas de Santo Domingo. ¿Quieres quedarte allí? (puesto que)
3. Hay unas tiendas muy buenas también. ¿Quieres ir de compras allí? (ya que)
4. Puedes usar mi tarjeta de crédito. No tienes que preocuparte por el dinero. (aun cuando)
5. ¿Cuándo piensas comprar tu boleto de avión? (para / para que)

 7-12 Un sábado de maratón Ustedes trabajan como voluntarios para una organización que ayuda a las familias sin casas. El sábado van a comprar regalos para algunas de las familias. ¿Adónde van a ir? ¿Qué van a comprar? ¿Cuándo lo van a hacer y en qué orden? Hagan una lista de las cosas que van a comprar y adonde tienen que ir para comprarlas. Usen las siguientes conjunciones. ■

MODELO   tan pronto como

        Tan pronto como nos despertemos, vamos a salir para el centro para comprar los regalos. Primero vamos a ir a la zapatería…

1. después de que
2. en caso de que
3. cuando
4. para que
5. mientras
6. hasta que

7-13 **¿Qué hago?** Joaquín está perdido en el centro de tu ciudad. Está en la esquina de la Calle del Sol y Camino Real. Túrnense para darle indicaciones (*directions*) para llegar a los diferentes lugares de la ciudad usando las siguientes conjunciones y preposiciones. ■

ahora que	en caso de que	para	cuando	después de	ya que

MODELO   ya que / Banco Central

Ya que estás en el parque, dobla a la izquierda en la Calle Ocho. Sigue derecho. El Banco Central está a la izquierda.

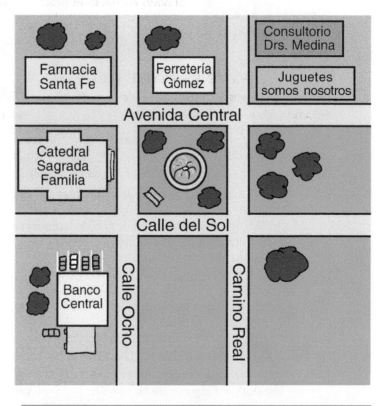

Estrategia

When giving directions, it is helpful to use these words, most of which you already know:

a la izquierda	to the left	enfrente de	in front of
a la derecha	to the right	doblar	to turn
detrás de	behind	seguir derecho	to go straight

1. Banco Central / la catedral
2. la catedral / Farmacia Santa Fe
3. Farmacia Santa Fe / Ferretería Gómez
4. Ferretería Gómez / Juguetes somos nosotros
5. Juguetes somos nosotros / Consultorio Doctores Medina

ESCUCHA

07-15 to 07-16

Un reportaje de televisión

Estrategia	Identifying the setting (place and time) and understanding the purpose of a message will help you anticipate what you will hear, thus facilitating comprehension. For example, determine where and when an event took place. If dates or hours are not identified, listen for verb tenses. Is the	verb in the present, past, or future tense? To determine the purpose, ask yourself the following questions: Is the speaker selling something? Is the speaker reporting something? Is the message meant to be serious or humorous?
Determining setting and purpose		

7-14 **Antes de escuchar** Vas a escuchar un reportaje de televisión. Primero, mira la foto. Describe lo que ves en la foto. ¿Qué hace la persona? ¿Cuál crees que sea el tema de este reportaje? ■

©Dmitriy Shironosov/Shutterstock

7-15 **A escuchar** Lee toda la información de los siguientes pasos. Después, escucha el reportaje. La primera vez que lo escuches, completa el **Paso 1.** Escúchalo otra vez y completa el **Paso 2.** ■

Paso 1 ¿Quiénes son estas personas?

1. ＿＿ Paco
2. ＿＿ Francisco
3. ＿＿ Olga
4. ＿＿ Jorge
5. ＿＿ Yinyo

a. mujer joven de Costa Rica
b. reportero en Puerto Rico
c. hombre mayor, dueño
d. anfitrión (*host*) del programa
e. hombre de los Estados Unidos

Paso 2 Contesta las siguientes preguntas.
1. ¿Dónde toma lugar este reportaje?
2. ¿Cuál es el tema del reportaje?

7-16 **Después de escuchar** Inventa un postre o un helado nuevo para la Heladería de Lares y prepara una descripción para anunciarlo en una entrevista con un reportero. Comparte tu anuncio con un/a compañero/a. ■

¿Cómo andas? I

	Feel confident	Need to review
Having completed **Comunicación I**, I now can . . .		
• describe stores and other places in a city. (p. 290)	☐	☐
• choose between **ser** and **estar.** (MSL)	☐	☐
• express uncertainty in time, place, manner, and purpose. (p. 295)	☐	☐
• examine and compare culturally representative apparel. (p. 298)	☐	☐
• determine setting and purpose when listening. (p. 301)	☐	☐

Comunicación II

3 VOCABULARIO

07-17 to 07-19

Algunos artículos en las tiendas
Naming items sold in stores

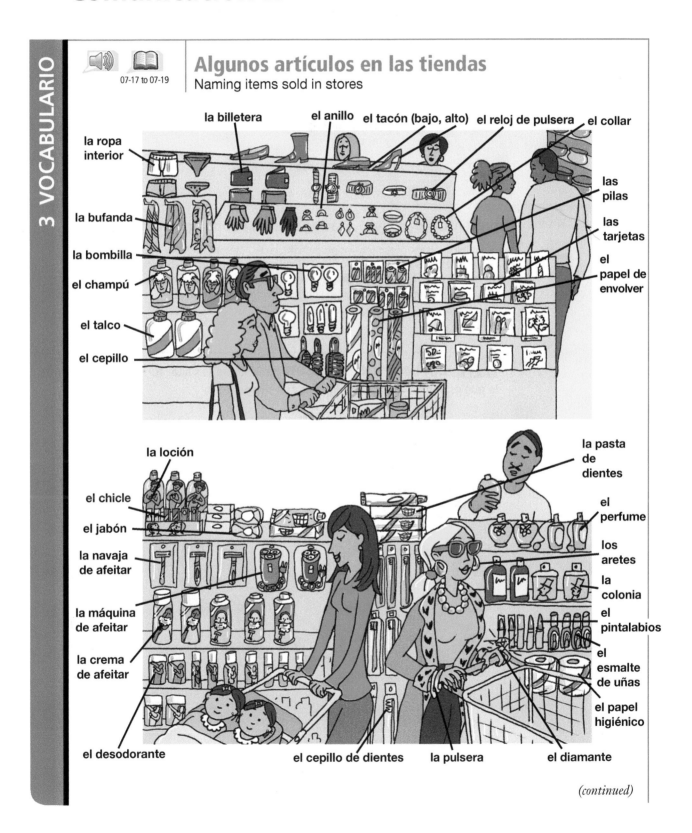

la ropa interior
la billetera
el anillo
el tacón (bajo, alto)
el reloj de pulsera
el collar
la bufanda
las pilas
la bombilla
las tarjetas
el champú
el papel de envolver
el talco
el cepillo

la loción
el chicle
el jabón
la navaja de afeitar
la máquina de afeitar
la crema de afeitar
el desodorante
el cepillo de dientes
la pulsera
el diamante
la pasta de dientes
el perfume
los aretes
la colonia
el pintalabios
el esmalte de uñas
el papel higiénico

(continued)

Palabras útiles	*Useful words*
apretado/a	*tight*
de buena / mala calidad	*good / poor* (adj.) *quality*
la manga corta / larga	*short / long sleeve*
media manga	*half sleeve*
hecho/a de…	*made of . . .*
nilón	*nylon*
oro	*gold*
piel	*leather; fur*
plata	*silver*

¡Anda! Curso elemental,
Capítulo 8. Las telas
y los materiales,
Apéndice 2.

REPASO

¡Hola!

Repaso &
Spanish/English
Tutorials

07-20 to 07-22

El presente progresivo   Stating what is happening at the moment

For a complete review of the present progressive, go to MySpanishLab or refer to **Capítulo 5** of *¡Anda! Curso elemental* in Appendix 3 of your textbook. The vocabulary activities that follow incorporate this grammar point. Practicing new vocabulary with a review grammar point helps to strengthen and increase your knowledge of Spanish.

7-17 Lo/La conozco bien Es el fin de semana. Túrnense para describir lo que están haciendo sus amigos en este momento. ■

MODELO   Vicente
Vicente está mirando unos relojes de pulsera.

1. Laura   2. Eva   3. Kyung   4. Silvia   5. Alberto

¡Anda! Curso elemental, Capítulo 8. Las construcciones reflexivas, Apéndice 3.

 7-18 **¿Qué está comprando Inés?** Inés está en la tienda Falabella. ■

Paso 1 Describan lo que ven en su bolsa.

Paso 2 Túrnense para explicar para qué necesita cada artículo.

MODELO *Necesita el cepillo de dientes para cepillarse los dientes.*

Paso 3 Creen oraciones en **el presente progresivo.**

MODELO *Inés se está cepillando los dientes.*

©Sandberg/ Shutterstock

 7-19 **Joyerías Helmlinger** Lean la página web de esta joyería, y después contesten las siguientes preguntas. ■

JOYERÍAS HELMLINGER

Joyerías Helmlinger, especialistas en el diseño de joyas en Santiago de Chile, cuenta con más de treinta y dos años de experiencia en brindarle joyería fina de la más alta calidad. Tenemos para todos los gustos: diseños clásicos y de vanguardia.

Le anunciamos con orgullo que somos "joyeros de familia" y le ofrecemos una amplia selección de joyas, incluyendo en nuestra línea de productos:

◆ diamantes de alta calidad ◆ anillos de oro (amarillo y blanco)
◆ perlas ◆ anillos de matrimonio
◆ collares ◆ aretes
◆ platería ◆ relojes de pulsera
◆ piedras preciosas: ◆ y mucho más...
   rubíes, zafiros, perlas

Estamos creando continuamente nuevos diseños exclusivos para nuestros clientes que buscan piezas de joyería únicas, fabricadas con materiales de la más alta calidad y con creatividad sin límites.

CONSULTE CON NUESTROS JOYEROS Y DESCUBRA LA DIFERENCIA EN TRADICIÓN Y DISEÑO DE JOYERÍA FINA PARA SATISFACER SUS SUEÑOS.

CALLE PROVIDENCIA 2433 ◆ TELÉFONO: 562-9324776

1. ¿Qué están promocionando en su página web?
2. ¿Qué están haciendo los diseñadores continuamente?
3. ¿Qué calidad de joyería está buscando una persona que compre en Helmlinger?
4. En tu opinión, ¿falta alguna información importante para los posibles clientes?

¡Anda! Curso elemental, Capítulo 3. Los colores; Capítulo 8. La ropa, Apéndice 2.

7-20 **En la tienda ¡Mucha moda!** Están en la tienda ¡Mucha moda! En grupos de tres, describan el dibujo. Cada estudiante debe crear por lo menos **cuatro** oraciones. ◼

MODELO   *Hay varias personas en una tienda de ropa. Un hombre se está probando un traje de buena calidad, pero le queda mal…*

7-21 **Una conversación interesante** Estás en un almacén tipo Walmart o Target y tu padre/madre/esposo/a te llama al celular. Cuéntale dónde estás, qué estás haciendo, qué necesitas comprar, etc. Tu compañero/a va a ser la persona que te llama. Después, túrnense. Usen **el presente progresivo** cuando puedan. ◼

MODELO   E1: *¿Marisol?*

          E2: *Hola papá.*

          E1: *¿Dónde estás, hija?*

          E2: *Estoy en la tienda Gran Mundo y están vendiendo todo muy barato —¡es una liquidación!*

          E1: *¿Qué estás haciendo allí? Tú no necesitas nada.*

          E2: *No es verdad, papá. Necesito…*

4 GRAMÁTICA

07-23 to 07-26 · Spanish Tutorial

Los tiempos progresivos: el imperfecto con *andar, continuar, seguir, ir* y *venir*

Referring to ongoing actions

You have just reviewed the present progressive. There are other tenses that can be used with the present participle (**-ando / -iendo**). For example, the imperfecto progresivo is similar in usage to the imperfect. It is used to describe a past action in progress.

Lo vi cuando **estábamos volviendo** del centro.	*I saw him when we were returning from downtown.*
Chan **estaba mirando** los relojes de pulsera cuando llamaste.	*Chan was looking at the wristwatches when you called.*
¿Te **estabas maquillando** cuando el niño entró?	*Were you putting on your makeup when the boy came in?*
Él **estaba buscando** muebles en el almacén.	*He was looking for furniture at the department store.*

Other verbs can be used with the present participle (**-ando, -iendo**): andar, continuar, seguir, ir, and venir. The use of each of these verbs subtly changes the meaning of the progressive.

1. *Andar* + present participle implies that the action in progress is not occurring in an organized fashion.

El dependiente nuevo **anda buscando** las prendas por todas partes.	*The new sales clerk is going around looking for the garments all over the place.*

2. *Continuar / seguir* + present participle means to keep on / to continue doing something.

Seguimos buscando el anillo que mi madre perdió esta mañana.	*We are still looking for the ring my mother lost this morning.*

3. *Ir* + present participle emphasizes progress toward a goal.

Los obreros **van avanzando** en la construcción de nuestra ferretería nueva.	*The workers are making progress on the construction of our new hardware store.*

4. *Venir* + present participle emphasizes the repeated or uninterrupted nature of an action over a period of time.

Hace dos años que mis hermanos **vienen haciendo** las mismas cosas molestas.	*For two years my brothers have been doing the same aggravating things.*

5. Note: Remember that in Spanish the **present progressive** is *not* used to **express the future.**

Present progressive: *Están trabajando en la tintorería.*
They are working (right now) at the dry cleaners.

Future: *Van a trabajar en la tintorería.*
They are going to work at the dry cleaners (in the future).

7-22 **De nuevo** Repitan la actividad **7-17**, esta vez usando **el imperfecto progresivo** para describir lo que estaban haciendo esas personas ayer. ■

MODELO   Vicente

Vicente estaba mirando unos relojes de pulsera.

 7-23 **Ahora mismo** ¿Qué están haciendo las siguientes personas? Túrnense para crear oraciones usando **andar, continuar, seguir, ir** y **venir.** ■

©Jaimie Duplass/ Shutterstock

MODELO   Fabián (es estudiante de arquitectura y ve mucho progreso en un proyecto muy grande)

Fabián va progresando en su proyecto.

1. Maite (tiene mucho que hacer pero necesita terminar de limpiar su apartamento esta noche)
2. Javier y Constanza (son muy trabajadores; estudian todos los días para sus clases y tienen dos exámenes mañana)
3. Mi mejor amigo (desde que lo conocí, me ha ayudado mucho; hace ocho años que lo conozco)
4. Nuestro/a profesor/a de español (le gusta hacer trabajo voluntario y así sirve a la comunidad tanto como a sus estudiantes)
5. Yo (duermo bien siempre y anoche dormí muy bien también)
6. Todos los compañeros de clase (cada día saben más y mejoran mucho)

7-24 **Cuando era niño/a...** ¿Qué hacías cuando ocurrieron los siguientes eventos? Termina las siguientes oraciones usando **el imperfecto progresivo** y después compártelas con un/a compañero/a. ◼

MODELO   tuviste tu primera pesadilla (*nightmare*)

                    Estaba durmiendo.

1. conociste a tu mejor amigo/a
2. recibiste el mejor regalo de tu vida
3. llegó Papá Noel por primera vez
4. supiste que ibas a estudiar en la universidad
5. te regalaron tu primera bicicleta
6. te llamó tu primer/a "amigo/a especial"

 7-25 **Y ella dijo...** En grupos de cuatro, van a crear oraciones para añadir a las oraciones de sus compañeros. Necesitan usar el vocabulario nuevo del capítulo con **andar, continuar, seguir, ir** y **venir.** Sigan el modelo. ◼

MODELO   E1: *Ando buscando unos aretes de plata.*

                    E2: *Ando buscando unos aretes de plata y sigo trabajando muchas horas en el banco.*

                    E3: *Ando buscando unos aretes de plata. Sigo trabajando muchas horas en el banco. Y vengo diciendo que los pasteles de La Alemana son los mejores.*

                    E4: ...

PERFILES

07-27 to 07-28

Unos diseñadores y creadores

En el mundo hispano, como en los Estados Unidos, hay tiendas que se especializan en productos específicos. Aquí puedes conocer a las personas que diseñan los productos que compras en estas tiendas.

Alamy

Paloma Picasso nació en el año 1949 y empezó su carrera de diseñadora temprano, trabajando con joyas. También ha creado una marca de perfume con su nombre. Hoy sigue diseñando una línea de joyas para la joyería Tiffany y Compañía. Su línea tiene anillos, aretes y collares de oro, de plata y con diamantes.

Alamy

Narciso Rodríguez (n. 1961) empezó a trabajar en las compañías de moda de Donna Karan y Calvin Klein, dedicándose al diseño de *prêt-à-porter* (*ready-to-wear*) femenino para grandes almacenes. Tiene su propia línea de ropa y ha creado una colonia para hombres y un perfume para mujeres. Ha ganado premios como "mejor diseñador" en varias categorías y continúa diseñando ropa y fragancias.

Si estás contemplando comprar unos muebles nuevos que tengan a la vez funcionalidad y un diseño moderno, considera los productos del diseñador **Sami Hayek** (n. 1973). Fundó su negocio de diseño en el año 2003 y se especializa en los muebles. Tiene una lista impresionante de clientes de Hollywood y de negocios importantes.

Newscom

Preguntas

1. ¿En qué creaciones se especializan estas personas? ¿En qué tipo de tiendas se encuentran sus productos?
2. ¿Cómo se comparan sus productos con los que usas?
3. ¿Qué diseñadores de productos semejantes conoces en los Estados Unidos?

7-26 **Entrevista** ¿Cómo son tus compañeros/as de clase? Túrnense para hacerse y contestar las siguientes preguntas. ■

1. ¿Qué andas buscando que no has encontrado todavía?
2. ¿Qué continúas haciendo que no debes hacer?
3. ¿Qué sigues esperando que ocurra en tu vida o en la vida de tus padres?
4. ¿Qué notas vas sacando este semestre / trimestre?
5. ¿Qué sigues deseando hacer que nunca has hecho?

 7-27 **Nos vamos al spa** Sus amigos casi nunca hacen nada especial por sí mismos y cuando lo hacen, sienten que tienen que justificarlo. Los han invitado a ir con ustedes al Spa Corazón Patagonia en Chile por cinco días. Ayúdenles a justificar el viaje, usando formas del **progresivo** en **cinco** oraciones. ■

MODELO   *Necesitan venir con nosotros al Spa Corazón Patagonia en Chile.*
          Siguen trabajando demasiado y necesitan descansar…

©MYLOS/Shutterstock

¡CONVERSEMOS!

07-29 to 07-32

ESTRATEGIAS COMUNICATIVAS Conversing on the phone and expressing agreement (Part 1)

Just as in English, there are conventions for speaking on the phone in Spanish, whether we are speaking in formal circumstances or talking with our friends.

During those conversations, we have the occasion to express agreement. Using the following expressions will help you.

Conversando por teléfono	*Speaking on the phone*
• Aló. / Bueno. / Diga. / Dígame.	*Hello?*
• ¿Está _____ (en casa)?	*Is _____ there / at home?*
• ¿De parte de quién?	*Who shall I say is calling?*
• Le/Te habla... / Es... / Soy...	*This is . . .*
• Lo/La/Te llamo más tarde.	*I will call him/her/you later.*
• No está. / No se encuentra.	*He/She is not home.*
• ¿Puedo tomar algún recado?	*May I take a message?*
• Gracias por haber(me) llamado.	*Thank you for calling (me).*
• Oiga... / Oye...	*Hey . . .*
• Mire / Mira...	*Look . . .*
• ¡No me diga/s!	*You don't say! / No way!*

Expresando acuerdo	*Expressing agreement*
• Eso es. / Así es.	*That's it.*
• Cómo no. / Por supuesto. / Claro que sí. / Desde luego.	*Of course.*
• Exacto. / Exactamente.	*Exactly.*
• (Estoy) de acuerdo.	*Okay, I agree.*

Fíjate

Different countries tend to have different ways of answering the phone. For example, *Diga* tends to be used in Spain, and *Bueno* in Mexico. *Aló* is used in various countries.

 7-28 Diálogo Escucha el diálogo y contesta las siguientes preguntas. ■

1. ¿Quién contestó el teléfono? ¿Qué dijo?
2. ¿Qué le dijo Adriana a la señora que la había llamado?
3. ¿Para qué invitó la mujer a Adriana a Chicago?

¡Anda! Curso elemental, Capítulo 8, La ropa, Apéndice 2.

 7-29 El mercado de los mercados Saliste de compras al nuevo mercado de pulgas (*flea market*). No puedes creerlo... ¡tienen de todo! Llama a tu mejor amigo/a para decirle todo lo que tienen. Completa los siguientes pasos. Túrnense. ■

Paso 1 Llama a tu amigo/a y otra persona contesta el teléfono. Dile que quieres hablar con tu amigo/a.

Paso 2 Descríbele a tu amigo/a las cosas que ves. (Usa el vocabulario de la página 290, **Algunas tiendas y algunos lugares en la ciudad,** y de la página 303, **Algunos artículos en las tiendas.**)

©D. Heining-Boynton, HBPHOTOPRO.COM

Paso 3 Tú ofreces comprarle unas cosas a tu amigo/a y él/ella está de acuerdo.

 7-30 **Una entrevista** Imagina que para tu trabajo tienes que entrevistar a la persona encargada de las modificaciones de la planificación de tu ciudad. Entrevista a esa persona por teléfono para conocer sus planes para las tiendas y otros lugares de la ciudad. En tu entrevista, incluye las siguientes expresiones: **a menos que, en caso de que, para que, con tal de que** y **aunque**. Túrnense. ■

 7-31 **Canal Véndelotodo** Estás haciendo una gira por el Canal Véndelotodo. Allí hay unas estrellas con sus productos: Joan Rivers con sus collares y "diamantes", Leonardo DiCaprio con unas bombillas "verdes", etc. Llama a un miembro de tu familia para contarle sobre los productos y las personas famosas que ves. Túrnense. ■

 7-32 **El remate** El señor Dineral es un hombre riquísimo y muy reservado. Quiere que vayas a un remate (*auction*) especial y ofrezcas por él (*you bid on his behalf*). Durante el remate, vas a estar comunicándote con él por teléfono. Él te va a decir si quiere ofrecer por un objeto y hasta cuánto quiere gastar. Cuando llegas al remate, te das cuenta que el señor es un poco excéntrico porque el remate es un poco "diferente". Por ejemplo, rematan una botella de esmalte de uñas que era de Kim Kardashian. ■

Paso 1 Con un/a compañero/a, hagan una lista de las cosas excéntricas que van a rematar.

Paso 2 Creen unos diálogos entre el señor Dineral y tú durante el remate. Acuérdense de que hablan por teléfono porque el señor es muy reservado. Túrnense de papel.

MODELO E1: *¿Aló?*

E2: *Sr. Dineral, le habla _____. Van a rematar una botella de esmalte de uñas de Kim Kardashian.*

E1: *Bueno, ofrece hasta mil dólares...*

 7-33 **No lo veo** Normalmente es Rafa quien hace las compras, pero hoy tiene que ir Carmen, puesto que Rafa tiene que quedarse hasta tarde en el trabajo. El problema es que Carmen no puede encontrar nada en la tienda Buena Ganga, así que Carmen tiene que llamar a Rafa para preguntarle dónde se encuentran las cosas en la tienda. ■

Paso 1 Creen una lista de **diez** cosas que necesitan.

Paso 2 Túrnense, interpretando los papeles de Rafa y Carmen.

ESCRIBE

07-33 to 07-34

Un artículo de opinión

Estrategia	A key skill in writing in Spanish is learning to use the dictionary effectively. Dictionaries have conventions for presenting words, their pronunciations, and their meanings. Abbreviations are used, and there is always an abbreviation key at the beginning of the dictionary that explains them. Familiarize yourself with this key first. Sometimes other	explanatory symbols and notes further explain word usage. Pay attention to all of these clues as you select the appropriate word(s) to express your meaning. Then double check by looking up the word in reverse: if you began with English–Spanish, then check the Spanish–English version to verify that you have chosen the correct way to express your intended meaning.
Using a dictionary		

7-34   Antes de escribir Vas a escribir un artículo de opinión para el periódico local, expresando tus ideas sobre los pequeños negocios comparados con una mega tienda en tu pueblo. Piensa en tus ideas y opiniones sobre la situación. Luego, organízalas lógicamente y con detalles. ¿Cuáles son algunas palabras de vocabulario que necesitas y que no conoces? Haz una lista de ellas. ■

7-35   A escribir Ahora, para escribir tu artículo, completa estos pasos: ■

Paso 1   Primero, usa el vocabulario y las estructuras gramaticales de este capítulo en el artículo. Tu artículo debe consistir en por lo menos **diez** oraciones.

Paso 2   Presenta tu opinión claramente, usando las palabras nuevas del vocabulario en tus oraciones.

7-36   Después de escribir Comparte tu artículo con un grupo de compañeros de clase. ¿Entienden ellos tu punto de vista / tu opinión? Explícales las palabras que no entiendan, basándote en tu investigación en el diccionario. ¿Escogiste las palabras apropiadas para expresarte? ■

¿Cómo andas? II

	Feel confident	Need to review
Having completed **Comunicación II**, I now can . . .		
• name items sold in stores. (p. 303)	☐	☐
• state what is happening at the moment. (MSL)	☐	☐
• refer to ongoing actions. (p. 307)	☐	☐
• identify some people whose products are sold in stores. (p. 310)	☐	☐
• converse on the phone and express agreement with the speaker. (p. 312)	☐	☐
• use a dictionary effectively when writing. (p. 314)	☐	☐

Vistazo cultural

RAL • VISTAZO CULTURAL • VISTAZO CULTURAL • VISTAZO CULTURAL • VISTAZO CULTURAL • VISTAZO CULTURAL • VISTAZO CULTURAL • VISTAZO CULTURAL • VISTAZ

07-35 to 07-36

Algunos lugares y productos en las ciudades de Chile y Paraguay

Soy estudiante en la Universidad Gabriela Mistral en Santiago, Chile donde estoy siguiendo un curso de estudios para una licenciatura en la Administración de Empresas. Cuando reciba mi título, espero trabajar en uno de los grandes centros comerciales. Luego, en cuanto tenga la experiencia necesaria, deseo ser gerente del centro.

Danilo Pinilla Frías
estudiante de Administración
de Empresas

Falabella, un importante almacén de Chile
Falabella es una de las compañías más grandes de Chile. Tiene almacenes en Chile, Argentina, Perú y Colombia. Cuando empezó en el año 1889, era una sastrería (*tailor shop*), pero hoy día se vende de todo en sus tiendas.

La Mezquita de Coquimbo, Chile
La población musulmana va creciendo poco a poco en Chile. Hoy día hay más de 3.000 musulmanes en el país. La Mezquita de Coquimbo, también llamada El Centro Mohammed VI para el Diálogo de las Civilizaciones, fue inaugurada el 14 de marzo del año 2007. Su minarete, de 40 metros de altura, es una réplica de la mezquita Kutubuyya de Marrakesch en Marruecos.

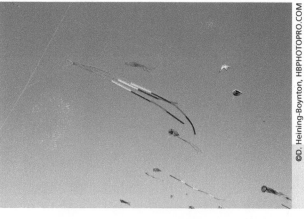

El volantín: un juguete muy popular en Chile
¿Qué se puede encontrar en una juguetería? En Chile, tres juguetes muy comunes son el trompo (*top*), los zancos (*stilts*) y el volantín (*kite*). Un pasatiempo popular en Chile es hacer volar volantines. Durante las celebraciones de la independencia chilena, hay competiciones de volantines en todas partes del país.

316

©iStockphoto/Thinkstock

El arpa paraguaya: instrumento nacional

En Asunción, hay fábricas donde se construyen unos instrumentos de cuerdas típicos y populares de Paraguay: el arpa paraguaya y la guitarra. El arpa paraguaya es apreciada en todas partes del mundo por su sonido distinto al de otros tipos de arpa. El arpa se hace usualmente de maderas locales.

Las cataratas del Iguazú, Paraguay

Cuando veas las cataratas del Iguazú, vas a estar sorprendido por su enormidad. Es un sistema de hasta 275 cataratas distintas en forma de semicírculo, de casi 3.000 metros de ancho y hasta 80 metros de alto. Las cataratas están justo donde se encuentran los tres países de Brasil, Argentina y Paraguay. El nombre de las cataratas viene del idioma guaraní, lengua oficial del Paraguay; significa "agua grande".

©David Davis/ Shutterstock

©Tomasz Pado/Shutterstock

Las ruinas de las reducciones jesuitas de Trinidad, Paraguay

Cuando vayas a Paraguay, visita la Santísima Trinidad de Paraná: la mayor de las ruinas de las reducciones jesuitas y designada Patrimonio Cultural de la Humanidad por UNESCO. Trinidad era una ciudad con una plaza principal, fábricas para hacer mercancías (goods) y casas individuales donde vivían los indígenas protegidos por los padres jesuitas.

©D. Heining-Boynton, HBPHOTOPRO.COM

¡Las empanadas son muy ricas!

Una panadería es una tienda donde se vende pan. Por lo tanto, es natural que la tienda donde se venden empanadas se llame empanadería. La empanada es un pastel de masa (dough) con un relleno (filling) de varias cosas: pescado, carne, verduras, queso o realmente lo que a uno le guste.

Preguntas

1. Identifica los lugares de las ciudades mencionadas y determina si hay productos asociados con ellos.
2. ¿Cuáles de estos lugares existen en tu ciudad o pueblo? ¿En qué son semejantes y en qué son diferentes de los lugares indicados en Chile o Paraguay? Si estos lugares no existen en tu ciudad, ¿por qué será?
3. En los capítulos anteriores, has aprendido sobre los productos y las prácticas culturales de otros países (por ejemplo, las procesiones religiosas y las comidas populares de algunos países). Piensa en algunos ejemplos y compáralos con las prácticas y los productos que ves en esta presentación.

317

07-39 to 07-40

Laberinto peligroso

©Pearson Education/PH College

Lectura

Estrategia   Identifying elements of texts: Tone and voice

In addition to understanding what is being said, it is also important to grasp *how* it is being said. **Tone** and **voice** are two important ways of determining *how*. **Tone** is the writer's attitude toward his/her readers and the subject(s). Tone reflects the feelings of the writer. **Voice** allows the reader to perceive a human personality through the language and sentence structure.

Therefore, ask yourself the following questions to determine tone and voice.

1. What language does the author use?
2. Is the passage serious, sarcastic, humorous, or perhaps neutral?
3. What words are used that make you think so?
4. How much of the author's beliefs and opinions are in the piece?
5. Is the author a formal observer, a reporter, or a vested participant in the passage?
6. What are the sentences like? Are they short, or long and descriptive?

Determining tone and voice helps you go beyond the literal meaning of what you read.

7-37 **Antes de leer** En los episodios del **Capítulo 5,** después de decidir empezar a colaborar en sus respectivas investigaciones, Cisco y Celia fueron a la biblioteca para estudiar unos mapas y crónicas. Posteriormente, tuvieron que ir a la comisaría (*police station*) para declarar ante la policía. Antes de empezar a leer el episodio, contesta las siguientes preguntas. ■

1. ¿Qué importancia pueden tener los mapas y las crónicas que Celia y Cisco consultaron en la biblioteca?
2. ¿Por qué tuvieron que declarar Celia y Cisco ante la policía? ¿Crees que son inocentes? ¿Por qué?
3. Muchas veces, para comprender mejor una lectura, es útil identificar la voz y el tono del texto. ¿Cómo eran la voz y el tono de algunos de tus episodios favoritos? ¿Cómo crees que va a ser el tono de este episodio?
4. Lee rápidamente las primeras diez líneas del episodio y describe el tono y la voz de esa parte del texto. Identifica palabras del texto para apoyar tu descripción.

DÍA40   *¿Casualidades o conexiones?*

in charge

Cuando llegaron a la casa de Cisco, era ya tarde y estaban agotados. Celia y Cisco habían estado varias horas en la comisaría hablando con el detective encargado° del caso.

Después de declarar ante la policía, estaban realmente preocupados.

318

—Tú y yo sabemos que somos inocentes, pero no creo que hayamos convencido al detective; creo que durante toda mi declaración estaba dudando de mi palabra. Está claro que somos los sospechosos principales en ese caso. ¡Es fundamental que le hagamos creer en nuestra inocencia! Tenemos que demostrarle que no hemos robado nada, que somos periodistas legítimos, y que estamos realizando una investigación legítima —dijo Celia, un poco agobiada°.

weighed down, feeling down

—Estoy completamente de acuerdo contigo, Celia. Por eso, es más importante ahora que nunca que sigamos investigando para que podamos resolver los dos casos, y para que la policía pueda saber con total seguridad que no somos los culpables —respondió Cisco con firmeza.

—No sé qué nos espera, pero también creo que a pesar de que una persona misteriosa nos haya amenazado, tenemos que continuar tratando de descubrir la verdad —afirmó Celia convencida—. Y tienes razón, Cisco; en caso de que todo esté relacionado, también creo que deberíamos intentar resolver el caso del robo. Antes teníamos bastante trabajo solo con los asuntos de contrabando y las sustancias extraídas de plantas tropicales, y ahora parece que vamos a tener todavía más.

coincidences

—A no ser que estemos viviendo muchas casualidades°, toda nuestra investigación sobre el contrabando de los productos de las selvas tropicales para la guerra biológica tiene que estar relacionada con esos mapas y esa crónica. Es la única explicación lógica —dijo Cisco.

—Pero tenemos que descubrir la verdad sin que nadie se dé cuenta de lo que estamos haciendo. Hasta que el autor de esos crímenes esté en custodia de la policía, sé que tú y yo vamos a estar en peligro. Es imprescindible que sigamos adelante, pero tenemos que hacerlo con muchísimo cuidado —dijo Celia con mucha convicción.

—Es cierto lo que dices. Es evidente que no vamos a poder estar tranquilos hasta que hayamos resuelto todo y sepamos quién es el culpable —respondió Cisco, preocupado.

—Lo sé. Estoy segura de que cuando todo esto haya terminado, voy a necesitar otras vacaciones —respondió Celia, intentando hablar con un tono menos grave y más ligero.

Cisco y Celia se pusieron a estudiar las características del mapa y de la crónica que habían sido robados. Descubrieron que los dos estaban relacionados con una selva tropical en Centroamérica. Había mucho trabajo que hacer, así que decidieron dedicarse cada uno a una tarea distinta. Celia se dedicó a tratar de examinar la zona más de cerca, empleando Google Earth. Con las imágenes de satélite, logró ver el pueblo que aparecía en el mapa robado y que se mencionaba en la crónica. O bien por casualidad o bien por conexión directa entre los dos casos, pudo ver que el pueblo estaba en una zona muy rica en plantas medicinales. Mientras ella estudiaba esas imágenes y otros documentos relevantes, Cisco, por otro lado, andaba buscando información sobre otros mapas y crónicas relacionados con la misma región. Descubrió que en el ámbito internacional, otros mapas y crónicas también habían desaparecido. En la mayoría de los casos, las autoridades no habían sido capaces de descubrir quiénes eran los culpables.

—Aquí hay muchas casualidades. ¿Crees que es posible que haya alguna conexión entre las personas que han robado nuestra biblioteca y todos estos casos internacionales? —Cisco le preguntó a Celia.

—No solo creo que es posible, Cisco, me parece que es muy probable.

319

7-38 **Después de leer** Contesta las siguientes preguntas. ■

1. ¿Qué preocupaciones tenían Celia y Cisco respecto a sus declaraciones en la comisaría?
2. ¿Por qué pensaban Celia y Cisco que era importante resolver el caso del mapa y la crónica robados?
3. ¿Qué relación había entre su investigación de las selvas tropicales y el mapa y la crónica robados?
4. ¿Por qué podía tener implicaciones internacionales el robo del mapa y de la crónica?
5. ¿Cómo era el tono del episodio?
6. ¿Por qué se titula el episodio << ¿*Casualidades o conexiones?* >>?

▶❚❚ Video

7-39 **Antes del video** En ¿*Casualidades o conexiones?* viste algunas de las

07-41 to 07-43

preocupaciones de Cisco y Celia que los motivaron a seguir adelante con sus investigaciones. En ¡*Trazando rutas y conexiones!* vas a ver cómo avanzan en sus investigaciones. Antes de ver el episodio, contesta las siguientes preguntas. ■

1. ¿Crees que Cisco y Celia realmente son sospechosos en el caso del robo del mapa y de la crónica? ¿Por qué?
2. ¿Qué conexiones crees que pueden haber entre la investigación de Celia y Cisco y el robo de mapas y crónicas?
3. ¿Cómo puede estar relacionado con todo eso el laboratorio donde trabaja Cisco?

Celia, te has traído media tienda.

Las propiedades medicinales de estas plantas pueden ser alteradas si caen en manos de contrabandistas y el resultado puede ser muy peligroso para la sociedad.

Si estas sustancias caen en manos equivocadas, las consecuencias pueden ser muy peligrosas.

©Pearson Education/PH College

Episodio 7

«¡*Trazando rutas y conexiones!*»

Relájate y disfruta el video.

7-40 **Después del video** Contesta las siguientes preguntas. ■

1. ¿Dónde estaba Celia al principio del episodio y qué hacía?
2. ¿Qué descubrió Cisco en el correo electrónico que recibió antes de comer?
3. ¿Por qué se puso en contacto Celia con agentes federales?
4. ¿Qué descubrió Celia respecto al tráfico de sustancias químicas extraídas de plantas tropicales?
5. ¿Por qué tenía que ir Cisco a declarar otra vez?

320

07-47 to 07-50

LETRAS

Acabas de terminar otro episodio de **Laberinto peligro.** Explora más lecturas en la colección literaria, **Letras.**

Y por fin, ¿cómo andas?

	Feel confident	Need to review
Having completed this chapter, I now can . . .		

Comunicación I

- describe stores and other places in a city. (p. 290) ☐ ☐
- choose between **ser** and **estar.** (MSL) ☐ ☐
- express uncertainty in time, place, manner, and purpose. (p. 295) ☐ ☐
- determine setting and purpose when listening. (p. 301) ☐ ☐

Comunicación II

- name items sold in stores. (p. 303) ☐ ☐
- state what is happening at the moment. (MSL) ☐ ☐
- refer to ongoing actions. (p. 307) ☐ ☐
- converse on the phone and express agreement with the speaker. (p. 312) ☐ ☐
- use a dictionary effectively when writing. (p. 314) ☐ ☐

Cultura

- examine and compare culturally representative apparel. (p. 298) ☐ ☐
- identify some people whose products are sold in stores. (p. 310) ☐ ☐
- share information about interesting stores, places, and products found in Chile and Paraguay. (p. 316) ☐ ☐

Laberinto peligroso

- distinguish tone and voice of a text, and consider the meaning of the missing maps and journals. (p. 318) ☐ ☐
- hypothesize about Cisco's possible arrest. (p. 320) ☐ ☐

Comunidades

- use Spanish in real-life contexts. (SAM) ☐ ☐

Literatura

- recognize poetic devices such as polysyndeton and free verse. (Literary Reader) ☐ ☐

VOCABULARIO ACTIVO

Algunas tiendas y algunos lugares en la ciudad	Some shops and places in the city
el campo de golf	golf course
la carnicería	butcher shop
la catedral	cathedral
el consultorio	doctor's office
la fábrica	factory
la farmacia	pharmacy
la ferretería	hardware store
la frutería	fruit store
la fuente	fountain
la heladería	ice cream store
la juguetería	toy store
la mezquita	mosque
la panadería	bread store; bakery
la papelería	stationery shop
la pastelería	pastry shop
la pescadería	fish store
los servicios	public restrooms
la tintorería	dry cleaners
la tienda de ropa	clothing store
la zapatería	shoe store

Para comprar cosas…	To buy things . . .
el/la dependiente/a	store clerk
el dinero en efectivo	cash
el escaparate	store window
la ganga	bargain
la liquidación	clearance sale
el mostrador	counter
la oferta	offer
la rebaja	sale; discount

Algunos artículos en las tiendas	Some items in the stores
Artículos generales	*General items*
la bombilla	light bulb
el cepillo	brush
el cepillo de dientes	toothbrush
el champú	shampoo
el chicle	gum
la colonia	cologne
la crema de afeitar	shaving cream
el desodorante	deodorant
el esmalte de uñas	nail polish
el jabón	soap
la loción	lotion
la máquina de afeitar	electric shaver
la navaja de afeitar	razor
el papel de envolver	wrapping paper
el papel higiénico	toilet paper
la pasta de dientes	toothpaste
el perfume	perfume
las pilas	batteries
el pintalabios	lipstick
el talco	talcum powder
las tarjetas	cards; greeting cards

Algunas prendas, ropa y otras cosas	Some garments, clothes, and other things
el anillo	ring
los aretes	earrings
la bufanda	scarf
la billetera	wallet
el collar	necklace
el diamante	diamond
la pulsera	bracelet
el reloj de pulsera	wristwatch
la ropa interior	underwear
el tacón (alto, bajo)	(high, low)heel

322

Palabras útiles	Useful words
apretado/a	tight
de buena / mala calidad	good / poor (adj.) quality
la manga corta / larga	short / long sleeve
media manga	half sleeve
hecho/a de...	made of . . .
nilón	nylon
oro	gold
piel	leather; fur
plata	silver

La vida profesional

8

La vida profesional

¿Qué profesiones te interesan? ¿Prefieres trabajar con otras personas o a solas? ¿En una oficina o en una fábrica o afuera en la naturaleza? Exploremos el mundo del trabajo y la vida profesional.

PREGUNTAS

1 ¿Qué profesiones te interesan? ¿Por qué?

2 ¿Para qué profesión estudias?

3 Para tu profesión futura, ¿hay algo más que necesitas hacer después de terminar tus estudios en la universidad?

324

© Kurhan / Shutterstock

Comunicación I

08-01 to 08-02

Algunas profesiones Comparing and contrasting professions

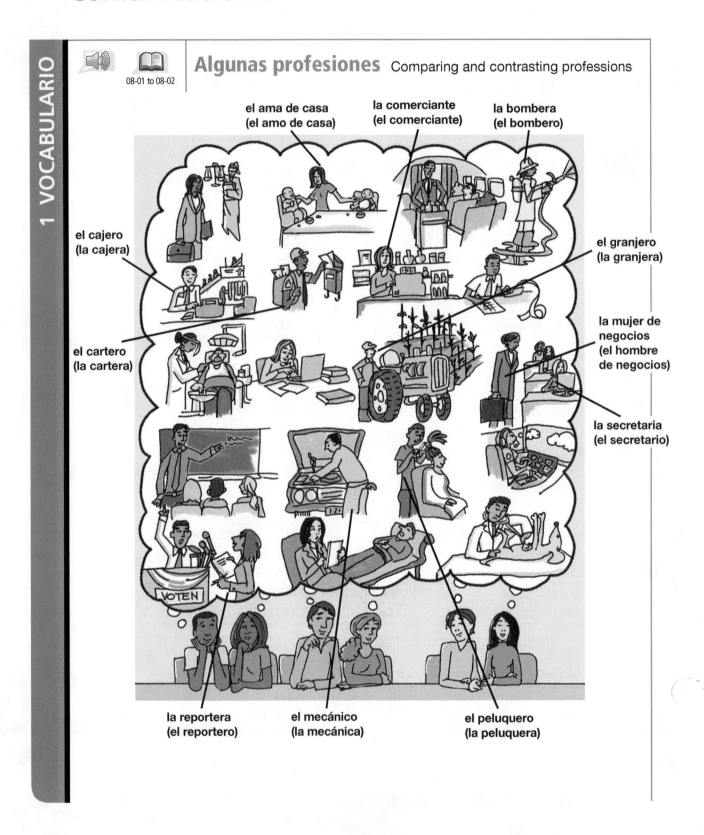

el ama de casa
(el amo de casa)

la comerciante
(el comerciante)

la bombera
(el bombero)

el cajero
(la cajera)

el granjero
(la granjera)

el cartero
(la cartera)

la mujer de
negocios
(el hombre
de negocios)

la secretaria
(el secretario)

la reportera
(el reportero)

el mecánico
(la mecánica)

el peluquero
(la peluquera)

VOTEN

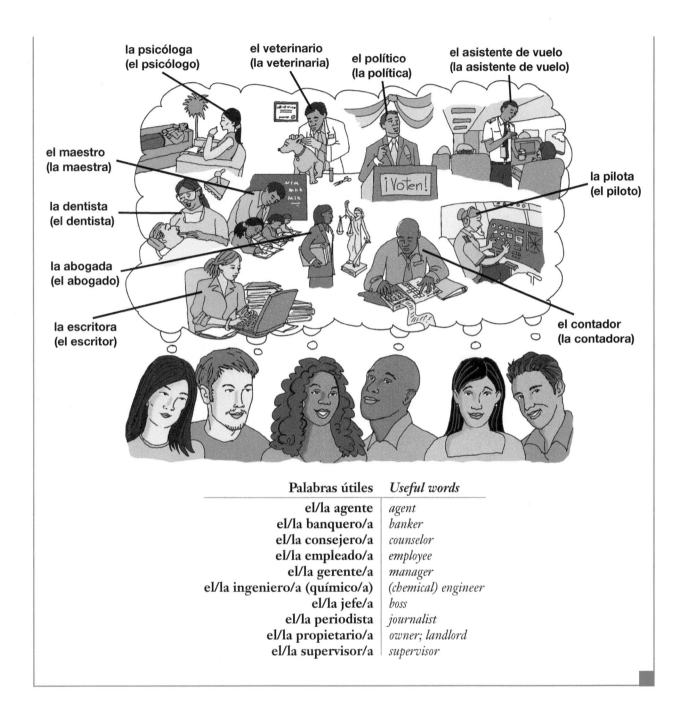

la psicóloga (el psicólogo)

el veterinario (la veterinaria)

el político (la política)

el asistente de vuelo (la asistente de vuelo)

el maestro (la maestra)

la pilota (el piloto)

la dentista (el dentista)

la abogada (el abogado)

la escritora (el escritor)

el contador (la contadora)

Palabras útiles	*Useful words*
el/la agente	*agent*
el/la banquero/a	*banker*
el/la consejero/a	*counselor*
el/la empleado/a	*employee*
el/la gerente/a	*manager*
el/la ingeniero/a (químico/a)	*(chemical) engineer*
el/la jefe/a	*boss*
el/la periodista	*journalist*
el/la propietario/a	*owner; landlord*
el/la supervisor/a	*supervisor*

REPASO

Repaso & Spanish/English Tutorials   08-03 to 08-04

Los adjetivos como sustantivos   Using adjectives as nouns to represent people, places, and things

For a complete review of adjectives used as nouns go to MySpanishLab or refer to **Capítulo 10** of *¡Anda! Curso elemental* in Appendix 3 of your textbook. The vocabulary activities that follow incorporate this grammar point. Practicing new vocabulary with a review grammar point helps to strengthen and increase your knowledge of Spanish.

8-1 **Categorías** ¿Cuáles de las profesiones y trabajos del vocabulario nuevo requieren, por regla general, título universitario? ¿Cuáles no lo requieren? ∎

Paso 1   Pongan las profesiones y trabajos bajo la categoría apropiada.

MODELO
1. REQUIEREN TÍTULO UNIVERSITARIO

   abogado/a

2. NO REQUIEREN TÍTULO UNIVERSITARIO

   cajero/a

Paso 2   ¿Cuáles requieren un título universitario avanzado?

 ¡Anda! Curso elemental, Capítulo Preliminar A.
Los adjetivos de nacionalidad, Apendice 2.

8-2 **Asociaciones** ¿Qué palabras (o personas) se asocian con los siguientes trabajos y profesiones? ∎

Paso 1   Túrnense para hacer asociaciones.

MODELO   la peluquera

pelo, cepillo, peinarse...

1. el banquero
2. la escritora
3. la secretaria
4. el asistente de vuelo
5. la dentista
6. el periodista
7. el abogado
8. el cajero
9. el cartero

Paso 2   Para cada profesión o trabajo de la lista, añadan una nacionalidad. Después, cambien la frase a una con adjetivo que funciona como sustantivo.

MODELO   la peluquera

la peluquera española

la española

8-3 **¿Es verdad?** Decide si las siguientes oraciones, por regla general, son **ciertas** o **falsas**. Si son falsas, corrígelas. Después, compara tus respuestas con las de un/a compañero/a. ∎

MODELO   Un ingeniero químico no necesita un título universitario.

Falso. Un ingeniero químico necesita un título universitario.

1. El veterinario es un doctor de animales.
2. El periodista es también escritor.
3. Un ama de casa trabaja de nueve a cinco.
4. Generalmente, los granjeros no tienen jefes.
5. Los pilotos y los asistentes de vuelo trabajan juntos.
6. No hay ningún requisito para ser bombero/a.

8-4 **Eres asistente** Decidan cómo revisar las siguientes partes de este reporte. Usen **los adjetivos como sustantivos** y una expresión con **lo (lo interesante, lo bueno, lo mejor,** etc.), como en el modelo. ■

MODELO Los carteros trabajan para todos los negocios del edificio. Los carteros nuevos trabajan cuarenta horas por semana y los carteros antiguos trabajan treinta horas por semana.

Lo interesante es que los carteros trabajan para todos los negocios del edificio. Los nuevos trabajan cuarenta horas por semana y los antiguos trabajan treinta horas.

1. Hay cinco contadores en total: dos de ellos tienen más de cinco años de experiencia con la compañía. Los tres contadores nuevos tienen menos de un año de experiencia con nosotros. Además, los tres contadores nuevos tienen títulos avanzados. Finalmente, de los tres contadores nuevos, dos son mujeres y uno es hombre.
2. La compañía emplea cuatro ingenieros químicos. Dos de los ingenieros se graduaron de MIT y dos se graduaron de UCLA. Los dos ingenieros de MIT tienen su doctorado. Los ingenieros de UCLA son nuevos; llevan menos de un año en la compañía. Los ingenieros de UCLA han expresado interés en continuar con sus estudios.

Workbooklet

 8-5 **¿A quién conoces que...?** Circula por la clase hasta encontrar a un/a estudiante que pueda contestar afirmativamente cada una de las siguientes preguntas. ■

MODELO conocer a un/a piloto/a

E1: *Marco, ¿conoces a un piloto?*

E2: *No, no conozco a ningún piloto.*

E1: *Sofía, ¿conoces a un piloto?*

E3: *Sí, mi primo es piloto.*

E1: *Firma aquí, por favor.*

PREGUNTAS	FIRMA
1. conocer a un/a piloto/a	*Sofía*
2. haber trabajado como secretario/a o recepcionista	
3. pensar que el trabajo de escritor es fácil	
4. creer que los abogados ganan más dinero que los veterinarios	
5. tener un pariente que trabaja como contador/a	
6. haber llevado su coche a un/a mecánico/a recientemente	
7. haber trabajado en un negocio que tiene más de veinte empleados	
8. tener un amigo que es propietario/a de un negocio	

¡Anda! Curso intermedio, Capítulo 3. La construcción de casas y sus alrededores, pág. 110; Dentro del hogar, pág. 122; Capítulo 5. Las vacaciones, pág. 199.

 8-6   **En su opinión**   Todos tienen sus opiniones. Discutan las siguientes posibilidades, evitando siempre la repetición. ◼

MODELO   ¿Cuál es la profesión… ?   más / menos interesante

> E1:   *¿Cuál es la profesión más interesante?*
>
> E2:   *Para mí, la más interesante es ingeniero. ¿Y para ti?*
>
> E1:   *La más interesante es psicólogo. Para mí, la menos interesante es bombero. ¿Y para ti?*
>
> E2:   *Para mí, la menos interesante es granjero.*

¿CUÁL ES LA PROFESIÓN…?

1. más / menos interesante
2. más / menos lucrativa
3. más / menos difícil
4. más / menos fácil
5. que requiere más / menos horas de trabajo
6. que requiere más / menos años de estudios universitarios
7. que requiere más / menos creatividad
8. que mejor sirve a la comunidad

---

2 GRAMÁTICA

08-05 to 08-07   Spanish/English Tutorials

El futuro   Indicating actions in the future

As in English, the **future** can be expressed in several ways. In Spanish so far, you have either used the present tense to indicate that an action will take place in the very near future or used the construction *ir* + *a* + **infinitivo** to express **to be going to do something:**

Hablamos (*present*) con el agente esta tarde.	*We will speak with the agent this afternoon. / We are speaking to the agent this afternoon.*
Vamos a hablar (**ir** + **a** + infinitivo) con el agente esta tarde.	*We are going to speak with the agent this afternoon.*

¡Mi hijito Juanito se graduará en menos de trece años!

1. The **future** tense can express actions that will occur in the *near or distant future*. The future for regular verbs is formed by adding the following endings to the infinitive.

	hablar	**leer**	**escribir**
yo	hablaré	leeré	escribiré
tú	hablarás	leerás	escribirás
Ud.	hablará	leerá	escribirá
él, ella	hablará	leerá	escribirá
nosotros/as	hablaremos	leeremos	escribiremos
vosotros/as	hablaréis	leeréis	escribiréis
Uds.	hablarán	leerán	escribirán
ellos/as	hablarán	leerán	escribirán

Note the following examples:

Hablaremos con el agente mañana.	*We will speak with the agent tomorrow.*
Mi hermano **será** escritor algún día.	*My brother will be a writer someday.*
¿**Sacarás** el título de veterinario?	*Will you receive your veterinary science degree?*
Mercedes y Cristóbal **conocerán** a mi jefa la semana próxima.	*Mercedes and Cristóbal will meet my boss next week.*
Yo **iré** contigo si quieres.	*I'll go with you if you like.*

2. The following are some common irregular verbs in the future. While the **stems are irregular, the endings remain the same as for regular verbs**.

- The following verbs drop the infinitive vowel:

haber	**habr-**	**habré, habrás, habrá…**
poder	**podr-**	**podré, podrás, podrá…**
querer	**querr-**	**querré, querrás, querrá…**
saber	**sabr-**	**sabré, sabrás, sabrá…**

- These verbs replace the infinitive vowel with -d:

poner	**pondr-**	**pondré, pondrás, pondrá…**
salir	**saldr-**	**saldré, saldrás, saldrá…**
tener	**tendr-**	**tendré, tendrás, tendrá…**
valer	**valdr-**	**valdré, valdrás, valdrá…**
venir	**vendr-**	**vendré, vendrás, vendrá…**

- These verbs have different irregularities.

decir	**dir-**	**diré, dirás, dirá…**
hacer	**har-**	**haré, harás, hará…**

3. The future can also be used to **indicate probability**. When you wish to express the English idea of *wonder, might, probably,* etc., in Spanish you use the future:

¿Dónde **estará** el consejero?	*I wonder where the counselor is / must be.*
¿Qué **querrá** el jefe?	*What do you think the boss wants?*
¿Qué **estaremos** haciendo en quince años?	*(I wonder) What will we be doing in fifteen years?*

8-7 **La corrida** Escuchen mientras su profesor/a les da las instrucciones para este juego. ◼

 8-8 **Pobres Alberto y Verónica** Alberto y Verónica no consiguieron el trabajo que querían con el Banco Toda Confianza. Hicieron una lista sobre lo que podrán hacer la próxima vez para tener éxito. Usando los verbos de la lista, completen la conversación entre ellos con los verbos en **el futuro.** Túrnense. ◼

© Comstock Images / Thinkstock

contestar	escuchar	hablar	investigar
llamar	llevar	poder	ponerse
preguntar	tener	traer	salir

MODELO   traer

Traeré cartas de referencia —decidió Alberto.

1. Yo _____ con personas que trabajan allí para entender mejor las responsabilidades del puesto (*position*) —comentó Verónica.
2. _____ la página web para obtener más información sobre el negocio —se dijeron Alberto y Verónica.
3. Los dos no _____ jeans para la entrevista. _____ unos trajes elegantes.
4. ¿_____ temprano para poder llegar a tiempo? —le preguntó Verónica a Alberto.
5. Verónica no les _____ sobre el salario en la primera entrevista.
6. No los _____ al día siguiente para preguntarles si han tomado una decisión. _____ más paciencia —dijo Alberto. Y papá, ¿_____ir conmigo? —le preguntó Alberto.

 8-9 **¿Y mañana?** Combinen los elementos de las columnas A, B y C, y escriban oraciones para describir qué harán estas personas mañana. ◼

© Kurhan / Shutterstock

MODELO   el mecánico   reparar   el camión de mi amigo

El mecánico reparará el camión de mi amigo.

COLUMNA A	COLUMNA B	COLUMNA C
el ingeniero	dar	las muelas del juicio (*wisdom teeth*) a mi hermano
los carteros	empezar	para Europa en un avión grande
la dentista	escribir	el camión de mi amigo
el mecánico	poner	las cartas en el buzón
los periodistas	reparar	un reportaje sobre las elecciones
la consejera	sacar	consejos a todos los empleados
los pilotos	salir	con la construcción de la autopista
la política	venir	a la reunión para explicar el aumento de impuestos

¡*Anda! Curso intermedio*, Capítulo 2. Deportes, pág. 72, Pasatiempos y deportes, pág. 86; Capítulo 3. La construcción de casas y sus alrededores, pág. 110, Dentro del hogar, pág. 122; Capítulo 4. Las celebraciones y los eventos de la vida, pág. 148; Capítulo 5. Los viajes, pág. 188.

8-10 **En quince años** ¿Cómo será tu vida en quince años? Completa los siguientes pasos. ■

© Valentina R. / Shutterstock

Paso 1   Haz y luego contesta las siguientes preguntas con un/a compañero/a. Túrnense.

MODELO   ¿Qué trabajo / tener / tú? / Descríbelo.

    E1: *¿Qué trabajo tendrás en quince años?*

    E2: *Tendré un trabajo en Cleveland. Seré veterinaria. Trabajaré con los animales y…*

1. ¿Qué trabajo / tener / tú? / Descríbelo.
2. ¿Dónde / vivir / tú? / ¿Dónde / vivir / tus amigos?
3. ¿Cómo / ser / tu casa o apartamento?
4. ¿Estar / tú / casado/a? / ¿Tener / tú / hijos?
5. ¿Cómo / pasar / tu familia y tú / su tiempo libre?
6. ¿Adónde / ir / ustedes / de vacaciones?
7. ¿En qué / gastar / ustedes / el dinero?
8. ¿Cómo / servir / tú / a la comunidad?

Paso 2   En grupos de cuatro, compartan sus ideas sobre el futuro de su compañero/a. Usen sus respuestas a las ocho preguntas anteriores.

MODELO   E1: *Marsha tendrá un trabajo en Cleveland. Será veterinaria. Trabajará con los animales todos los días. Vivirá en una casa con su esposo…*

8-11 ¿Qué será? Digan qué harán las siguientes personas el año que viene. ■

MODELO tu madre

Mi madre empezará un trabajo nuevo en un banco cerca de su casa.

1. su(s) hermano(s)
2. sus mejores amigos
3. su profesor/a de español
4. el presidente de los Estados Unidos
5. su(s) padre(s)
6. los estudiantes de la clase de español
7. su(s) equipo(s) de deporte(s) favorito(s)
8. su(s) conjunto(s) musical(es) favorito(s)

 8-12 El año 2030 ¿Cómo será el mundo en el año 2030? ■

© italianestro / Shutterstock

Paso 1 Escribe **cinco** preguntas sobre el futuro.

MODELO *¿Cómo cambiarán los medios de transporte?*

Paso 2 Circula por la clase para hacerles esas preguntas a tus compañeros/as. Deben incluir más detalles en sus respuestas.

MODELO E1: *¿Cómo cambiarán los medios de transporte?*

E2: *Los carros serán eléctricos y los aviones usarán una gasolina sintética. Viajaremos mucho por tren, que también usará un tipo de gasolina sintética…*

3 VOCABULARIO

08-08 to 08-10

Más profesiones Exploring additional professions

la administración de hoteles	*hotel management*
la banca	*banking*
las ciencias políticas	*political science*
el comercio / los negocios	*business*
la enfermería	*nursing*
la ingeniería	*engineering*
la justicia criminal	*criminal justice*
el mercadeo	*marketing*
la pedagogía	*teaching*
la psicología	*psychology*
la publicidad	*advertising*
las ventas (por teléfono)	*(telemarketing) sales*

¡Anda! Curso elemental, Capítulo 2. Las materias y las especialidades, Apéndice 2.

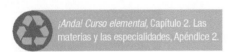

8-13 **¿Qué estudiarán?** Los siguientes estudiantes están interesados en estos trabajos. ¿Qué necesitarán estudiar después de graduarse de la escuela secundaria? Túrnense para hacerse y contestar las preguntas. ■

MODELO   Víctor   médico

E1:   *¿Qué estudiará Víctor?*

E2:   *Víctor estudiará medicina.*

1. Daniel   enfermero
2. Caridad   gerente de un banco
3. Niko y Cristina   administración de hoteles
4. Esteban   ingeniero
5. Lola y Ana Lisa   psicólogas
6. Jorge Luis   hombre de negocios
7. Graciela   mujer policía
8. Julio y Mauricio   maestros
9. Tú   ¿…?

Estrategia

Recycling previously learned vocabulary and grammar is extremely important in language learning. Therefore, combined with your new vocabulary words, employ as many previously learned vocabulary words as you can from *Las materias y las especialidades*, in *Capítulo 2* of Appendix 2.

¡Anda! Curso intermedio, Capítulo 3. La construcción de casas y sus alrededores, pág. 110, Dentro del hogar, pág. 122; Capítulo 5. Los viajes, pág. 188, Las vacaciones, pág. 199; Capítulo 7. Algunas tiendas y algunos lugares en la ciudad, pág. 290, Algunos artículos en las tiendas, pág. 303.

¡Anda! Curso elemental, Capítulo 2. Las materias y las especialidades; Capítulo 4. Servicios a la comunidad; Capítulo 8. La ropa; Capítulo 10. Los medios de transporte, El viaje; Capítulo 11. La política, Apéndice 2.

8-14 **Es interesante porque…** ¿Cuáles son los aspectos positivos e interesantes de las siguientes profesiones? Juntos, hagan una lista para cada una de las siguientes profesiones. ■

MODELO   la enfermería

Es interesante porque siempre trabajas con la gente. Puedes ayudar a las personas enfermas y a sus familias. Eres un factor importante en el mejoramiento del paciente.

1. la pedagogía
2. la gerencia de hotel
3. la publicidad
4. la justicia criminal
5. las ciencias políticas
6. la moda
7. la ingeniería
8. la banca

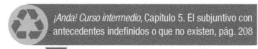

¡Anda! Curso intermedio, Capítulo 5. El subjuntivo con antecedentes indefinidos o que no existen, pág. 208

8-15 Tenemos puestos

Terminen cada una de las siguientes oraciones con una carrera o profesión del vocabulario nuevo y con una descripción breve de la persona ideal para el puesto. No repitan las respuestas. Túrnense. ■

MODELO   Queremos _____ que _____ (saber)…
            Queremos una secretaria que sepa hablar español.

1. Buscamos un/a _____ que _____ (poder)…
2. Necesitamos un/a _____ que _____ (saber)…
3. Queremos un/a _____ que _____ (ser)…
4. Esperamos encontrar unos/as _____ que no _____ (ser)…
5. Deseamos un/a _____ que _____ (hacer)…

8-16 Algunos hispanos muy influyentes

Paso 1   Lean la siguiente información sobre estos hispanos importantes.

US Department of Education

Courtesy of Dr. Quiñones

Sara Martínez Tucker (n. 1955) es originalmente de Laredo, Texas. Se graduó con honores de la Universidad de Texas–Austin con un título en periodismo. Fue reportera para el periódico *San Antonio Express* antes de volver a UT para sacar la maestría en comercio. Ha servido como Subsecretaria de Educación del Departamento de Educación estadounidense y como directora del Hispanic Scholarship Fund.

Alfredo Quiñones Hinojosa (n. 1968) es de Mexicali, México y cruzó la frontera de los Estados Unidos con diecinueve años y menos de $5.00 en el bolsillo. Fue trabajador migratorio cuando empezó a tomar cursos en Delta Community College. Después, se matriculó en UC–Berkeley donde decidió estudiar medicina. Se graduó cum laude de la Facultad de Medicina de Harvard, y ahora "Doctor Q" es neurocirujano, profesor y director del programa de cirugía de tumores cerebrales de Johns Hopkins.

Paso 2   Crea **cinco** preguntas sobre las carreras de estos dos hispanos y pregúntaselas a tu compañero/a. Usa **el futuro.**

Paso 3   Ahora, piensa en tu futuro profesional. Escribe una descripción sobre lo que harás.

4 GRAMÁTICA

08-11 to 08-13

Spanish/English Tutorials

El condicional Discussing what would happen or what would be under certain conditions

...y podría dejar de trabajar y viajaría por el mundo...

To express an **action dependent upon another action**, you use the **conditional.** The **conditional** is used:

1. to explain what a person *would do* in a given situation.
2. to soften requests.
3. to refer to a past event that is future to another past event.

A. It is formed similarly to the future; that is, the infinitive is the stem. The following endings are attached to the infinitive:

	preparar	comer	vivir
yo	prepararía	comería	viviría
tú	prepararías	comerías	vivirías
Ud.	prepararía	comería	viviría
él, ella	prepararía	comería	viviría
nosotros/as	prepararíamos	comeríamos	viviríamos
vosotros/as	prepararíais	comeríais	viviríais
Uds.	prepararían	comerían	vivirían
ellos/as	prepararían	comerían	vivirían

Note the following sentences:

1) —Con un millón de dólares, yo **dejaría** de trabajar y **viajaría** por el mundo —¡dos veces!

With a million dollars, I would stop working and travel around the world—twice!

—Ah, ¿sí? Yo me **compraría** una casa en la playa.

Oh, yeah? I would buy myself a house on the beach.

2) ¿**Podrías** llamar al jefe, Violeta?

Could you call the boss, Violeta?

¿**Querría** decirme dónde está la oficina del contador?

Would you tell me where the accountant's office is?

3) Creíamos que **habría** menos publicidad para los puestos nuevos.

We thought there would be less advertising for the new positions.

Le dijimos al gerente que lo **llamaríamos** aquella tarde.

We told the manager that we would call him that afternoon.

Fíjate

The word "would" does not always translate as the conditional. Remember that when *would* means "used to," as in "When I was a child I would (used to) wake up early every Saturday to watch cartoons," the imperfect tense is needed.

B. The irregular conditional stems are the same as the irregular future tense stems. The following verbs drop the infinitive vowel:

haber	habr-	habría, habrías, habría...
poder	podr-	podría, podrías, podría...
querer	querr-	querría, querrías, querría...
saber	sabr-	sabría, sabrías, sabría...

These verbs replace the infinitive vowel with -d:

poner	pondr-	pondría, pondrías, pondría...
salir	saldr-	saldría, saldrías, saldría...
tener	tendr-	tendría, tendrías, tendría...
valer	valdr-	valdría, valdrías, valdría...
venir	vendr-	vendría, vendrías, vendría...

These verbs have different irregularities:

| decir | dir- | diría, dirías, diría... |
| hacer | har- | haría, harías, haría... |

C. Just as there is the future of probability, there is also the conditional of probability. It is used to make a guess about the past and is often translated as *wonder*.

¿**Estaría** el reportero en la reunión con ellos?	*I wonder whether the reporter was in the meeting with them.*
¿A qué hora **llegaría** la secretaria ayer?	*I wonder what time the secretary arrived yesterday.*
Sería a las ocho y media, como siempre.	*It would have been at 8:30, like always.*

 8-17 Cambios Cambien las formas del futuro al **condicional**. ■

MODELO   estudiaremos
estudiaríamos

1. (yo) saldré
2. mis profesores irán
3. tú estudiarás
4. el atleta jugará
5. los estudiantes podrán
6. tú y yo pediremos
7. mis mejores amigos vendrán
8. mi familia comerá

8-18 **Aquellos años** ¿Qué harían (o no harían) si ustedes pudieran (*if you could*) volver a vivir los últimos cinco años? Compartan por lo menos **seis** ideas. ◼

MODELO   estudiar

Estudiaríamos más horas al día y durante los fines de semana también.

ALGUNAS IDEAS:		
tomar cursos	salir con los amigos	trabajar / buscar un trabajo
ir de viaje	comprar / vender algo	(no) hacer algo
estudiar	ser activo	visitar a alguien o algún lugar

 8-19 **Los planes de Fernanda** Fernanda quiere ser secretaria. Expliquen lo que ella haría, sola y con sus colegas, en ese puesto. ◼

© Dmitriy Shironosov / Shutterstock

MODELO   contestar el teléfono cuando la recepcionista no está

Contestaría el teléfono cuando la recepcionista no está.

1. archivar documentos
2. escribir informes (reportes) con su jefa
3. hacer publicidad
4. asistir a reuniones para tomar apuntes
5. atender a los clientes con la recepcionista
6. traducir para los clientes que hablan español
7. coordinar las citas de la jefa

8-20 **¿Qué pasó?** Lucía ha perdido su trabajo. Escriban **seis** posibles causas de su pérdida de trabajo. Después, comparen sus razones con las de otros compañeros. ■

MODELO   *Llegaría tarde al trabajo.*

© Francis Wong Chee Yen / Shutterstock

NOTAS CULTURALES

La etiqueta del negocio hispano

08-14 to 08-15

Para tener éxito en el ambiente de los negocios hispanos, es recomendable seguir una etiqueta basada en las normas culturales apropiadas. Claro que hay diferencias entre los diferentes países y aun entre las compañías dentro del mismo país. En general, existen unas reglas (*rules*) que te servirán muy bien de guía al navegar por el mundo de los negocios hispanos.

© doglikehorse / Shutterstock

1. Los títulos son muy importantes. Usarlos es un signo de respeto; serás admirado si haces el esfuerzo de emplearlos.
2. Es mejor ser formal: en el lenguaje (*usted* en vez de *tú*), en la ropa (un traje o un vestido conservador y elegante) y en la deferencia que muestras a tus colegas.
3. Una reunión de negocios empezará con una conversación personal para que los participantes te conozcan mejor. Un intento de comenzar inmediatamente con el tema principal del negocio (a la manera estadounidense), eliminando este gesto personal, sería muy mal visto y podría arruinar el negocio desde el principio.

Seguir estas normas no te asegurará el éxito, pero sí te dará ciertas ventajas en el mundo hispano de los negocios.

Preguntas
1. ¿Por qué es buena idea seguir esta etiqueta de negocios?
2. ¿Cómo reflejan estas reglas la cultura hispana en particular?
3. Haz una comparación de estas reglas con las normas estadounidenses de los negocios. ¿Qué reglas serían las más difíciles para ti? ¿Cuáles serían las más fáciles? ¿Por qué?

¡Anda! Curso intermedio, Capítulo 5. Los viajes, pág. 188; Viajando por coche, pág. 193; Las vacaciones, pág. 199.

 ¡Anda! Curso elemental, Capítulo 10. Los medios de transporte, pág. 374; El viaje, pág. 388, Apéndice 2.

8-21 Unas vacaciones ideales Estás ya pensando en las vacaciones de verano. Explícale a tu compañero/a cómo serían tus vacaciones ideales. ■

Estrategia

Remember that in Spanish the word for "vacation" is always plural: *unas vacaciones*.

MODELO *Para mis vacaciones ideales, yo iría a Cancún. Me quedaría en el Hotel Palacio de la Luna…*

© Dudarev Mikhail / Shutterstock

8-22 ¡La lotería! Compras un billete de la lotería de dos millones de dólares. En grupos de tres, compartan lo que harían con ese dinero. Pueden usar estas preguntas como guía: ¿Qué harías si ganaras (*if you won*)? ¿Seguirías trabajando? ¿Cómo cambiaría tu vida? ¿Qué harías con tanto dinero? ¿Qué comprarías? ■

© photobank.kiev.ua / Shutterstock

ESCUCHA

Una conversación entre colegas

08-16 to 08-17

Estrategia		
Repeating / paraphrasing what you hear	When you listen to a conversation, an announcement, a podcast, etc., you usually do not need to remember exactly what	was said. To repeat or share that information, you would generally *paraphrase* what you heard—that is, retell it using different words or phrases.

8-23 **Antes de escuchar** Emilio y Alicia son los propietarios de un negocio de importación. Acaban de empezar el negocio y necesitan contratar a más empleados. Haz una lista de los diferentes puestos que una compañía como esa necesitaría al empezar. ■

© Santiago Cornejo / Shutterstock

8-24 **A escuchar**

Paso 1   Escucha la conversación entre Alicia y Emilio para averiguar el tema.

Paso 2   Escucha otra vez, concentrándote en:

1. lo que dice Alicia sobre su trabajo.
2. la idea que tiene Emilio.
3. cómo responde Alicia a su idea.

Paso 3   Parafrasea su conversación en **tres** oraciones.

8-25 **Después de escuchar** Compara tu paráfrasis con las de otros compañeros y juntos decidan cuáles serían las características más importantes para empleados en este momento. ■

¿Cómo andas? I

	Feel confident	Need to review
Having completed **Comunicación I,** I now can . . .		
• compare and contrast professions. (p. 326)	☐	☐
• use adjectives as nouns to represent people, places, and things. (MSL)	☐	☐
• indicate actions in the future. (p. 330)	☐	☐
• explore additional professions. (p. 335)	☐	☐
• discuss what would happen or what would be under certain conditions. (p. 338)	☐	☐
• state proper etiquette for doing business in a Hispanic setting. (p. 341)	☐	☐
• repeat or paraphrase what I hear. (p. 343)	☐	☐

Comunicación II

08-18 to 08-19

Una entrevista
Considering different aspects of the business world

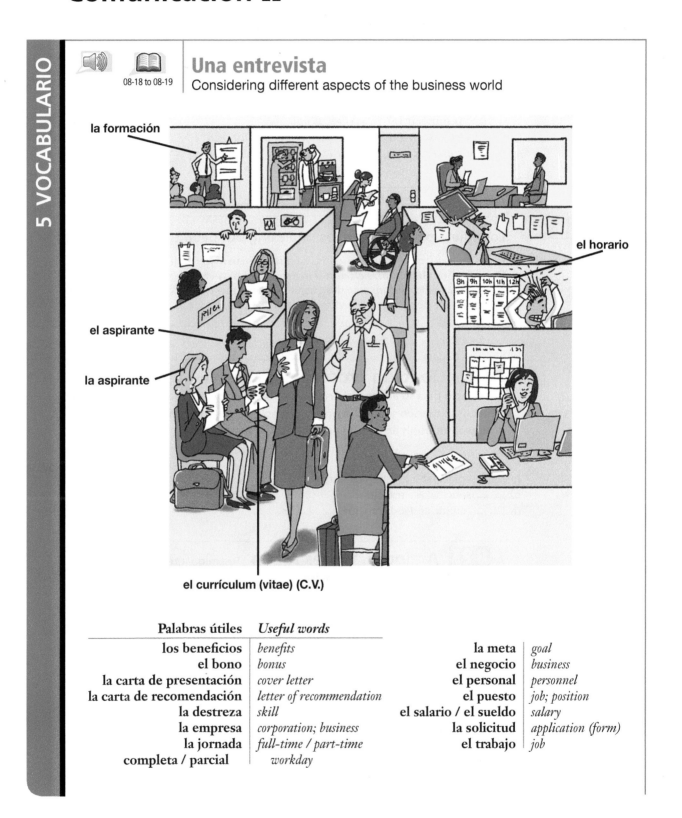

la formación

el horario

el aspirante

la aspirante

el currículum (vitae) (C.V.)

Palabras útiles	Useful words		
los beneficios	benefits	la meta	goal
el bono	bonus	el negocio	business
la carta de presentación	cover letter	el personal	personnel
la carta de recomendación	letter of recommendation	el puesto	job; position
la destreza	skill	el salario / el sueldo	salary
la empresa	corporation; business	la solicitud	application (form)
la jornada completa / parcial	full-time / part-time workday	el trabajo	job

Verbos	*Verbs*
ascender (e → ie)	*to advance; to be promoted; to promote*
contratar	*to hire*
entrenar	*to train*
entrevistar	*to interview*
negociar	*to negotiate*
publicitar	*to advertise; to publicize*
renunciar (a)	*to resign; to quit*
solicitar	*to apply for (a job); to solicit*
tener experiencia	*to have experience*

REPASO

¡Hola!

Repaso &
Spanish/English
Tutorials

08-20 to 08-22

Los adjetivos demostrativos   Pointing out people, places, or things

For a complete review of demonstrative adjectives, go to MySpanishLab or refer to **Capítulo 5** of *¡Anda! Curso elemental* in Appendix 3 of your textbook. The vocabulary activities that follow incorporate this grammar point. Practicing new vocabulary with a review grammar point helps to strengthen and increase your knowledge of Spanish.

 8-26 Todo un proceso Su compañía tiene un puesto nuevo que sería perfecto para su amigo Roberto. Roberto está muy interesado y quiere que le den más información sobre el proceso de empleo en su compañía. Juntos, pongan las siguientes frases en orden para ayudar a su amigo. ■

a. ___1___ anunciar ese puesto
b. ___5___ contratar a ese empleado nuevo
c. ___2___ solicitar ese trabajo
d. ___7___ renunciar a ese trabajo

e. ___6___ ascender en esa empresa
f. ___3___ entrevistar para ese puesto
g. ___4___ negociar ese sueldo

 8-27 Amigo/a, tienes razón Tu amigo/a te da su opinión y tú respondes con una opinión similar. Cambia la forma de **este/a** a **ese/a** y añade (*add*) la palabra **también**. Después, compara tus oraciones con las de un/a compañero/a. ■

MODELO   TU AMIGO/A: Este currículum es muy interesante.
            TÚ: *Sí, y ese currículum es interesante también.*

1. Esta carta de presentación es excepcional.
2. Estos sueldos son muy altos para una empresa tan pequeña.
3. Este puesto en la escuela secundaria tiene un salario más alto que el puesto en la universidad.
4. Estas cartas de recomendación son muy buenas.
5. Estos trabajos son de jornada completa.
6. Esta oficina es impresionante.

¡Anda! Curso elemental, Capítulo 7.
El pretérito, Apéndice 2.

 **8-28** **El puesto perfecto para Francisca**
Completen la historia que Francisca le cuenta a Sonia con los verbos
apropiados en **el pretérito** o **el infinitivo.** ■

| ascender | contratar | publicitar | renunciar (a) | solicitar | ver |

¡Hola, Sonia! Sabes que ya soy contadora titulada, pero llevo semanas
buscando un trabajo. Acabo de (1) _____ un puesto en el negocio
Sedano que es perfecto para mí. Según una amiga mía, dos de los empleados
con más experiencia (2) _____ sus puestos y la empresa empezó
a (3) _____ esos trabajos solo hace una semana. Después de ver
el anuncio, fue muy fácil (4) _____ uno de los trabajos porque no
requerían nada más que dos cartas de recomendación y el currículum.

(UNA SEMANA DESPUÉS)
Había tres jefes en la entrevista. Me gustaron esos jefes y me parece que
a ellos les gusté también. Creo que me van a (5) _____. Tienen
un programa de formación muy bueno para las personas que quieren
(6) _____ rápidamente. Además, el sueldo, los beneficios… ¡todo es fantástico!

SUPERMERCADO SEDANO
1,99 | 3/21,00
5,99 | 7,99
9,99 | 8/1,99

 Workbooklet **8-29** **Todos los puestos no son iguales** Hablen de los trabajos que aparecen
en los anuncios. ■

1. ¿Cuál es el más interesante? ¿Por qué?
2. ¿Cuál es el menos interesante? ¿Por qué?
3. ¿Cuáles serían los mejores puestos para
   ustedes? Expliquen.

Puestos Internacionales
Puesto: Gerente Regional de Sucursales – Monterrey, México
Nombre de empresa: Sol y sombra
Autorización para trabajar: Autorizado/a para trabajar en México
Tipo de puesto: Permanente, jornada completa
Compensación: ********
Beneficios: Seguro médico
Vacaciones pagadas
Viajes: 25%–50%
Idiomas: Inglés – fluido
Español – lengua materna
Estudios mínimos: Título universitario
Años de experiencia mínimo: 6
CVs aceptados en: Inglés
Español
Carta de presentación: No requerida
Descripción breve: • Asistir y entrenar al personal de las sucursales
• Crear un ambiente que conduzca al logro del crecimiento en ventas a través de un enfoque de excelencia en el servicio al cliente

Puestos Internacionales
Puesto: Enfermeros/as (4 puestos)
Nombre de empresa: TodaSalud
Autorización para trabajar: Autorizado/a para trabajar en España (Madrid)
Tipo de puesto: Jornada parcial
Compensación: ********
Viajes: Zona Capital y Corredor del Henares
Idiomas: Español – fluido
Estudios mínimos: Título universitario, Enfermería
Años de experiencia mínimo: ********
CVs aceptados en: Español
Carta de presentación: ********
Descripción breve: Empresa líder en el sector de servicios sociales necesita enfermeros/as para MADRID CAPITAL Y CORREDOR DEL HENARES para trabajar a JORNADA PARCIAL (lunes a viernes de 8:30–14:30 y/o 16:30–20:30). Contrato estable de larga duración.

125

6 GRAMÁTICA

08-23 to 08-25

El futuro perfecto
Denoting what will have happened

Like the **presente perfecto,** the **futuro perfecto** is formed with **haber + past participle.** In this case, the **future** of **haber** is used. This tense is the equivalent of *will have _____-ed* in English.

No te preocupes, Carlos. Habrás ascendido en menos de dos meses.

	solicitar	ascender	invertir
yo	habré solicitado	habré ascendido	habré invertido
tú	habrás solicitado	habrás ascendido	habrás invertido
Ud.	habrá solicitado	habrá ascendido	habrá invertido
él, ella	habrá solicitado	habrá ascendido	habrá invertido
nosotros/as	habremos solicitado	habremos ascendido	habremos invertido
vosotros/as	habréis solicitado	habréis ascendido	habréis invertido
Uds.	habrán solicitado	habrán ascendido	habrán invertido
ellos/as	habrán solicitado	habrán ascendido	habrán invertido

* The irregular past participles are the same as for the other perfect tenses.

abrir	**abierto**	morir	**muerto**	romper	**roto**
decir	**dicho**	poner	**puesto**	ver	**visto**
escribir	**escrito**	resolver	**resuelto**	volver	**vuelto**
hacer	**hecho**				

* The **futuro perfecto** expresses an action that *will have occurred* or *will be completed by an anticipated time in the future.*

Habrás ascendido en menos de dos meses.   *You will have advanced in less than two months.*

Habré conseguido mis metas antes de graduarme.   *I will have reached my goals before I graduate.*

Habrán publicitado la conferencia para finales de junio.   *They will have publicized the conference by the end of June.*

8-30 **Cambios** ¿Qué habrán hecho estas personas para el año que viene? Cambien las formas del **presente perfecto** al **futuro perfecto** para averiguarlo. ■

MODELO   Noé ha solicitado el trabajo.
           Para el año que viene, Noé habrá solicitado el trabajo.

1. El abogado ha ascendido.
2. Los agentes han llegado a un acuerdo.
3. La ingeniera ha terminado el proyecto.
4. Mi contadora y yo hemos hecho algunos cambios en mis finanzas.
5. El gerente ha escrito un reporte sobre la huelga.
6. Yo he puesto más dinero en el banco.

 8-31 **El círculo** En grupos de cinco o seis, túrnense para decir algo que habrán hecho para la semana que viene. Hay que recordar y repetir lo que acaban de decir las otras personas. Sigan hasta que cada estudiante haya dicho **dos** oraciones. ■

MODELO   CORINA: *Habré terminado la novela para mi clase de inglés.*

           ESTEBAN: *Corina habrá terminado la novela para su clase de inglés y yo habré hecho la tarea de español.*

           CARMELA: *Corina habrá terminado la novela para su clase de inglés, Esteban habrá hecho la tarea de español y yo habré limpiado todo mi apartamento...*

 8-32 **Las profesiones de mis amigos** Piensa en cinco amigos o parientes de tu edad, más o menos, y di qué trabajos habrán conseguido para el año 2020. Después, comparte tu lista con un/a compañero/a. ■

© Andresr / Shutterstock

Vocabulario útil	
ser	*to be*
hacerse	*to become*
conseguir un puesto de...	*to get a job / position as . . .*

MODELO   *Ignacio habrá conseguido un puesto de gerente en un hotel de lujo.*

8-33 **Todo es un proceso** Piensen en las siguientes profesiones y para cada una, expliquen lo que habrá hecho una persona para llegar a tener éxito en su profesión. ■

MODELO   el maestro

Un maestro habrá estudiado y sacado un título en pedagogía. También habrá observado a maestros con experiencia y habrá dado clases de práctica…

1. el reportero
2. la dentista
3. el abogado
4. la veterinaria
5. el profesor
6. la mujer de negocios

 ¡Anda! Curso intermedio, Capítulo 2. Deportes, pág. 72; Pasatiempos y deportes, pág. 86; Capítulo 3. La construcción de casas y sus alrededores, pág. 110; Dentro del hogar, pág. 122; Capítulo 4. Las celebraciones y los eventos de la vida, pág. 148; Capítulo 5. Los viajes, pág. 188; Capítulo 7. Artículos en las tiendas, pág. 303.

 8-34 **Para finales del mes y del año** Escribe una lista de por lo menos **seis** deportes, pasatiempos o cosas que habrás hecho para finales del mes. Luego, escribe otra lista de por lo menos **seis** cosas que habrás comprado o recibido como regalo para finales del año. Comparte tus listas con un/a compañero/a. ■

MODELO
E1: *¿Qué habrás hecho como deporte o pasatiempo para finales del mes?*
E2: *Habré practicado yoga. También, mi padre y yo habremos hecho trabajo de carpintería…*
E1: *¿Qué habrás comprado o recibido como regalo para finales del año?*
E2: *Habré comprado una computadora nueva, un traje, unos libros…*

 8-35 **El consejero de Daniel** Daniel está hablando con su consejero de trabajo. El consejero sabe que Daniel no es una persona muy organizada y además hace todo a última hora. Él le da unas fechas límites (*deadlines*) dentro de las dos semanas próximas y Daniel responde si puede o no. Desarrollen la situación en unas **ocho** a **diez** oraciones de diálogo y representen la escena para sus compañeros/as de clase. ■

MODELO
CONSEJERO: *Hola, Daniel. ¿Has solicitado ese puesto que te interesaba tanto?*
DANIEL: *No, todavía no. He tenido mucho que hacer recientemente.*
CONSEJERO: *Pues, mira. Para el viernes ¿habrás terminado con la carta de presentación?…*

© auremar / Shutterstock

7 VOCABULARIO

08-26 to 08-28

El mundo de los negocios
Conveying business concepts

Palabras útiles	*Useful words*
el acuerdo	*agreement*
la adquisición	*acquisition*
la agencia	*agency*
el ahorro	*savings*
la bancarrota	*bankruptcy*
la bolsa	*stock market*
la jubilación	*retirement*
la junta	*commission; board; committee*
el lucro	*profit*
la venta	*sale*
el/la vocero/a	*spokesperson*

Algunos adjetivos	Some adjectives		Algunos verbos	Some verbs
actual	*current; present*		ahorrar	*to save*
administrativo/a	*administrative*		apropiarse	*to take over; to appropriate*
ejecutivo/a	*executive*		despedir (e → i → i)	*to fire (from a job)*
financiero/a	*financial*		fabricar	*to manufacture*
laboral	*work-related*		hacer publicidad	*to advertise*
profesional	*professional*		hacer una huelga	*to strike*
sin fines de lucro	*nonprofit*		invertir (e → ie → i)	*to invest*
			jubilarse	*to retire*

 8-36 **Mímica** Hagan mímica en grupos de cuatro con el vocabulario nuevo. Sigan jugando hasta que cada estudiante represente tres palabras nuevas diferentes. ■

 8-37 **Frases fracturadas** Usen las siguientes palabras para crear oraciones lógicas. ■

MODELO   acuerdo / comerciante / salvar / huelga
El acuerdo entre los comerciantes nos salvó de la huelga.

1. reportero / decir / hacer huelga / reunión inmediata / propietarios
2. junta / mandar / comerciantes / dejar de comprar / productos / fabricar / papel
3. problemas laborales / empezar / adquisición / agencia nueva / jubilación / presidente
4. venta / agencia / ser necesaria / más de un año / lucro

8-38 **En nuestra opinión** Discutan las siguientes oraciones para determinar si están de acuerdo. ■

1. Es muy difícil ahorrar dinero.
2. La gente se declara en bancarrota por varias razones.
3. El mercadeo es la parte más importante de un negocio.
4. Las personas deben jubilarse antes de cumplir los setenta años.
5. Invertir en la bolsa es perder dinero.

 ¡Anda! Curso intermedio, Capítulo 4. El presente perfecto de subjuntivo, pág. 168.

Workbooklet

 8-39 **La búsqueda** Busca a alguien que tenga experiencia o que conozca a alguien que haya tenido experiencia con cada situación indicada. ■

MODELO jubilarse

TÚ: *¿Conoces a alguien que se haya jubilado?*

MANNY: *Sí, mi abuelo acaba de jubilarse.*

SITUACIÓN O EXPERIENCIA	PERSONA
1. jubilarse	el abuelo de Manny
2. participar en una huelga	
3. trabajar con una compañía sin fines de lucro	
4. saber negociar muy bien	
5. ahorrar la mitad de su sueldo	
6. servir en una junta de la universidad o del gobierno local	
7. ser periodista o reportero	
8. perder mucho dinero en la bolsa	

8 GRAMÁTICA

08-29 to 08-31

¡Hola!
Spanish/English
Tutorials

El condicional perfecto
Referring to what would have happened

Habría ahorrado dinero, pero encontré este carro fantástico y...

The **condicional perfecto** is used to express an action that *would have or should have occurred under certain conditions but did not.* The English equivalent of this tense is *would have _____-ed / should have _____-ed.* The **condicional perfecto** is formed as follows:

	ahorrar	ascender	invertir
yo	habría ahorrado	habría ascendido	habría invertido
tú	habrías ahorrado	habrías ascendido	habrías invertido
Ud.	habría ahorrado	habría ascendido	habría invertido
él, ella	habría ahorrado	habría ascendido	habría invertido
nosotros/as	habríamos ahorrado	habríamos ascendido	habríamos invertido
vosotros/as	habríais ahorrado	habríais ascendido	habríais invertido
Uds.	habrían ahorrado	habrían ascendido	habrían invertido
ellos/as	habrían ahorrado	habrían ascendido	habrían invertido

Note: This tense is formed similarly to the future perfect. Review the following sentences.

Con mejor información, **habríamos apropiado** suficiente dinero.

With better information, we would have appropriated sufficient money / funds.

¿**Habrías invertido** más dinero en la bolsa el año pasado?

Would you have invested more money in the stock market last year?

Mi padre **habría ascendido** al puesto de ejecutivo financiero, pero se jubiló muy joven.

My father would have advanced to the position of financial executive, but he retired very young.

 8-40 Dos años después Cambien los verbos del **condicional** al **condicional perfecto** para expresar lo que estas personas habrían hecho. ■

MODELO   Mayra invertiría más dinero en la bolsa.
          Mayra habría invertido más dinero en la bolsa.

1. Daniel y yo ahorraríamos más dinero.
2. Papá, tú te jubilarías mucho más joven.
3. Su negocio produciría más productos "verdes".
4. Mi hermano compraría algunos de los negocios de la competencia.
5. Esos empleados harían una huelga bajo aquellas circunstancias.
6. Yo les daría más tiempo y dinero a las organizaciones sin fines de lucro.
7. El contador se lo diría todo al propietario antes de la bancarrota.

8-41 **Un cambio de planes** Fernanda no consiguió el trabajo de secretaria y entonces decidió estudiar mercadeo. Expliquen lo que ella habría hecho como secretaria si hubiera conseguido el trabajo. ∎

MODELO   contestar el teléfono cuando la recepcionista no estaba
Habría contestado el teléfono cuando la recepcionista no estaba.

1. archivar documentos
2. escribir informes con su jefa
3. hacer publicidad
4. asistir a reuniones para tomar apuntes
5. atender a los clientes con la recepcionista
6. traducir para los clientes que hablan español
7. coordinar las citas de la jefa

 8-42 **Con más…** Siempre necesitamos más, ¿verdad? Terminen las siguientes oraciones de manera lógica, siguiendo el modelo. ∎

MODELO   Con más ventas el negocio…
Con más ventas el negocio no habría despedido a tantos empleados.

1. Con más tiempo nosotros…
2. Con más dinero mis padres…
3. Con más apoyo (*support*) yo…
4. Con más experiencia mi amigo…
5. Con más beneficios la empresa…
6. Con más solicitudes los aspirantes…

 8-43 **Teléfono** Escuchen mientras su profesor/a les da las instrucciones para este juego, conocido en inglés como *Gossip*. ∎

 8-44 **La aspirante ideal** La mujer que Emilio encontró para trabajar como asistente personal de Alicia sólo duró tres semanas — Alicia la despidió. Ayúdenle a Alicia a explicar cómo habría sido la asistente personal ideal (lo opuesto de esa mujer). Digan por lo menos **ocho** características y destrezas que debería haber tenido. ∎

MODELO   *La asistente ideal habría sido muy simpática y positiva. Esa mujer era antipática y muy negativa. La aspirante ideal habría llegado a tiempo al trabajo y esa mujer siempre llegaba tarde…*

PERFILES

08-32 to 08-33

El trabajo y los negocios

Aquí tenemos ejemplos de personas que han tenido éxito en sus profesiones.

Courtesy Eduardo R. Fernández/ Director

Ladislao José Biro

László Bíró (1899–1985) debería haber sido un periodista muy frustrado con sus implementos de escribir. Por eso, trabajando con su hermano, un químico, inventó el bolígrafo, llamado *la birome* en Argentina, su país de adopción. El "boli" fue el precursor del famoso bolígrafo *Bic*.

REUTERS/Paul Hackett

© Keith Dannemiller / Alamy

Carlos Slim Helú (n. 1940), un ingeniero muy astuto en el mundo de los negocios, es un billonario mexicano que hizo su fortuna en la industria de telecomunicaciones. Ha sido el número uno en la lista de Forbes en los años 2010 y 2011. Tal vez continuará en esta posición por muchos años más.

Ana Patricia Botín (n. 1960) es nativa de Santander, España, y viene de una familia de banqueros. En el año 2011, fue nombrada Presidenta Ejecutiva del banco Santander UK. En el año 2010, fue designada número 38 entre las mujeres más poderosas del mundo en la lista de Forbes. ¿Quién sabe? Tal vez para el año 2015, habrá subido al puesto número uno.

Preguntas

1. ¿Qué profesiones tienen estas personas?
2. ¿Por qué han tenido éxito en sus trabajos?
3. Compara las carreras indicadas aquí y las carreras presentadas en las secciones de *Perfiles* en los capítulos anteriores.

8-45 **Lo que habría hecho...** Algo muy difícil —necesitas imaginar que tienes ochenta años y estás recordando unos momentos y eventos de tu vida. Completa los siguientes pasos. ■

© Diego Cervo / Shutterstock

Paso 1 Imagina lo que podrías decir en cada caso.

MODELO Con más tiempo   viajar

Con más tiempo, habría viajado a más países del mundo.

1. viajar   5. decir
2. hacer   6. comer
3. trabajar   7. ¿... ?
4. escribir   8. ¿... ?

Paso 2 Comparte tus reflexiones con un/a compañero/a.

MODELO E1: *Con más tiempo, habría viajado a muchos más países del mundo. ¿Y tú?*

E2: *Yo habría viajado a África para trabajar. ¿Qué habrías hecho tú?*

E1: *Yo habría adoptado a un niño...*

Paso 3 Ahora, hablen de las cosas que ya habrán hecho para aquel entonces (*by then*).

MODELO *Yo habré trabajado treinta años como propietario de un negocio de construcción de casas. Habré construido más de dos mil casas "verdes". Mi esposa y yo habremos estado casados por cincuenta años y habremos tenido tres hijos...*

¡CONVERSEMOS!

08-34 to 08-35

8-46 **Diálogo** Escucha el diálogo y contesta las siguientes preguntas. ■

1. ¿Qué pasó con Lalo y cómo reaccionó Roberto?
2. ¿Qué otras expresiones habría podido decirle Roberto a Lalo al final?

8-47 **¿Qué hago?** Hace unos años, había un programa original de la televisión norteamericana que se llamaba *What's My Line?* En grupos de cuatro, uno de ustedes va a seleccionar una carrera, un puesto o una profesión sin compartirlo con sus compañeros. Los otros tres tienen que adivinar (*guess*) lo que escogiste y te hacen preguntas que requieren una respuesta de **sí** o **no**. Respondan con sus expresiones nuevas. Túrnense. ■

MODELO   E1: (seleccionó administración de hoteles)
         E2: *¿Trabajarás en una oficina?*
         E1: *A veces sí, a veces no. Ánimo.*
         E3: *¿Tendrás una jornada larga?*
         E1: *Sí. Lo felicito. Otra pregunta…*

Estrategia

Remember that *el futuro* can express probability (*wonder, might, probably*).

358

8-48 **¿Qué será?** ¿Cómo será el futuro? Crea **ocho** oraciones con **ocho** verbos diferentes con tus predicciones del futuro para ti, tu familia y el mundo en general. Tu compañero/a tiene que reaccionar a tus predicciones. Usen **el futuro** o **el futuro perfecto**. Túrnense. ■

MODELO   E1: *Me casaré dentro de cinco años.*

E2: *¡La felicito!*

E2: *Mi hermano habrá perdido su puesto.*

E1: *Lo siento. ¡Ánimo!…*

Estrategia

Consult p. 330 to review how to form the *future* and p. 348 for the *future perfect*.

8-49 **Situaciones de la vida** En nuestras vidas, encontraremos todo tipo de situaciones… unas felices y otras tristes. Creen diálogos / conversaciones y hagan los papeles para las siguientes situaciones. Cada conversación debe tener por lo menos **cinco** oraciones. ■

Una conversación con un/a colega (*colleague*) que acaba de…

1. jubilarse.
2. recibir un bono.
3. renunciar a su puesto.
4. ascender en la corporación.

5. ser despedido/a de su puesto.
6. recibir la noticia de que alguien muy querido ha muerto.

© auremar / Shutterstock

8-50 **Una presentación formal** Hay muchas compañías con problemas financieros. Te invitaron a hacer una presentación sobre cómo evitar la inminente bancarrota de la Corporación X. Crea una presentación (con PowerPoint si quieres) para decirle a la junta qué habrías hecho (**el condicional perfecto**) en su lugar y lo que harías (**el condicional**) para arreglar la situación. Di por lo menos **diez** oraciones incluyendo expresiones de consuelo. ■

8-51 **¡Éxito!** Solicitaron un puesto y los invitaron a entrevistarse. Creen un diálogo sobre una entrevista incluyendo la siguiente información. Uno/a de ustedes hace el papel del jefe / de la jefa y el/la otro/a es el/la aspirante. ■

Paso 1   Después de saludarse, su entrevista debe incluir por lo menos **diez** oraciones para cada uno de ustedes. El/La aspirante debe usar **el futuro** para decir lo que hará en el puesto. El/La jefe/a puede usar **el condicional** para preguntar lo que haría el/la aspirante en ciertas situaciones.

Paso 2   Al final, el/la jefe/a le ofrecerá al/a la aspirante el puesto, y el/la aspirante reaccionará de manera apropiada.

© AISPIX / Shutterstock

Estrategia

Use the following words in your interview: *los beneficios, el bono, la carta de recomendación, el currículum, las destrezas, el horario, la jornada, la meta,* and *tener experiencia.*

Estrategia

Remember that when addressing an employer, you would use *usted,* not *tú.*

ESCRIBE

08-36 to 08-37

Una carta de solicitud

Business and personal letters employ certain conventional phrases for beginnings and endings. Business letters often have additional stock phrases used to indicate purpose, request information, and refer to enclosures.

CARTA COMERCIAL	BUSINESS LETTER
Saludos	*Greetings*
(Muy) Estimado/a señor/a García:	*Dear Mr./Mrs. García:*
Muy señor/a mío/a:	*Dear Sir/Madam:*
A quien corresponda:	*To Whom It May Concern:*
Despedidas	*Closings*
(Muy) Atentamente,	*Sincerely,*
Cordialmente,	*Cordially,*
CARTA PERSONAL	PERSONAL LETTER
Saludos	*Greetings*
Querido/a Raúl/Pilar:	*Dear Raúl/Pilar,*
Despedidas	*Closings*
Un (fuerte) abrazo,	*A (big) hug,*
Con cariño,	*With love,*

8-52 **Antes de escribir** Escribirás una carta de solicitud para obtener una entrevista con una compañía que tiene un trabajo que te interesa. Antes de escribirla, haz una lista de las cualificaciones que tienes para el trabajo. ■

8-53 **A escribir** Escribe tu carta de solicitud. Asegúrate de incluir: ■

- un saludo apropiado.
- una oración introductoria que presente el propósito de la carta.
- tus cualificaciones para el trabajo (incluye tu educación y tus habilidades).
- lo que vas a adjuntar (si es apropiado; por ejemplo, un C.V.).
- una despedida apropiada.

8-54 **Después de escribir** Revisa tu carta una vez más para corregir los errores de gramática, vocabulario y ortografía. Ese tipo de errores asegurará que tu carta no tenga el éxito que esperas. ■

¿Cómo andas? II

	Feel confident	Need to review
Having completed **Comunicación II,** I now can . . .		
• consider different aspects of the business world. (p. 345)	☐	☐
• point out people, places, or things. (MSL)	☐	☐
• denote what will have happened. (p. 348)	☐	☐
• convey business concepts. (p. 351)	☐	☐
• refer to what would have happened. (p. 354)	☐	☐
• identify some people with interesting professions. (p. 356)	☐	☐
• express good wishes or sympathy. (p. 358)	☐	☐
• employ appropriate salutations and closings in letters. (p. 360)	☐	☐

Vistazo cultural

08-38 to 08-39

Algunos negocios y profesiones en Argentina y Uruguay

© xalanx / Shutterstock

Adriana Baronio Ruíz, estudiante de posgrado en Gestión Empresarial

Habría terminado con mis estudios después de sacar la licenciatura en Economía, pero me interesan los negocios y las finanzas para el beneficio de la empresa y de la sociedad. Por lo tanto, decidí continuar mi educación y para el año que viene habré terminado mi título posgrado en el programa de Costos y Gestión Empresarial en la Universidad Nacional de Rosario.

© Geoff Brighting/Dorling Kindersley

El gaucho: símbolo cultural de La Pampa

El gaucho es muy conocido como el vaquero (*cowboy*) de Argentina y Uruguay. Se encuentra en la Pampa y otros lugares rurales, trabajando con el ganado vacuno (de vacas). Por eso, su caballo le resulta indispensable; se dice que un gaucho sin caballo sería como un hombre sin piernas.

© Brand X Pictures/ Jupiterimages / Thinkstock

El tango: una profesión y una pasión

El tango es otro símbolo cultural claramente asociado con Argentina y con su mejor conocido cantante de tangos, Carlos Gardel. Bailar el tango requiere una atención y una devoción total. Así que la profesión del bailador / instructor de tango es más que un trabajo: es una pasión compartida con el pueblo argentino.

Los alfajores: el sabor argentino

El alfajor es un dulce tradicional cuyo nombre viene del árabe. Son dos galletas rellenas (*filled*) de dulce de leche (sabor a caramelo) y cubiertas de chocolate. La empresa de Alfajores Havanna en Mar del Plata empezó a producirlo en el año 1948; luego esta confección llegaría a ser un símbolo de lo argentino en todo el mundo.

© Daniel Korzeniewski / Shutterstock

362

© StockLite / Shutterstock

La industria de vinos

La viticultura (producción de vino) argentina es una industria muy fuerte. Argentina es el quinto país del mundo en la producción de vinos, con la mayoría de la cultivación de las uvas en la provincia de Mendoza. Esta industria ha ayudado mucho al mejoramiento de la economía del país.

© Remistudio / Shutterstock

El mate: el símbolo del Cono Sur

El mate es el receptáculo para el consumo de yerba mate, "la bebida nacional" de Uruguay y Argentina. Los mates pueden ser sencillos o muy elaborados, según el gusto del artista que los hace. Tradicionalmente, se hacen de una calabaza, pero pueden ser de otros materiales también.

© ssuaphotos / Shutterstock

Pedro Sevcec es un reportero mundial

Pedro Sevcec (n. 1950), originalmente de Uruguay, es reportero de televisión. Trabaja para America TeVe, una estación de Florida, y empezó su propio programa en el año 2011. Es también un periodista quien con treinta años de experiencia ha ganado muchos premios, incluso varios premios *Emmy* por su reportaje de las noticias. El uruguayo ha entrevistado a muchos presidentes y líderes mundiales durante su carrera profesional.

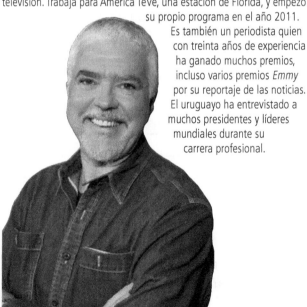

Newscom

Aeromás es un negocio uruguayo

Aeromás es un negocio de transporte aéreo privado basado en Montevideo, Uruguay; inició sus operaciones en el año 1983. Se puede contratar Aeromás para transportar correo y carga (*cargo*). Hay vuelos para viajeros en aeronaves ejecutivas con asistentes de vuelo. La empresa también ofrece el servicio de entrenamiento de pilotos.

Preguntas

1. ¿Cuáles de las profesiones y los negocios te interesan? ¿Por qué?
2. ¿Cuáles de las profesiones mencionadas se pueden convertir en un negocio propio? ¿Cómo?
3. ¿Existen profesiones o negocios que son culturalmente estadounidenses? Explica.

363

Laberinto peligroso

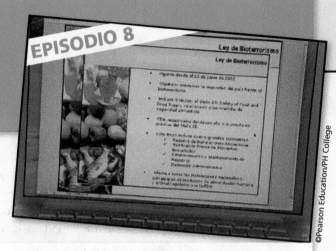

EPISODIO 8

Ley de Bioterrorismo

©Pearson Education/PH College

Lectura

Estrategia	Checking comprehension and determining / adjusting reading rate

Good readers adjust their reading rates depending on their purpose for reading and the nature of the text. When reading for pleasure, one tends to read faster. When reading for memory and comprehension for later recall, one tends to read more slowly. In the latter case, readers concentrate more and reread passages to ensure comprehension. They check their hypotheses, confirm or reject them, and move forward or back in the text accordingly.

8-55 **Antes de leer** En los episodios del **Capítulo 7,** vimos cómo se complicaban los casos que Celia y Cisco están investigando. Antes de empezar a leer este episodio, completa los siguientes pasos. ■

1. ¿Qué pasó en la comisaría al final del último episodio?
2. Dependiendo del tipo de texto que estás leyendo y también de lo que necesitas comprender de ese texto, a veces es mejor leer más rápido y otras veces es mejor leer más lentamente. Por ejemplo, para las partes del texto que contienen información conocida, es mejor leer rápidamente; para las partes del texto que contienen nueva información, es recomendable leer más lentamente. Lee rápida y superficialmente el texto, buscando información repetida que ya has visto en episodios anteriores y también buscando datos nuevos. Marca las partes del texto que repitan información con una "r" y marca las partes nuevas con una estrella (*). Después de mirar todo el texto, lee las partes con "r" más rápidamente y las partes con estrella (*) con más cuidado.
3. Mientras lees, es útil hacerte preguntas básicas sobre los personajes, el lugar, el tiempo y la acción. ¿Qué preguntas te harías mientras lees? Aquí tienes algunas preguntas sobre los personajes para empezar. Escribe otras sobre el tiempo, el lugar y la acción del episodio.

PERSONAJE(S)	¿Qué personajes aparecen en el episodio? ¿Qué hace(n)? ¿Cómo se siente(n)?
LUGAR	
TIEMPO	
ACCIÓN	

 43 *Complicaciones en el caso*

que vienen
información

Mientras investigaban el caso del mapa y de la crónica desaparecidos, Celia y Cisco descubrieron información relacionada con el tráfico de drogas procedentes° de las selvas tropicales. También encontraron datos° sobre la venta ilegal de

364

reliquias° que habían sido robadas de tumbas precolombinas°. Seguían trabajando en casa de Cisco, buscando más información y leyendo artículos. Los dos habrían seguido leyendo en silencio, pero Cisco ya no podía concentrarse; estaba furioso por lo que iba descubriendo.

—No puedo creer que la gente haya podido estar traficando con todos estos materiales durante tanto tiempo —exclamó Cisco, indignado—. Según este artículo de un antropólogo forense, ¡ha sido un problema desde hace muchísimos años! ¿Cómo es posible que las autoridades no hayan podido controlar la situación? ¡Con toda la tecnología que tienen! ¡Yo ya habría resuelto el caso hace mucho tiempo!

—Lo sé, es una verdadera vergüenza, Cisco —respondió Celia, más calmada—. Pero supongo que también habrás visto que todos los casos son internacionales. Ese es el mayor problema.

—¿Y? —dijo Cisco, impaciente.

—Realmente, no es tan sencillo resolverlos —contestó Celia, intentando comprender la actitud de Cisco—. Se requiere cooperación, colaboración y acuerdos entre los gobiernos de diferentes países. Si a eso también añadimos la inestabilidad política que ha caracterizado la historia de muchos países en Latinoamérica, pues, deberías poder comprender un poco mejor lo complicado que realmente es este tipo de asunto. Me imagino que en muchos momentos nuestros agentes habrán tenido las manos atadas°. ¿Qué harías tú en esa situación?

—No sé, pero haría algo. No me quedaría allí sentado, viendo cómo estos criminales trafican con materiales peligrosos y con artefactos tan importantes. No descansaría hasta encontrarlos. Actuaría para resolver el problema.

—Está bien. ¿Y ahora qué? ¿Quieres que sigamos discutiendo sobre lo que no han podido hacer las autoridades, o quieres que intentemos resolver los casos?

—Obviamente tendremos que seguir trabajando hasta que encontremos a los culpables. ¿Has aprendido algo útil en ese artículo que estás leyendo? —preguntó Cisco, más tranquilo.

—Algo, sí. Es de un criminólogo. Describe el perfil de algunos de los posibles clientes interesados en comprar este tipo de materiales —respondió Celia.

—Interesante. ¿Crees que los datos nos ayudarán con la investigación? —preguntó Cisco.

—Sirven para confirmar algunas de nuestras sospechas. Por ejemplo, afirma que el mercado más activo para el tráfico de las sustancias extraídas de las plantas es el del bioterrorismo. También habla sobre el mercado internacional para los artefactos precolombinos y otras antigüedades. Establece una relación muy fuerte con el mundo del arte —explicó Celia.

—Pues, si eso es cierto, yo tengo una fuente° que creo que nos podría ayudar. Es un investigador muy conocido y su especialidad es los crímenes relacionados con el comercio ilegal de obras de arte. Lo llamaré ahora mismo —dijo Cisco mientras marcaba el número de teléfono.

Mientras esperaba con el teléfono en mano, alguien llamó a la puerta. Abrió la puerta pensando que era Javier; si no, no la habría abierto. Cuando vio que no era Javier, sino la policía, Cisco estaba sorprendido. Después de ver que Cisco discutía con los agentes, Celia estaba horrorizada cuando oyó a Cisco gritarles:

—¿Estoy arrestado?

365

8-56 **Después de leer** Contesta las siguientes preguntas. ■

1. ¿Dónde estaban Celia y Cisco durante la lectura?
2. ¿Qué estaban haciendo al principio de la lectura?
3. ¿Qué descubrió Cisco en el artículo que leyó? ¿Cuál era la especialidad del autor del artículo?
4. ¿Qué descubrió Celia en el artículo que leyó? ¿Cuál era la especialidad del autor del artículo?
5. ¿Cómo se sintió Cisco al principio de la lectura? ¿Por qué?
6. ¿Cómo se sintió Celia al final de la lectura? ¿Por qué?

 # Video

08-43 to 08-44

8-57 **Antes del video** Antes de ver el episodio *¿Estoy arrestado?* contesta las siguientes preguntas. ■

1. ¿Cómo terminó la lectura *Complicaciones en el caso*?
2. ¿Dónde piensas que va a tener lugar el episodio del video?
3. ¿Qué piensas que va a ocurrir en el episodio del video?

¿Debería saber las causas por las que han cerrado el laboratorio?

¿Por qué estará tan interesada en mi vida?

Mi madre es gerente de una empresa.

Episodio 8

«¿Estoy arrestado?»

Relájate y disfruta el video.

8-58 **Después del video** Después de ver el episodio, contesta las siguientes preguntas. ■

1. ¿Dónde estaba Cisco al principio del episodio? ¿Qué hacía?
2. ¿Cómo les podría ayudar con el caso la fuente de Cisco?
3. ¿Qué personas aparecieron en las fotos que miraban Cisco y Celia?
4. ¿Quién llamó a Cisco al final del episodio?
5. ¿Adónde tuvo que ir Cisco al final del episodio?

LETRAS

08-48 to 08-50

Acabas de terminar otro episodio de **Laberinto peligroso.** Explora más lecturas en la colección literaria, **Letras.**

Y por fin, ¿cómo andas?

	Feel confident	Need to review
Having completed this chapter, I now can . . .		

Comunicación I

- compare and contrast professions. (p. 326)
- use adjectives as nouns to represent people, places, and things. (MSL)
- indicate actions in the future. (p. 330)
- explore additional professions. (p. 335)
- discuss what would happen or what would be under certain conditions. (p. 338)
- repeat or paraphrase what I hear. (p. 343)

Comunicación II

- consider different aspects of the business world. (p. 345)
- point out people, places, or things. (MSL)
- denote what will have happened. (p. 348)
- convey business concepts. (p. 351)
- refer to what would have happened. (p. 354)
- express good wishes or sympathy. (p. 358)
- employ appropriate salutations and closings in letters. (p. 360)

Cultura

- state proper etiquette for doing business in a Hispanic setting. (p. 341)
- identify some people with interesting professions. (p. 356)
- share information about professions and the world of business in Argentina and Uruguay. (p. 362)

Laberinto peligroso

- adjust reading rate, and determine why the police visit Cisco. (p. 364)
- hypothesize about Cisco's mysterious phone call. (p. 366)

Comunidades

- use Spanish in real-life contexts. (SAM)

Literatura

- recognize satire and irony as literary devices. (Literary Reader)

VOCABULARIO ACTIVO

Algunas profesiones	Some professions
el/la abogado/a	lawyer
el/la agente	agent
el amo/a de casa	homemaker
el/la asistente de vuelo	flight attendant
el/la banquero/a	banker
el/la bombero/a	firefighter
el/la cajero/a	cashier
el/la cartero/a	mail carrier
el/la comerciante	shopkeeper; merchant
el/la consejero/a	counselor
el/la contador/a	accountant
el/la dentista	dentist
el/la escritor/a	writer/author
el/la ingeniero/a (químico/a)	(chemical) engineer
el/la granjero/a	farmer
el hombre/la mujer de negocios	businessman/woman
el/la maestro/a	teacher
el/la mecánico/a	mechanic
el/la peluquero/a	hair stylist
el/la periodista	journalist
el/la piloto/a	pilot
el/la político/a	politician
el/la psicólogo/a	psychologist
el/la reportero/a	reporter
el/la secretario/a	secretary
el/la veterinario/a	veterinarian

Palabras útiles	Useful words
el/la empleado/a	employee
el/la gerente/a	manager
el/la jefe/a	boss
el/la propietario/a	owner; landlord
el/la supervisor/a	supervisor

Más profesiones	More professions
la administración de hoteles	hotel management
la banca	banking
las ciencias políticas	political science
el comercio / los negocios	business
la enfermería	nursing
la ingeniería	engineering
la justicia criminal	criminal justice
el mercadeo	marketing
la pedagogía	teaching
la psicología	psychology
la publicidad	advertising
las ventas (por teléfono)	(telemarketing) sales

Una entrevista	An interview
el/la aspirante	applicant
los beneficios	benefits
el bono	bonus
la carta de presentación	cover letter
la carta de recomendación	letter of recommendation
el currículum (vitae) (C.V.)	résumé
la destreza	skill
la empresa	corporation; business
la formación	training; education
el horario	schedule; timetable
la jornada completa / parcial	full-time / part-time workday
la meta	goal
el negocio	business
el personal	personnel
el puesto	job; position
el salario / el sueldo	salary
la solicitud	application form
el trabajo	job

El mundo de negocios	The business world
el acuerdo	agreement
la adquisición	acquisition
la agencia	agency
el ahorro	savings
la bancarrota	bankruptcy
la bolsa	stock market
la jubilación	retirement
la junta	commission; board; committee
el lucro	profit
la venta	sale
el/la vocero/a	spokesperson

Algunos verbos	Some verbs
ascender (e → ie)	to advance; to be promoted; to promote
contratar	to hire
entrenar	to train
entrevistar	to interview
negociar	to negotiate
publicitar	to advertise; to publicize
renunciar (a)	to resign; to quit
solicitar	to apply for; to solicit
tener experiencia	to have experience

Algunos adjetivos	Some adjectives
actual	current; present
administrativo/a	administrative
ejecutivo/a	executive
financiero/a	financial
laboral	work-related
profesional	professional
sin fines de lucro	nonprofit

Algunos verbos	Some verbs
ahorrar	to save
apropiarse	to take over; to appropriate
despedir (e → i → i)	to fire (from a job)
fabricar	to manufacture
hacer publicidad	to advertise
hacer una huelga	to strike
invertir (e → ie → i)	to invest
jubilarse	to retire

La expresión artística

9

La expresión artística

Hay muchos tipos de arte: la música, el teatro, el cine, el baile, los cuadros que encontramos en un museo y la literatura, para nombrar algunos. La expresión artística dentro del mundo hispanohablante es muy rica y variada: hay algo para todos los gustos. ¿Qué es arte para ti?

PREGUNTAS

1 ¿Cómo se llaman unos artistas que conoces?
2 ¿Cómo determinas si algo es "arte"?
3 ¿Qué talento artístico tienes?

370

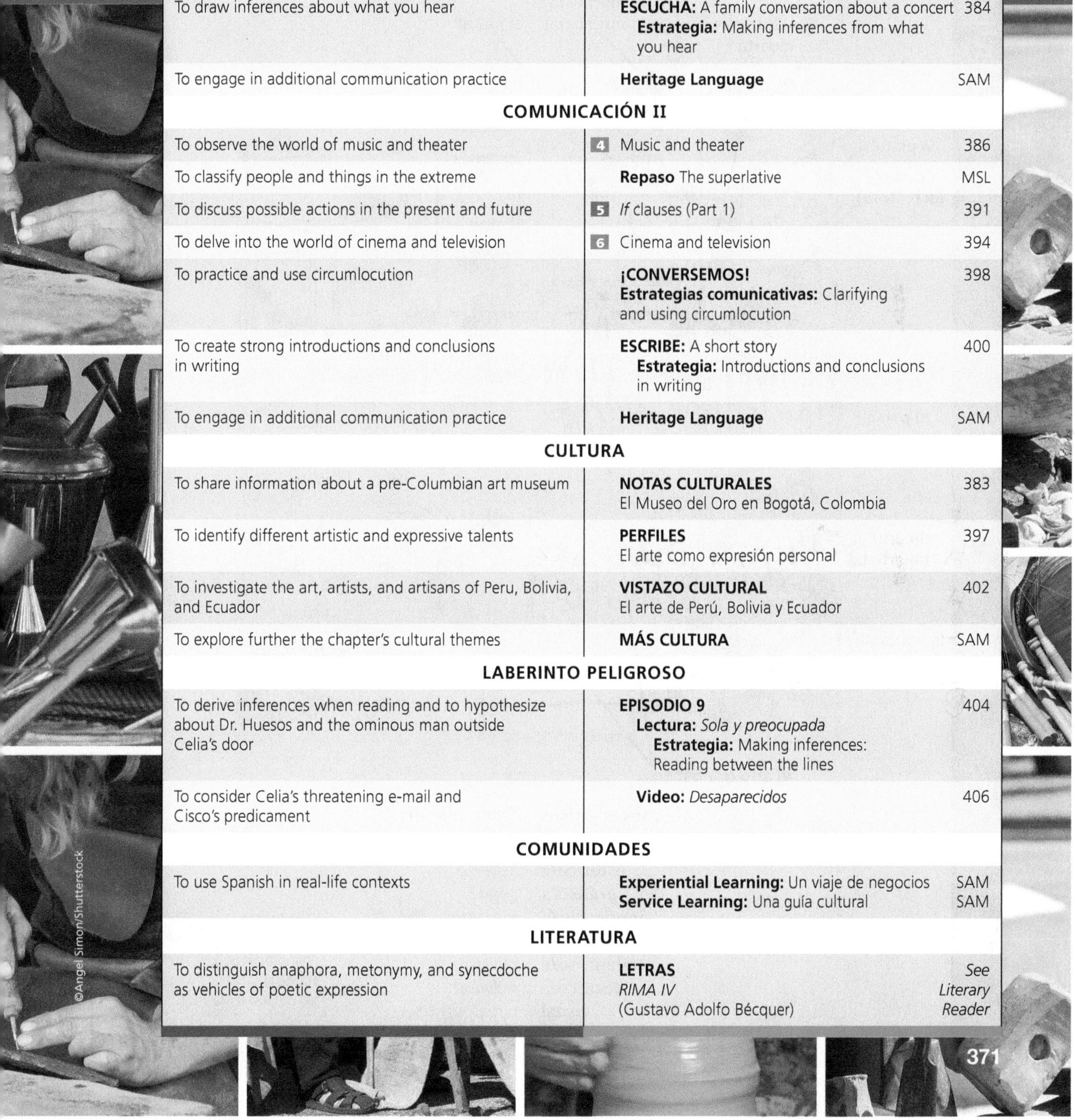

©Angel Simon/Shutterstock

371

Comunicación I

1 VOCABULARIO

El arte visual Exploring the visual arts

09-01 to 09-03

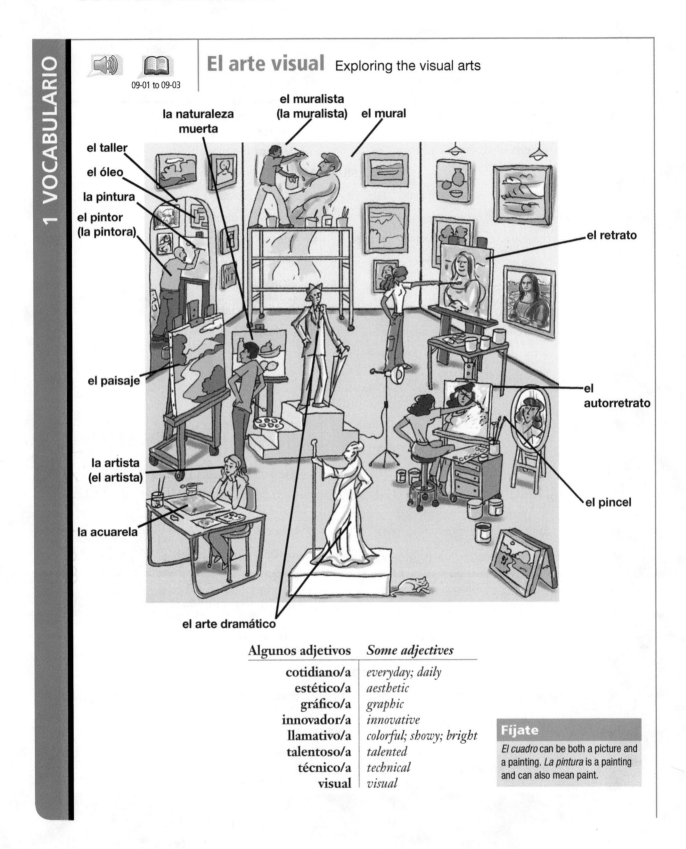

- la naturaleza muerta
- el muralista (la muralista)
- el mural
- el taller
- el óleo
- la pintura
- el pintor (la pintora)
- el retrato
- el paisaje
- el autorretrato
- la artista (el artista)
- el pincel
- la acuarela
- el arte dramático

Algunos adjetivos	*Some adjectives*
cotidiano/a	*everyday; daily*
estético/a	*aesthetic*
gráfico/a	*graphic*
innovador/a	*innovative*
llamativo/a	*colorful; showy; bright*
talentoso/a	*talented*
técnico/a	*technical*
visual	*visual*

Fíjate

El cuadro can be both a picture and a painting. *La pintura* is a painting and can also mean paint.

Algunas palabras útiles	*Some useful words*	Algunos verbos	*Some verbs*
el dibujo	*drawing*	crear	*to create*
el diseño	*design*	dibujar	*to draw*
el grabado	*etching*	encargarle (a alguien)	*to commission (someone)*
la imagen	*image*	esculpir	*to sculpt*
el lienzo	*canvas*	exhibir	*to exhibit*
el motivo	*motif; theme*	hacer a mano	*to make by hand*
la obra maestra	*masterpiece*	reflejar	*to reflect*
el tema	*theme; subject*	representar	*to represent*
el valor	*value*		

REPASO

Repaso &
Spanish/English
Tutorials

09-04 to 09-06

Las comparaciones de igualdad y desigualdad
Offering comparisons of equality and inequality

For a complete review of comparisons of equality and inequality, go to MySpanishLab or refer to **Capítulo 10** of *¡Anda! Curso elemental* in Appendix 3 of your textbook. The vocabulary activities that appear in your textbook incorporate this grammar point. Practicing new vocabulary with a review grammar point helps to strengthen and increase your knowledge of Spanish.

 9-1 **Definiciones** ¿Qué saben del mundo artístico? Túrnense para dar sus respuestas. ■

MODELO   el lugar donde el artista produce su arte
taller

©S-BELOV/ Shutterstock

1. el mejor cuadro de un artista; el cuadro insuperable (*unsurpassable*)
2. una pintura mucho más grande que un cuadro normal
3. un cuadro que representa a una persona
4. una pintura de frutas o verduras, por ejemplo
5. un tipo de pintura que pones en un lienzo
6. un cuadro que representa al pintor mismo

 9-2 **El juego de tres pistas** Escuchen mientras su profesor/a les da las instrucciones de esta actividad. ■

MODELO   taller
PISTA 1: *lugar*
PISTA 2: *artista*
PISTA 3: *trabajar*

¡Anda! Curso intermedio, Capítulo 8.
Los adjetivos demostrativos, pág. 346.

9-3 **Creaciones** Combinen elementos de las columnas A, B, C y D para crear oraciones usando **más... que, menos... que, tan... como** y **tanto/a/os/as... como.** ■

MODELO   Aquella artista   más...   creativo/a   que...
Aquella artista es más creativa que los otros artistas que conozco.

©Blend Images/Shutterstock

COLUMNA A	COLUMNA B	COLUMNA C	COLUMNA D
Ese cuadro	más	llamativo/a	que...
Aquel artista	menos	innovador/a	como...
Estas pinturas	tan	gráfico/a	
Estos diseños	tanto/a/os/as	creativo/a	
Esta muralista		talentoso/a	
Aquellos grabados		estético/a	
		técnico/a	

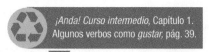
¡Anda! Curso intermedio, Capítulo 1.
Algunos verbos como *gustar*, pág. 39.

9-4 **Nuestras opiniones** Imagina que tu compañero/a y tú van a un museo y que están en una exposición. Combinen las siguientes frases de las dos columnas para crear **seis** oraciones sobre su experiencia. Túrnense. ■

© Losevsky Pavel/Shutterstock

MODELO   Me interesa mucho más el arte dramático... que la pintura.
Me interesa mucho más el arte dramático que la pintura.

1. __E__ Me interesa el proceso de crear los grabados...
2. __A__ El dibujo de Picasso que les encanta a mis padres...
3. __F__ El diseño del mural que más me gusta...
4. __C__ Me fascina la combinación de materiales de ese artista...
5. __B__ Nos faltan unos grabados...
6. __D__ No les quedan más de cinco autorretratos...

     a. es tan interesante como sus pinturas.
     b. mejores que esos para la exhibición en diciembre.
     c. mucho más que aquellas combinaciones.
     d. de Frida Kahlo en aquel museo.
     e. tanto como el proceso de pintar cuadros.
     f. es tan crítico como la creación de las imágenes.

Workbooklet

9-5 **¿Qué opinas?** Circula por la clase haciendo y contestando las siguientes preguntas. Llena el cuadro con tus resultados. ■

PREGUNTA	E1	E2	E3	E4	E5
1. ¿Te gustan más las pinturas al óleo o a la acuarela?					
2. ¿Cuáles son más impresionantes: los murales o los cuadros de tamaño normal?					
3. ¿Crees que sea tan fácil esculpir como dibujar?					
4. En tu opinión, ¿quién es el artista vivo con más talento? ¿Quién es el mejor artista muerto?					
5. ¿Te interesan los autorretratos y retratos tanto como las pinturas de naturaleza muerta?					
6. ¿Tienes la habilidad de pintar o dibujar un autorretrato?					

2 GRAMÁTICA

09-07 to 09-11 | ¡Hola! Spanish/English Tutorials

Repaso del subjuntivo: El subjuntivo en cláusulas sustantivas, adjetivales y adverbiales

Recommending and suggesting, expressing volition, doubt, and emotions, and describing uncertainty or the unknown

- The indicative mood *states or inquires about facts,* that is, **what happened, what is happening, or what will happen.**
- The subjunctive mood is used to *express doubt, uncertainty, influence, opinion, feelings, hope, wishes,* or *desires* about events that are happening or might be happening now, have happened or might have happened in the past, or may happen in the future.

The following is a review of the uses of the subjunctive. To review the formation of the present subjunctive, refer to page 87; for a review of the present perfect subjunctive forms, see page 168.

No creo que sepan apreciar mi arte.

1. El subjuntivo en cláusulas sustantivas

The subjunctive is used to express volition and will, feelings and emotions, doubt, uncertainty, and probability in the following ways:

1.1. To recommend or request

Te recomiendo que vayas a la exhibición de arte dramático esta tarde en el Museo de Arte Vivo.

I recommend (that) you go to the performing arts exhibit at the Arte Vivo Museum this afternoon.

Nos piden que compremos unos grabados de unos edificios de la universidad.

They are requesting that we buy some etchings of some university buildings.

1.2. To express wishes

Deseo que mis estudiantes conozcan el arte de Velázquez.

I want (desire) my students to be familiar with Velázquez's art.

Espero que podamos ir a España este verano para visitar sus museos.

I hope (that) we can go to Spain this summer to visit the museums there.

1.3. To report on other's requests, recommendations, or wishes

José y Gregorio **quieren** que sus padres los lleven al Museo del Prado este verano.

José and Gregorio want their parents to take them to the Prado Museum this summer.

Mis abuelos **nos exigen** que vayamos a la orquesta sinfónica.

My grandparents are demanding that we go to the symphony.

(continued)

- **Some verbs** used to express requests, recommendations, and wishes are:

aconsejar	*to recommend; to advise*	**preferir (e → ie → i)**	*to prefer*
desear	*to wish*	**prohibir**	*to prohibit*
esperar	*to hope*	**proponer**	*to suggest; to recommend*
exigir	*to demand*	**querer (e → ie)**	*to want; to wish*
insistir (en)	*to insist*	**recomendar (e → ie)**	*to recommend*
necesitar	*to need*	**rogar (o → ue)**	*to beg*
pedir (e → i → i)	*to ask (for); to request*	**sugerir (e → ie → i)**	*to suggest*

- The following are some common impersonal expressions that also express requests, recommendations, wishes, and desires:

Es importante que	*It's important that*	**Es necesario que**	*It's necessary that*
Es mejor que	*It's better that*	**Es preferible que**	*It's preferable that*

1.4. To express feelings and emotions

Nos gusta que **quieras** pintar un mural en este lado del edificio.

We like that you want to paint a mural on this side of the building.

Temo que no **podamos** comprar el cuadro —es muy caro.

I'm afraid we won't be able to buy the painting—it is very expensive.

- Verbs and phrases expressing feelings and emotions include:

alegrarse de	*to be happy about*
avergonzarse de (o → ue)	*to feel (to be) ashamed of*
Es bueno / malo	*to be good / bad*
Es una lástima	*to be a shame*
gustar	*to like*
sentir (e → ie → i)	*to regret*
temer / tener miedo (de)	*to be afraid (of)*

> **Estrategia**
>
> Remember that if there is no subject change, the infinitive is required—not the subjunctive.
>
> *Quiero hacer unos dibujos de los niños este fin de semana.*
>
> *Espero crear unos grabados interesantes de esas escenas.*

1.5. To communicate doubts and probability

Marco **no cree** que ellos **sepan** apreciar su arte.

Marco does not believe that they know how to appreciate his art.

Es probable que **podamos** terminar de renovar el taller para septiembre.

It's likely that we can finish renovating the art studio by September.

- Verbs and expressions expressing doubts and probability include:

dudar	*to doubt*
Es dudoso	*to be doubtful*
Es probable	*to be probable*
no creer	*not to believe; not to think*
no estar seguro (de)	*to be uncertain (of)*
no pensar	*not to think*

> **Estrategia**
>
> Remember that when there is no doubt, uncertainty, or disbelief about an action or event, the subject appears certain of the facts, and an emotion is not being expressed, the *indicative* is used.
>
> No dudo *que Luis va a pintar el mural.*
>
> Creo *que Silvia va al teatro hoy.*
>
> Me alegra *saber la verdad.*

¡Explícalo tú!

Having studied the preceding examples of the subjunctive, answer the following questions to complete your review:

1. How many verbs are in each sentence?
2. Which verb in the sentence is *not* in the subjunctive?
3. Which verb is in the subjunctive?
4. Is there a different subject for each verb?
5. What word joins the two distinct parts of the sentence?
6. State a rule for the use of the subjunctive to express **volition** and **will, feelings** and **emotions, doubt, uncertainty,** and **probability.**

 Check your answers to the preceding questions in **Appendix 1.**

2. El subjuntivo con antecedentes indefinidos o que no existen

2.1. The subjunctive is also used to express the possibility that something or someone is uncertain or nonexistent:

Busco un artista que pueda pintar unos retratos de mis hijos por un precio razonable.	*I am looking for an artist who can paint some portraits of my children for a reasonable price.*
¿En esta exhibición **hay algún** paisaje que no sea impresionista?	*Is there a landscape in this exhibit that is not impressionistic?*
No **conocemos** a nadie que sepa esculpir tan bien como tu hermano Eduardo.	*We don't know anyone who knows how to sculpt as well as your brother Eduardo.*

¡Explícalo tú!

Having read the previous examples,

1. What kinds of verbs tell you that there is a possibility that something or someone is uncertain or nonexistent?
2. If you know that something or someone exists, do you use the indicative or the subjunctive?

 Check your answers to the preceding questions in **Appendix 1**.

3. El subjuntivo en cláusulas adverbiales

Fíjate

Adverbial clauses describe actions and are introduced by adverbial conjunctions.

There are connecting words (*conjunctions*) that **may** or **may not** require the use of the subjunctive.

3.1. The subjunctive is *always* used after the following conjunctions:

a menos que, antes (de) que, con tal (de) que, en caso (de) que, para que, and sin que.

Nos veremos en el concierto a menos que llueva.	*We'll see each other at the concert unless it rains.*
Voy a ese museo primero con tal (de) que haya una exhibición nueva.	*I am going to that museum first provided that there is a new exhibit.*
Pasa por la galería en caso (de) que esté Felipe.	*Stop by the gallery in case Felipe is there.*

(continued)

3.2. The indicative **is** *always* **used after the following conjunctions:**

ahora que, puesto que, **and** ya que

David es muy generoso ahora que es un artista muy famoso.	*David is very generous now that he is a famous artist.*
No piensan encargarle un retrato al óleo puesto que prefieren los retratos de fotografía.	*They are not planning on commissioning an oil portrait from him, given that they prefer photographic portraits.*

3.3. With the following conjunctions, either the indicative **or the** subjunctive **can be used.**

aun cuando	cuando	después (de) que	luego que
aunque	de manera que	en cuanto	mientras que
a pesar de que	de modo que	hasta que	tan pronto como

3.4. To determine which is needed, ask the question: From the point of view of the speaker, has the action already occurred?

    a. If the action has occurred, the indicative is needed.
    b. If the action has yet to occur, the subjunctive must be used.

<u>Vamos a ir</u> a ver los murales **tan pronto como** lleguen mis hermanos.	*We will go see the murals as soon as my siblings arrive.*
<u>Piensa hacer</u> los juguetes a mano **aunque** no tenga tiempo.	*He is thinking about making the toys by hand even though he may not have the time.*
<u>Siempre le compran</u> acuarelas **aunque** cuestan bastante dinero.	*They always buy her watercolors although they are quite expensive.*

3.5. In a sentence with no change of subject, **the prepositions antes de, después de, and hasta are followed by the** infinitive.

<u>Necesitamos pasar</u> por el taller **antes de** salir de viaje.	*We need to pass by the art studio before we go on our trip.*

¡Explícalo tú!

Having studied the previous examples, answer the following questions to complete your review:

1. Which conjunctions **always** use the subjunctive?
2. Which conjunctions **never** use the subjunctive?
3. Which conjunctions **sometimes** use the subjunctive?
4. What question do you ask yourself with these types of conjunctions?

✔ Check your answers to the preceding questions in **Appendix 1**.

9-6 **Fernando Botero** Fernando Botero (n. 1932) es un artista colombiano y nos está dando consejos sobre cómo apreciar el arte. Usen los siguientes verbos en **el subjuntivo** para crear sus recomendaciones. ■

| aconsejar | proponer | recomendar |
| ser bueno | ser importante | sugerir |

MODELO reconocer desde el principio que no les van a gustar todas las obras

Les recomiendo que reconozcan desde el principio que no les van a gustar todas las obras.

1. observar la obra desde varias distancias
2. observar la obra desde varios ángulos
3. determinar cómo está hecha la obra
4. estudiar el uso de los colores
5. reflexionar sobre el motivo del artista
6. ser crítico del tema y de la técnica
7. dejar que les hable la obra

 9-7 **La profesora de arte** La profesora Romero les da consejos a sus estudiantes nuevos. Completen las siguientes oraciones con las formas apropiadas de los verbos en **el subjuntivo.** ■

MODELO recomendar estudiar mucho

Les recomiendo que estudien mucho.

1. ser necesario trabajar duro
2. sugerir hacer muchas investigaciones
3. ser obligatorio no copiar
4. aconsejar expresar su creatividad por diferentes medios
5. esperar sentir amor y entrega en lo que hacen

 9-8 **La Galería de los Serrano** La familia Serrano tiene una galería de arte en Barcelona. Descubre un poco sobre la familia al crear oraciones con **el subjuntivo.** Después, compara tus oraciones con las de un/a compañero/a. ■

MODELO Los Serrano / esperar / los nuevos artistas / querer exhibir / obras / galería

Los Serrano esperan que los nuevos artistas quieran exhibir sus obras en la galería.

1. El Sr. Serrano / buscar / empleado / hablar inglés / entender / arte moderno
2. La Sra. Serrano / querer / hacer viaje / Buenos Aires / antes de que / (ellos) abrir / próxima exhibición
3. Los hijos Serrano / trabajar / galería / en cuanto / cumplir dieciocho años
4. Los Sres. Serrano / preferir / los hijos / estudiar mucho / y sacar título / comercio
5. Sin embargo, una hija / desear / estudiar / arte / para que / padres / poder vender / cuadros

9-9 **El retrato** Joaquín se prepara para pintar el retrato de su amigo Teo. Terminen la siguiente descripción con las formas apropiadas de los siguientes verbos. Tienen que decidir en cada caso si necesitan usar **el subjuntivo, el infinitivo** o **el indicativo.** ■

decidir	estar	hacer	pintar	poder
reflejar	sentarse	ser	ser	quedar

Teo quiere que yo le (1) _____ un retrato. Primero, necesitamos (2) _____ si voy a hacer el cuadro al óleo, a la acuarela o si sería mejor un dibujo. Teo se decide por un retrato al óleo. Entonces, tengo que buscar un lienzo que (3) _____ del tamaño perfecto. Después, preparo la pintura y busco mis pinceles nuevos. Cuando todo (4) _____ preparado, determinamos la composición del cuadro y decidimos si queremos (5) _____ el retrato de perfil o de frente. Creo que estamos de acuerdo en que es preferible que (6) _____ de frente. Ahora, ¿lo queremos de medio cuerpo, de cuerpo entero o de cara nada más? Lo voy a hacer de medio cuerpo, así que le digo a Teo que (7) _____ para que yo (8) _____ empezar. Quiero que el retrato (9) _____ la personalidad de mi amigo —eso es lo más difícil de todo. Entonces, lo más crítico va a ser los ojos. Es necesario que (10) _____ perfectos.

©Kiselev Andrey Valerevich/Shutterstock

9-10 **El arte y tú** ¿Qué opinan del arte? Usa las siguientes preguntas para compartir tus ideas sobre el arte con un/a compañero/a. ■

1. ¿Recomiendas que se pinten murales en las paredes y muros de los edificios en pueblos y ciudades? Explica.
2. Si quieres comprar un cuadro, ¿es importante que sea al óleo o puede ser a la acuarela u otra cosa?
3. ¿Es importante reconocer y entender el tema de un cuadro para poder apreciarlo?
4. ¿Qué medio artístico escogerías para un retrato tuyo: la fotografía, la escultura, el dibujo o la pintura?
5. ¿Quiénes son tus artistas favoritos y cuáles son tus cuadros favoritos? ¿Por qué?

Workbooklet

9-11 **Consejos** Siempre tenemos deseos y consejos para los demás. Expresen sus deseos y consejos para las siguientes personas. ■

MODELO A los Serrano / Les recomendamos que…

Les recomendamos que busquen unos cuadros de artistas nuevos para exhibir en una sala aparte.

A LOS PROPIETARIOS (*OWNERS*) DE UNA GALERÍA DE ARTE	A UN JOVEN QUE DESEA SER ARTISTA	A UN GRUPO DE ARTISTAS RECIÉN ESTABLECIDOS
1. Les recomendamos que…	1. Esperamos que…	1. Es importante que…
2. Es necesario que…	2. Siempre le exigimos que…	2. Le aconsejamos que…
3. Sugerimos que…	3. No es importante que…	3. Esperamos que…
4. ¿Creen que…?	4. Le proponemos que…	4. No dudamos que…

3 VOCABULARIO

🔊 📖
09-12 to 09-14

La artesanía
Examining handicrafts and their artisans

la talla   la cestería   la artesana (el artesano)   la tejedora (el tejedor)   el tejido   el tapiz

la escultura   la escultora (el escultor)   el alfarero (la alfarera)   la alfarería   el barro   la cerámica

Una frase útil	*A useful phrase*
las artes decorativas / aplicadas	*decorative / applied arts*

9-12 ¿Es verdad? ¿Qué saben ustedes sobre arte? Túrnense para determinar si las siguientes oraciones son **ciertas** o **falsas**. ∎

C 1. Un tapiz es un tipo de tejido.
   2. Los escultores hacen la cerámica.
T 3. Un alfarero usa barro para crear su arte.
T 4. Un artesano hace las cosas a mano.
   5. La cerámica es un tipo de alfarería.
F 6. El artesano con su cestería es como el tejedor con su tejido.

 9-13 Lo dudo Siempre hay dudas en todos los aspectos de la vida, incluyendo el arte. Cambien las siguientes oraciones para expresar duda, usando los verbos y las expresiones de la página 376. ∎

MODELO   Hay muchos artesanos en ese pueblo. (yo)
              Dudo que haya muchos artesanos en ese pueblo.

1. El barro es perfecto para ese tipo de cerámica. (nosotros)
2. La alfarería de esas mujeres indígenas tiene mucho valor. (tú)
3. Estas plantas producen materia perfecta para la cestería. (ellas)
4. Ella sabe esculpir mejor que su profesor de escultura. (yo)
5. Van a exponer en su galería el tejido en que trabaja esa tejedora. (Victor y yo)

9-14 Más arte Imagina que tu compañero/a y tú están en Sevilla, España, para comprar arte típico de la región. Túrnense para combinar las dos columnas y crear oraciones sobre el tipo de arte que buscan. ∎

Fíjate

In **9-14**, decide whether you need to use the subjunctive or the indicative in each of the sentences.

Fíjate

Eduardo Chillida (n. 1924) is a famous Spanish sculptor.

MODELO   Busco un tapiz que…   (ser) del estilo indígena
              Busco un tapiz que sea del estilo indígena.

1. _C_ Busco un tejedor que…
2. _F_ Encontré una escultura de Chillida que…
3. _A_ ¿Hay algún artesano que…?
4. _D_ Tengo unos platos de cerámica que…
5. _B_ No existe un alfarero que…
6. _E_ Necesitamos un tapiz que…

a. (saber) crear algo bello y útil a la vez.
b. (querer) usar el barro de esta zona del país.
c. (hacer) diseños modernos con muchos colores vibrantes en sus tejidos.
d. (comprar) en Triana, un barrio de Sevilla, España.
e. (poder colgar) al lado de este muy antiguo.
f. (ser) una de las primeras que hizo.

NOTAS CULTURALES

El Museo del Oro en Bogotá, Colombia

09-15 to 09-16

Para todo turista en Bogotá, Colombia, es recomendable que visite el Museo del Oro del Banco de la República; es una joya para el mundo del arte. Abrió a principios del año 1968 y ganó el Premio Nacional de Arquitectura. Fue renovado entre los años 2004–2008 para tener una nueva apariencia; es un museo con exhibiciones, servicios y tecnología del siglo XXI. La renovación fue motivada por un deseo de considerar todos los objetos del museo con una perspectiva nueva y comprensiva. Es importante que los artefactos se exhiban dentro de su contexto histórico, pero con una conexión con el presente. De esta manera, se espera que tengan más sentido para los visitantes de hoy en día.

©javarman/Shutterstock

El Museo del Oro es único: tiene más de 33.000 objetos de artesanía y orfebrería (*crafting of precious metals*) representativos del período precolombino en sus colecciones. Los diseños y las imágenes de los artefactos son verdaderamente impresionantes y muestran una técnica muy avanzada para la época.

Preguntas

1. ¿Qué contiene el museo que lo hace único?
2. ¿Por qué se considera arte el contenido de este museo?
3. ¿Cómo se compara este museo con los que conoces?

 9-15 **Decisiones** Hagan los papeles de representantes de un museo pequeño de su pueblo o ciudad. Están encargados de comprar una obra nueva para el museo y tienen que decidir cuál de las tres obras van a escoger. ¿Cuál prefieren? Expliquen por qué. ■

©Eduardo Rivero/Shutterstock

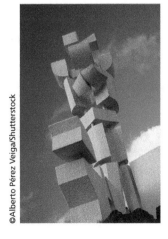

©Alberto Pérez Veiga/Shutterstock

©D. Heining-Boynton, HBPHOTOPRO.COM

9-16 **La cerámica de Perú** Investiga la cerámica de Perú en el Internet. Después, preparen un anuncio comercial para promocionar y vender esta cerámica en los Estados Unidos. Deben usar por lo menos **seis** oraciones en **el subjuntivo.** ■

ESCUCHA

 ## Una conversación entre familia de un concierto
09-17 to 09-18

Estrategia

Making inferences from what you hear

Sometimes when you are speaking with others, your listener may not interpret your message the way you meant it. Or, you may not express yourself exactly as you had wished. If these situations occur, the listener may *infer* (or *deduce*) a meaning different from what you intended. For example, if someone invites you to a concert and you hesitate before answering, he/she may infer that you do not really want to go. If, however, you say "I have to work," he/she will most likely think that you would like to go but have a schedule conflict.

9-17 **Antes de escuchar** A David y a su hermano Martín les encantaría ir al concierto de su grupo favorito, Maná. Su madre, sin embargo, piensa que necesitan pasar más tiempo con la familia y deben asistir a eventos culturales. Ella les propone varias ideas. ¿Crees que a los jóvenes les van a interesar? ■

 9-18 **A escuchar** Completa los siguientes pasos. ■

Paso 1   Escucha la primera vez para captar la idea general de la conversación.

Paso 2   Lee las siguientes preguntas y escucha por segunda vez, ahora enfocándote en la información que necesitas para contestarlas.

1. ¿Qué deducen David y Martín que su mamá quiere que hagan?
2. ¿Qué piensas que va a pasar?

 9-19 **Después de escuchar** Descríbele a un/a compañero/a una conversación que tuviste recientemente en la que tú o la persona con quien estabas hablando no dijo exactamente lo que estaba pensando. ¿Qué dedujiste? ¿Qué era realmente lo que quería decir? ■

¿Cómo andas? I

	Feel confident	Need to review
Having completed **Comunicación I,** I now can . . .		
• explore the visual arts. (p. 372)	☐	☐
• offer comparisons of equality and inequality. (MSL)	☐	☐
• recommend and suggest, express volition, doubt, and emotions, and describe uncertainty or the unknown. (p. 375)	☐	☐
• examine handicrafts and their artisans. (p. 381)	☐	☐
• share information about a pre-Columbian art museum. (p. 383)	☐	☐
• draw inferences about what I hear. (p. 384)	☐	☐

Comunicación II

¡Anda! Curso elemental, Capítulo 5.
El mundo de la música, Apéndice 2.

4 VOCABULARIO

09-19 to 09-22

La música y el teatro
Observing the world of music and theater

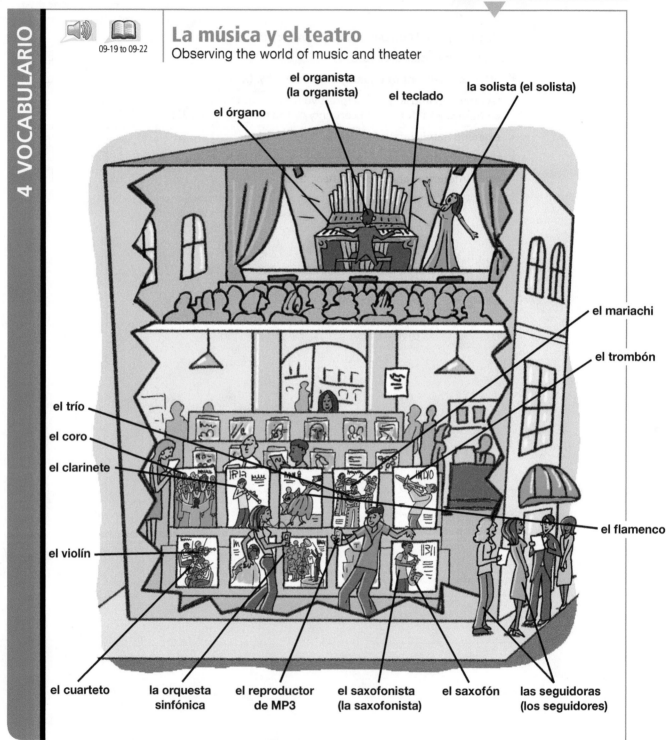

el organista
(la organista)

el teclado

la solista (el solista)

el órgano

el mariachi

el trombón

el trío

el coro

el clarinete

el flamenco

el violín

el cuarteto

la orquesta sinfónica

el reproductor de MP3

el saxofonista (la saxofonista)

el saxofón

las seguidoras (los seguidores)

el ballet

la diva

el vestuario

el escenario

La música	
Algunas palabras útiles	*Some useful words*
el/la compositor/a	*composer*
las cuerdas	*strings; string instruments*
el espectáculo	*show*
los instrumentos de metal	*brass instruments*
los instrumentos de viento / de madera	*woodwinds; wood instruments*
el merengue	*merengue*
la música alternativa	*alternative music*
la música popular	*popular music*
la pieza musical	*musical piece*

El teatro	
Algunas palabras útiles	*Some useful words*
la comedia	*comedy*
la danza	*dance*
el decorado	*set*
el/la director/a de escena	*stage manager*
el drama	*drama*
el/la dramaturgo/a	*playwright*
la función	*show; production*
el miedo de salir a escena	*stage fright*
la obra de teatro	*play*
la tragedia	*tragedy*

REPASO

Repaso &
Spanish/English
Tutorials

09-23 to 09-24

El superlativo   Classifying people and things in the extreme

For a complete review of the superlative, go to MySpanishLab or refer to **Capítulo 10** of *¡Anda! Curso elemental* in Appendix 3 of your textbook. The vocabulary activities that appear in your textbook incorporate this grammar point. Practicing new vocabulary with a review grammar point helps to strengthen and increase your knowledge of Spanish.

 9-20 **La mímica** En grupos de cinco o seis, hagan mímica (*charades*) para practicar el vocabulario nuevo. ∎

©Shots Studio/Shutterstock

Paso 1   Cada estudiante debe representar por lo menos **tres** palabras o expresiones nuevas.

Paso 2   Elijan las **dos** mejores representaciones del grupo para presentárselas a todos y expliquen por qué fueron las mejores.

 9-21 **El/La mejor director/a de escena** Hagan una lista de las responsabilidades de un/a buen/a director/a de escena. Después, decidan cuáles son las responsabilidades más importantes y cuáles son las menos importantes para el éxito de una obra de teatro. ∎

©razihusin/Shutterstock

Vocabulario útil	
inspeccionar	*to inspect*
planear	*to plan*
organizar	*to organize*

MODELO   *Tiene que inspeccionar el decorado.*

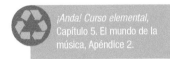

¡Anda! Curso elemental,
Capítulo 5. El mundo de la
música, Apéndice 2.

 9-22 **Los instrumentos de orquesta** Miren la foto de la orquesta sinfónica e intenten nombrar todos los instrumentos que conozcan. Después, creen oraciones usando **el superlativo** para describir los instrumentos. ■

© John Coletti/Dorling Kindersley

MODELO   *La flauta es el instrumento más pequeño de la orquesta sinfónica.*

Workbooklet   **9-23** **Los mejores de los mejores** ¿Quiénes son los mejores de los mejores? Circulen por la clase para preguntarles a sus compañeros sobre sus gustos y preferencias. ■

MODELO   E1: *¿Quién tiene la mejor voz de hombre?*
E2: *Plácido Domingo tiene la mejor voz. ¿Qué opinas tú?*

PREGUNTA	E1	E2	E3
1. la mejor voz de hombre			
2. la mejor voz de mujer			
3. el grupo musical más popular de los Estados Unidos			
4. el grupo musical más popular del mundo			
5. la compañía de ballet más conocida de los Estados Unidos			
6. el/la mejor dramaturgo/a			
7. la obra de teatro más interesante que has visto			
8. el/la violinista / pianista / guitarrista, etc., más conocido/a del mundo			

9-24 **Personalmente** Por fin, tienen un poco de dinero para ir a un concierto, al cine o al teatro. Completen los siguientes pasos. ■

FESTIVAL DE *ARTE*

MÚSICA
viernes 10
Orquesta Sinfónica Nacional

Beethoven y Mozart
Teatro Nacional 22 h

domingo 12
Arturo Sandoval

La Rivera 22.45 y 0.45 h

viernes 17
Eddie Palmieri

El Congreso 22.45 y 0.45 h

CINE, BAILE y TEATRO
sábado 11
Romeo y Julieta

Director: Mikhail Baryshnikov
Interpretación: Julio Bocca y Julie Kent
Teatro Colón 21 h

© Pavel Losevsky/fotolia; ©stiven/Shutterstock; ©Valeriy Lebedev/Shutterstock; © vhpfoto/Shutterstock

Paso 1 Decide adónde quieres ir y explícale a tu compañero/a por qué.

Paso 2 Ahora, túrnense para hacerse y contestar las siguientes preguntas.

1. ¿Te consideras músico/a, escritor/a, artista, etc.? ¿Cuáles son tus habilidades al respecto?
2. ¿Qué instrumentos tocas? ¿Tocas bien o mal?
3. ¿Has participado en un ballet o en una obra de teatro? ¿Cuál fue tu papel (*role*)? ¿Había decorado y vestuario?
4. ¿Has ido a muchos conciertos? ¿Cuál es el mejor al que has asistido?
5. ¿Has asistido a una orquesta sinfónica? ¿Qué tocaron?
6. ¿Qué música y bailes conoces del mundo hispano? ¿De qué países son? ¿Te gustan?

 9-25 **Una buena filántropa** La Sra. de las Morenas quiere donar dos millones de dólares a tu universidad, expresamente para las artes. La universidad ha identificado varias posibilidades y ustedes, como consejeros de la Sra. de las Morenas, tienen que ayudarla a tomar su decisión. En grupos de tres, conversen para identificar las mejores recomendaciones finales. Preparen su presentación, usando **el subjuntivo, las comparaciones de igualdad y desigualdad** y **el superlativo** cuando sea posible. ■

POSIBLES PROYECTOS:

1. empezar un programa para los estudiantes de colegio donde los estudiantes universitarios de arte les den clases por las tardes
2. crear fondos permanentes para que los profesores de arte puedan hacer investigaciones en otras partes del mundo
3. establecer una escuela de ballet y baile moderno con fondos suficientes para atraer de profesor/a a un/a bailarín/bailarina conocido/a
4. establecer un teatro-laboratorio para los estudiantes de drama
5. dirigir al coro en una gira anual por diferentes partes del mundo durante diez años

5 GRAMÁTICA

  **Cláusulas condicionales de *si* (Parte 1)**
09-25 to 09-27 Spanish/English Tutorials | Discussing possible actions in the present and future

A **si** (*if*) clause states *a condition that must be met in order for something else to happen.* These are *if . . . then . . .* statements.

Si no te portas bien, tendrás que pasar la tarde en tu cuarto.

- The verb in the **if / si clause** states the condition for something to happen. This condition is likely to take place. The verb in the *then* clause describes what could happen.
- Use this "formula" when expressing *if / then* statements in which the verb following **si** is in the **present indicative.** Note the sequence:

Si (*If*) + present indicative + (***then***) present indicative

> **Fíjate**
>
> The *then* clause is known in grammatical terms as a *resultant clause.*

Si quieres, podemos escuchar el *Concierto de Aranjuez* de Joaquín Rodrigo.	*If you would like, we can listen to* Concierto de Aranjuez, *by Joaquín Rodrigo.*
Si quieres ir a la orquesta sinfónica esta noche, te llevo.	*If you would like to go to the symphony tonight, I will take you.*

Si (*If*) + present indicative + (***then***) future

Si vas al teatro después, iré contigo.	*If you go to the theater afterwards, I will go with you.*
Si el conjunto no toca música popular, buscaremos otro club.	*If the band doesn't play popular music, we'll find another club.*

Si (*If*) + present indicative + (***then***) command

Si tienes **ganas** de escuchar y bailar flamenco, vete al bar La Trocha.	*If you feel like listening to and dancing flamenco, go to the bar La Trocha.*
Si te gustan las comedias, cómprate entradas para ese teatro.	*If you like comedies, buy tickets for that theater.*

9-26 Muy probable ¿Cuántas oraciones lógicas puedes formar en cuatro minutos, combinando elementos de las columnas A y B? Crea todas las oraciones que puedas y después compáralas con las de un/a compañero/a. ■

MODELO   *Si quieres escuchar música alternativa, no vengas a mi casa.*

COLUMNA A

Si querer escuchar música alternativa…
Si tocar el merengue…
Si tener un clarinete…
Si gustar el baile flamenco…
Si no tener cuerdas nuevas…
Si no venir al espectáculo…

COLUMNA B

no poder usar esa guitarra española
bailar contigo
no venir a mi casa
tocar en la orquesta
tomar lecciones con Silvia
perder el show de los mariachis de Guadalajara

 9-27 Fher Fher es un músico muy conocido y muy popular del grupo Maná. Con un/a compañero/a, termina el siguiente párrafo con las formas correctas de los verbos apropiados para conocerlo. ■

Fíjate

 To learn more about this famous rock band and to hear some of their music, research them on the Internet. (Suggested keywords: *Maná, música*)

© emin kuliyev/Shutterstock

enojarse	estar	ganar	levantarse	llegar
llevarse (bien / mal)	perder	poder	prepararse	tener

Hola, amigos. Me llamo José Fernando Emilio Olvera Sierra y soy originalmente de Puebla, México. Mis amigos me llaman Fher. Soy guitarrista, compositor y cantante principal del grupo Maná. Recientemente, hemos estado trabajando mucho —tanto en la música como en nuestra fundación Selva Negra y en otras cosas parecidas. Bueno, ustedes me preguntaron sobre un día normal para mí…

Si (1) _____ temprano, (2) _____ tiempo para leer el periódico antes de salir para el estudio. No me gusta andar corto de tiempo porque si (3) _____ tarde al ensayo, los otros miembros del grupo (4) _____ conmigo. Si no (5) _____ bien, (6) _____ tiempo y energía. Si no (7) _____ ensayar bien porque estamos frustrados o preocupados, no (8) _____ bien para nuestra representación en los Premios Grammy Latinos. Aparte de la canción que vamos a representar, nos han nominado para cuatro premios. Y como ustedes pueden imaginar, si (9) _____ uno, (10) _____ muy contentos. Si ustedes tienen más preguntas vayan a mi página de Facebook.

 9-28 La otra parte Aquí tienen los posibles resultados, o sea, la otra mitad de las oraciones con **si.** Inventen la parte que falta. ■

MODELO   …voy al museo.

   Si hay una exhibición de arte precolombino, voy al museo.

1. …iremos al teatro.
2. …compro un reproductor de MP3.
3. …vete sola al espectáculo.
4. …aprende a tocar el teclado.
5. …serás el solista.
6. …entrevistamos a la diva.
7. …no llegaré a tiempo a la función.
8. …pídele una audición.

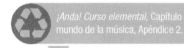 **Siempre la oposición**

Catrina siempre se opone a lo que sus padres le dicen. Respondan a las sugerencias de los padres como si fueran Catrina, usando siempre el vocabulario de **La música y el teatro.** ■

MODELO   LOS PADRES: Si tienes tiempo, puedes limpiar tu cuarto.

CATRINA: *Si tengo tiempo, tocaré el órgano.*

1. Si puedes llegar temprano, vamos al cine.
2. Si terminas de leer el drama, podrás escribir el ensayo para la clase de inglés.
3. Si quieres comprar unas cuerdas nuevas para la guitarra vieja, vete a la tienda Música Central.
4. Si tienes miedo de salir a escena, debes ensayar delante del espejo.
5. Si ensayas más, serás mejor música.
6. Si quitas esa música fuerte, podrás oír lo que te estoy diciendo.

 ¡Anda! Curso elemental, Capítulo 5. El mundo de la música, Apéndice 2.

 9-30 Mi media naranja (*My soul mate*) Escuchen mientras su profesor/a les da las instrucciones de esta actividad. ¡Diviértanse! ■

9-31 Si lo hacemos... Ya has estado en esta clase de español por muchas semanas, pero ¿conoces bien a tu compañero/a? ¿Cómo crees que tu compañero/a va a contestar las siguientes preguntas? Túrnense para hacérselas, adivinar las respuestas y ¡aprender la verdad! ■

MODELO   E1: *Si estás seleccionando música para una fiesta en tu casa, ¿qué tipo de música escoges? Creo que dirás que escoges el rock.*

E2: *Tienes razón. Para una fiesta en mi casa, siempre escojo el rock.*

E2: *Para la pregunta número dos...*

1. Si estás seleccionando música para una fiesta en tu casa, ¿qué tipo de música escoges?
2. Si tus amigos y tú quieren ir a un concierto, ¿qué tipo de concierto prefieren —de música clásica, rock, pop, rap, etc.?
3. Si tus padres te compran un reproductor de MP3 nuevo, ¿qué marca y modelo prefieres?
4. Si decido ir al teatro este fin de semana, ¿qué obra debo ver?
5. Si salen con sus amigos el sábado, ¿a dónde irán?
6. Si tienes tiempo libre esta noche, ¿qué piensas hacer?

6 VOCABULARIO

09-28 to 09-30

El cine y la televisión
Delving into the world of cinema and television

¡Anda! Curso elemental, Capítulo 5.
El mundo del cine, Apéndice 2.

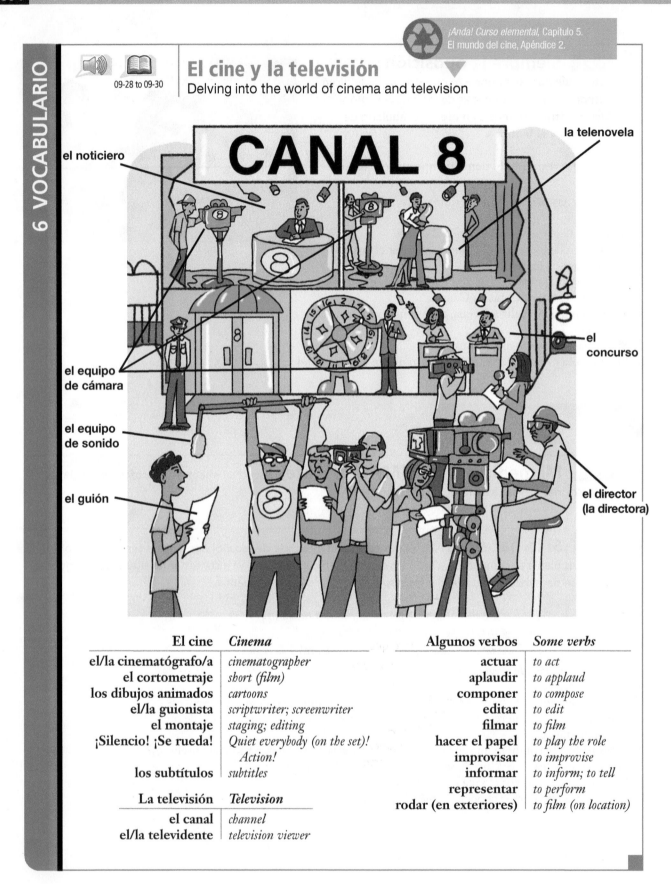

el noticiero

la telenovela

el equipo de cámara

el equipo de sonido

el guión

el concurso

el director (la directora)

El cine	Cinema
el/la cinematógrafo/a	cinematographer
el cortometraje	short (film)
los dibujos animados	cartoons
el/la guionista	scriptwriter; screenwriter
el montaje	staging; editing
¡Silencio! ¡Se rueda!	Quiet everybody (on the set)! Action!
los subtítulos	subtitles

La televisión	Television
el canal	channel
el/la televidente	television viewer

Algunos verbos	Some verbs
actuar	to act
aplaudir	to applaud
componer	to compose
editar	to edit
filmar	to film
hacer el papel	to play the role
improvisar	to improvise
informar	to inform; to tell
representar	to perform
rodar (en exteriores)	to film (on location)

9-32 **Las diferencias** Durante las próximas vacaciones, consiguieron trabajos como guías en los estudios de 20th Century Fox. Túrnense para practicar lo que les dirán a los turistas cuando expliquen las diferencias entre las siguientes palabras. ■

MODELO   ensayar / representar

Ensayar es prepararse para representar un papel a través de mucha práctica.

1. el cortometraje / los dibujos animados
2. la telenovela / la televidente
3. improvisar / representar
4. el montaje / el guión
5. rodar / editar
6. el cinematógrafo / la directora

 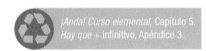

¡Anda! Curso elemental, Capítulo 5.
Hay que + infinitivo, Apéndice 3.

 9-33 **Todo relacionado** Son los productores de una película. Pon en orden lo que tiene que ocurrir para que la película salga bien. ■

___4___ Hay que seleccionar los actores, el equipo de cámara, el equipo de sonido, etc.
___6___ Hay que preparar el montaje.
___5___ Hay que montar el decorado.
___1___ Un guionista identifica un tema o una historia para desarrollar o adaptar para el cine.
___8___ Hay que rodar.
___9___ Hay que hacerle publicidad a la película.
___2___ El guionista o su agente les manda el guión a muchos directores de cine.
___7___ Los actores tienen que ensayar mucho.
___3___ Hay que identificar un buen guión.

 9-34 **Lo conocido** ¿Qué personas, títulos u otras cosas asocian ustedes con cada una de las siguientes palabras? Compara tus ideas con las de un/a compañero/a. ■

MODELO   el noticiero que les gusta más
Noticiero Telemundo

1. un cortometraje
2. una película reciente de dibujos animados
3. un/a director/a famoso/a
4. un guión más interesante que la novela en la cual se basa
5. el canal más popular entre tus amigos
6. el concurso más aburrido
7. una película con subtítulos
8. una telenovela

9-35 Profesiones sobresalientes Elige una de las siguientes profesiones y escribe un párrafo de las cualidades, habilidades u otros requisitos para tener éxito en esa profesión. Después, en grupos de cuatro, compartan sus listas. ■

MODELO *Es necesario que un músico o una música ensayen mucho. Es importante que tenga un buen instrumento. También es importante tener paciencia.*

1.

2.

3.

4.

5.

6.

PERFILES

09-31 to 09-32

El arte como expresión personal

El artista necesita expresarse mediante la forma más apropiada para sí mismo. Estas tres personas han logrado sus expresiones artísticas y personales, cada una de forma muy distinta.

© Filmspiegel/Dreamstime

©MARCOS BRINDICCI/RTR/Newscom

©Kazimierz Jurewicz/Alamy

Uno de los directores del cine mexicano más conocidos es **Alejandro González Iñárritu** (n. 1963). Ha trabajado con muchos de los actores más famosos del cine y ha dirigido varias películas excelentes como *Amores perros, Babel* y *Biutiful,* que ganaron premios internacionales. Recibió el premio al Mejor Director en el Festival de Cine de Cannes en el año 2006.

Si sabes algo del ballet, conocerás a **Julio Bocca** (n. 1967), quien es, sin duda, el bailarín argentino más famoso del mundo. Después de veinte años con el American Ballet Theatre, volvió a su país nativo en el año 2006 para trabajar con su propia compañía, el Ballet Argentino. Ya no baila profesionalmente pero continúa siendo el director de la compañía.

No hay guitarrista que simbolice más la música flamenca que **Paco de Lucía** (n. 1947). Este músico andaluz también ha experimentado con otros estilos como el jazz, e inclusive incorporó el cajón, instrumento afroperuano, en sus composiciones flamencas. Si quieres conocer la música flamenca, escucha a este maestro del arte.

Preguntas

1. ¿Cómo se expresan artísticamente estas personas?
2. Si piensas en estas formas de expresión artística, ¿qué otros artistas conoces o puedes nombrar?
3. Considerando todas las formas de arte, en tu opinión, ¿quién es el/la artista más importante de tu época? Si piensas en todas las épocas, ¿quién será el más importante en tu opinión? ¿Qué tipo(s) de arte representa? ¿Por qué opinas así?

Workbooklet

9-36 **Los mejores y los peores** Escribe tus selecciones para las siguientes categorías y después, en grupos de tres, compartan la información. ■

	YO	ESTUDIANTE 1	ESTUDIANTE 2
mejor / peor artista			
mejor / peor grupo musical			
mejor / peor cantante			
mejor / peor canción			
mejor / peor programa de la televisión			
mejor / peor concurso de la televisión			
mejor / peor noticiero			

¡CONVERSEMOS!

09-33 to 09-34

ESTRATEGIAS COMUNICATIVAS Clarifying and using circumlocution

When speaking, you will occasionally need to clarify or elaborate what you are saying. Perhaps your listener(s) did not understand you; perhaps you felt you did not express yourself exactly as you wished; or perhaps you do not know the exact words or way to express what you wanted to say. Finding another way to say what you mean is known as using *circumlocution* and is a technique and skill that is important when communicating. Use the following expressions to begin your clarification, elaboration, or restatement.

• **Es decir...**	*That's to say . . .*
• **O sea...**	*That is . . .*
• **(Lo que) quiero decir...**	*(What) I mean . . .*
• **Es que...**	*It's that . . . / The fact is that . . .*
• **En otras palabras...**	*In other words . . .*

 9-37 **Diálogo** Escucha la conversación entre Mariela y José Luis y contesta las siguientes preguntas. ■

1. Según la conversación, ¿a quién le gustan las artes modernas? ¿A quién le gustan las artes antiguas?
2. En realidad, ¿qué quería decirle Mariela a José Luis y qué quería decirle José Luis a Mariela?

 9-38 **Parecidos** Dicen que por cada diez personas encontrarás diez opiniones diferentes. Sin embargo, existen semejanzas también. ■

Paso 1 Busca a un/a compañero/a que tenga los mismos gustos que tú en uno de los cuatro temas que siguen: el arte, la música, el teatro o el cine/ la televisión. Crea **cinco** preguntas y entrevista a **cinco** compañero/as para encontrar el/la compañero/a más parecido/a a ti.

MODELO E1: *¿Te gustan las tragedias? Es decir, ¿te gustan las obras de Shakespeare?*

E2: *Sí, me gustan, pero no todas. O sea, no me gustan las tragedias modernas sino…*

Paso 2 Hagan un reportaje oral en el que comparen sus semejanzas. Cada uno debe expresar sus ideas en por lo menos **ocho** oraciones.

 9-39 **Meter la pata** ¿Cuántas veces has dicho algo que alguien interpretó mal? O, ¿cuántas veces has dicho algo que no debías? Creen diálogos de las siguientes situaciones donde metiste la pata (*put your foot in your mouth*). ■

a. criticaste la música de tu mejor amigo/a
b. insististe en ir a una película y el guión fue horrible y todo el mundo gastó mucho dinero
c. visitaste a un/a amigo/a y criticaste su alfarería. Resulta que era de su madre.
d. ¿…? (tu propia situación donde metiste la pata)

 9-40 **¿Qué dirían?** Claro que hay excepciones, pero es posible predecir las opiniones de. Creen diálogos entre las siguientes personas sobre los temas de la lista. Cada diálogo debe tener por lo menos **doce** oraciones, usando expresiones de clarificación y de circunlocución: oraciones usando **el subjuntivo** y oraciones con *si* + **presente**. ■

a. los dibujos animados de Disney o Pixar
b. el director mexicano Alejandro González Iñárritu
c. el bailarín Julio Bocca
d. la música de Paco de Lucía
e. el Museo del Oro de Bogotá en Colombia, y un museo en los Estados Unidos que conozcan
f. la música alternativa
g. ¿…? (un tema que seleccionen)

 9-41 **Y el premio va a…** Casi todos han visto los programas de premios como los Óscar, los Grammy, los Tony y los Premios Grammy Latinos. Ahora les toca a ustedes crear unos premios y aceptarlos. ■

Paso 1 Creen unos premios para las siguientes situaciones. Hay que describir a los candidatos y explicar por qué merecen el premio.

a. un premio a la mejor pintura, cerámica, escultura o el mejor tejido
b. la mejor grabación de la música X
c. el/la mejor cinematógrafo/a, director/a, guionista, o el mejor vestuario o la mejor producción de teatro (danza, comedia, tragedia, etc.)

Paso 2 Acepten los premios con un discurso (*speech*).

 9-42 **¡Silencio! ¡Se rueda!** Por fin les toca a ustedes. Hagan los papeles de las siguientes personas para crear su propio **Laberinto peligroso**: el/la cinematógrafo/a, el/la director/a, el/la guionista. También planeen el vestuario y el decorado. Finalmente, ¿hay una diva en su presentación? Si hay, ¿quién es? ¡Diviértanse! ■

399

ESCRIBE

 Un cuento corto

09-35 to 09-36

Estrategia	The purpose of an introduction is to draw the reader in and focus his/her attention on your topic or theme. A good introduction engages the reader's attention, identifies the subject, and often sets the tone for the writing piece.	A strong conclusion should underscore your main points in a nonfiction piece or the theme in a fictional work, maintain the reader's interest, and even motivate the reader to continue to learn about the topic or find out what happens next if it is fiction.
Introductions and conclusions in writing		

9-43 **Antes de escribir** Vas a escribir un cuento corto que describa una escena de una obra de arte —digamos una pintura. (Tu profesor/a te dará opciones para la obra si no tienes un cuadro favorito.) Mira el cuadro, piensa en dos o tres ideas principales de tu cuento que describan lo que ocurre en la obra. Piensa también en una oración introductoria que capte la atención del lector. Luego, considera una oración que resuma y subraye (*underscores*) tus ideas principales. ■

9-44 **A escribir** Ahora que tienes tus ideas organizadas, escribe tu cuento, prestando atención a la introducción y a la conclusión sobre todo. Asegúrate de que en el cuento: ■

- hayas empezado con una introducción que llame la atención del lector.
- hayas descrito lo que pasa en la pintura u otra obra de arte.
- hayas terminado con una conclusión que resuma el cuento y que mantenga el interés del lector.

 9-45 **Después de escribir** Comparte tu cuento y una imagen de la obra de arte sobre la cual escribiste con dos compañeros. ■

¿Cómo andas? II

	Feel confident	Need to review
Having completed **Comunicación II,** I now can ...		
• observe the world of music and theater. (p. 386)	☐	☐
• classify people and things in the extreme. (MSL)	☐	☐
• discuss possible actions in the present and future. (p. 391)	☐	☐
• delve into the world of cinema and television. (p. 394)	☐	☐
• identify different artistic and expressive talents. (p. 397)	☐	☐
• practice and use circumlocution. (p. 398)	☐	☐
• create strong introductions and conclusions in writing. (p. 400)	☐	☐

Vistazo cultural

RAL • VISTAZO CULTURAL • VISTAZO CULTURAL • VISTAZO CULTURAL • VISTAZO CULTURAL • VISTAZO CULTURAL • VISTAZO CULTURAL • VISTAZO

©Photos.com/Thinkstock

Nicolás Zambrano Vera,
estudiante de música y sonido

09-37 to 09-38

El arte de Perú, Bolivia y Ecuador

Soy estudiante del Instituto de Música Contemporánea (IMC) de la Universidad San Francisco de Quito en Ecuador. El instituto está relacionado con la prestigiosa universidad Berklee College of Music de Boston y es una de las mejores escuelas de música en Sudamérica. Si consigo mi licenciatura en Producción Musical y Sonido este año, pronto espero encontrar trabajo como productor musical para discos.

©Susan Abad/El Comercio de Perú/Newscom

El cajón, instrumento peruano

No hay instrumento de percusión más asociado con Perú que el cajón. Es probable que el cajón date de los tiempos coloniales, cuando los esclavos africanos lo empleaban para representar y reproducir la música de su herencia africana. Hoy en día, este instrumento folklórico forma parte indispensable de la música afroperuana.

©Ronald Sumners/Shutterstock

Susana Baca, cantante peruana

La cantante Susana Baca (n. 1944) es la mejor promotora de la música afroperuana hoy en día. Ella fundó el Centro Experimental de Música Negro Continuo en Lima para estudiar e investigar las raíces de la música negra en Perú. En el año 2011 fue nombrada Ministra de Cultura del Perú, la primera persona de raza negra en servir en el gabinete del gobierno peruano.

Mario Vargas Llosa, autor peruano

Lee una de las novelas de Mario Vargas Llosa (n. 1936), como *La casa verde* o *Conversación en la catedral*, si quieres entender algo de la cultura peruana. Es un escritor y novelista de talento enorme; ganó el Premio Nobel de Literatura en el año 2010. Es también dramaturgo, cuentista y político: se presentó como candidato para la presidencia de Perú en el año 1990.

©APP Photo/Barriopedro

402

©Radu Razvan/Shutterstock

Música folklórica boliviana

Si quieres conocer la música folklórica de los países andinos, escucha algunas canciones interpretadas por el grupo boliviano Los Kjarkas. Fundado en el año 1965, este grupo es uno de los mejores representantes de la música boliviana. Tocan instrumentos folklóricos típicos y cantan en español y en quechua.

de Bolivia y Perú

©steve100/Shutterstock

Artesanía de Otavalo, Ecuador

Ecuador es famoso por sus productos de artesanía, sobre todo en la provincia de Imbabura. Si deseas escoger entre una gran variedad de arte, debes ir al mercado de Otavalo. Allí encontrarás tejidos y tapices de colores y diseños bonitos, figuras de talla de madera bien elaboradas y mucho más.

© Presselect / Alamy

Carla Ortiz, actriz boliviana

Desde niña, la boliviana Carla Ortiz (n. 1976) quería ser actriz. Empezó como modelo y luego pasó al campo de la televisión. Se mudó a México, donde ha aparecido en muchas telenovelas. Actualmente, vive en Los Ángeles, donde sigue apareciendo en la televisión. También actuó en la película *Los Andes no creen en Dios* (2007).

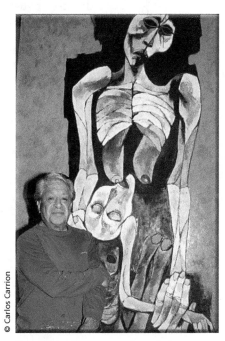

© Carlos Carrion

Oswaldo Guayasamín, pintor ecuatoriano

Oswaldo Guayasamín (1919–1999), de Ecuador, fue principalmente pintor, pero también diseñaba joyería y hacía objetos de artesanía de metal y de madera. Si examinas sus pinturas, verás reflejada una preocupación por el sufrimiento del ser humano y la denuncia de la miseria que las personas tienen que aguantar en la vida.

Preguntas

1. ¿Qué formas artísticas se mencionan aquí? ¿Cuál vistazo te interesa más y por qué?
2. Identifica varias relaciones entre los artistas mencionados en este capítulo.
3. Piensa en los *Vistazos culturales* anteriores e identifica unas conexiones entre ellos y el arte que has estudiado en este capítulo. (E.g., **Capítulo 4:** los diseños de las alfombras de flores de la Semana Santa o las máscaras de Guatemala)

403

©Pearson Education/PH College

Laberinto peligroso

EPISODIO 9

Lectura

09-41

Estrategia Making inferences: Reading between the lines

Inferring is drawing conclusions based on information provided, the reader's prior knowledge, and a general comprehension of the text. When you infer something, it is not explicitly stated but rather suggested by the author. For each inference you make, pinpoint the facts in the passage and also identify the background knowledge that has led you to your conclusion.

9-46 **Antes de leer** En los episodios del **Capítulo 8,** viste cómo la situación de Cisco se vuelve más peligrosa. Antes de empezar a leer este episodio, contesta las siguientes preguntas. ■

1. ¿Qué pasó al final del último episodio? ¿Dónde estaba Cisco? ¿Por qué estaba allí?
2. ¿Qué piensas que le habrá pasado a Cisco?
3. Basándote en el título de la lectura del **Capítulo 9,** ¿quién crees que protagoniza este episodio? ¿Por qué?
4. Muchas veces, para realmente comprender un texto es necesario que prestes tanta atención a lo que dice el texto implícitamente (no abiertamente) como a lo que dice explícitamente (abiertamente); es decir, es necesario leer entre líneas. Por ejemplo, en los episodios anteriores, la narración no ha hablado muy abiertamente sobre la relación entre los diferentes protagonistas, pero sí ha sugerido algo al respecto. Basándote en los episodios que has visto hasta el momento, ¿qué has deducido sobre la relación entre Celia y Cisco? Cuando contestes las preguntas de *Después de leer,* vas a tener más oportunidades para leer en concreto entre líneas en este episodio.

  Sola y preocupada

Celia tenía ganas de ver la comedia que se había estrenado en el teatro. Según los críticos, era la mejor obra de la temporada. Había pensado en ir sola, pero mientras esperaba a comprar su entrada cambió de idea. Pensó, "Aunque no me importa ir sola, prefiero que otra persona venga conmigo. Quizás invite a Javier o a Cisco. Dudo que a Javier le guste el teatro tanto como a Cisco. Javier prefiere el cine". Inmediatamente decidió llamar a Cisco para ver si le gustaría acompañarla a la función. Cuando no contestó el teléfono de casa, intentó llamarlo a su teléfono celular. Tampoco lo contestó. Celia se dijo, "¡Qué extraño que haya salido sin el celular! Nunca va a ninguna parte sin ese teléfono. ¿Por qué no ha contestado? ¿Qué estará haciendo?".

404

Cuando salió del teatro, Celia no tenía muchas ganas de ir a casa para trabajar. Estaba un poco preocupada por Cisco. Se dijo, "Si me preocupo, entonces seguramente está perfectamente bien, tomando café con alguna de sus numerosas amigas. Pero si no me preocupo, entonces será que algo le ha pasado y necesita ayuda". Se dio cuenta de la futilidad de sus pensamientos y se dijo "¡Celia, contrólate! ¡No es bueno que pienses en esas cosas!". Tenía que trabajar en la investigación, pero no tenía ganas de hacerlo. Después de reflexionar un poco, tomó una decisión. "Voy a llamar a Javier; quizá él quiera ir al cine. Si me dice que sí, iremos al cine. Si me dice que no, entonces me iré a casa para seguir trabajando". Lo llamó y él tampoco contestó el teléfono. "¿Estarán juntos Cisco y Javier?" se preguntó Celia.

Al llegar a casa, Celia se puso a trabajar inmediatamente. Después de empezar a leer un artículo interesante, empezó a sentirse más motivada. La información que había encontrado Cisco sobre el tráfico de artefactos precolombinos los había llevado a investigar más sobre el arte de diferentes grupos indígenas. Lo más llamativo de lo que descubría era la variedad de la artesanía de las culturas. Trabajaban en la alfarería, la cestería y la cerámica; creaban tapices, tejidos, esculturas de barro y figuras y objetos tallados en madera. Había todavía más diversidad en los temas de sus obras: en algunas representaban paisajes, otras eran retratos. En algunos dibujos y esculturas se centraban más en plantas y animales, mientras que en otras obras creaban diseños con figuras abstractas. Muchas obras reflejaban la vida cotidiana de la gente.

Aunque le fascinaba lo que aprendía sobre la artesanía de los indígenas, pronto se dio cuenta de que esos datos no eran tan importantes como otros. Por eso, se puso a leer artículos sobre las sustancias extraídas de las plantas. Lo que le pareció más llamativo de esos documentos eran las numerosas referencias al Dr. Huesos y su trabajo con las plantas. Por lo visto, era uno de los máximos expertos en el tema de las sustancias venenosas que se encuentran en las selvas tropicales. El artículo más reciente indicaba que el profesor había desaparecido durante un viaje a una selva en Guatemala, justo antes de la erupción de un volcán. Mientras Celia buscaba más información sobre el Dr. Huesos, alguien llamó a la puerta. Celia se levantó para ver quién era. Vio que era el hombre misterioso del café. Lo que no sabía era que el hombre llevaba un cuchillo.

9-47 **Después de leer** Contesta las siguientes preguntas. ■

1. Según el texto, ¿por qué decidió Celia llamar a Cisco en lugar de Javier?
2. ¿Por qué crees que Celia llamó a Cisco? ¿Por qué crees eso?
3. Según el texto, ¿cómo se sentía Celia cuando no pudo hablar con Cisco?
4. ¿Cómo piensas tú que se sentía? ¿Por qué piensas eso?
5. Según el texto, ¿por qué llamó a Javier?
6. ¿Por qué crees que llamó a Javier? ¿Por qué crees eso?
7. ¿Por qué volvió Celia a su casa en lugar de ir al cine?
8. Según el texto, ¿qué tipo de arte hacían los indígenas en Latinoamérica?
9. ¿Qué le pasó al Dr. Huesos en Guatemala?
10. ¿Qué ocurrió al final del episodio?

Video

09-42 to 09-43

9-48 **Antes del video** Antes de ver el episodio del video, *Desaparecidos,* contesta las siguientes preguntas. ■

1. ¿Quién fue a la casa de Celia al final de la lectura? ¿Por qué crees que fue a su casa?
2. ¿Qué crees que le pasó al Dr. Huesos? ¿Por qué?
3. Basándote en el título del video, describe qué crees que va a pasar en el video.

Han encontrado el cadáver de un hombre en Guatemala. Según las autoridades podría ser el cuerpo del Dr. Huesos.

¿Cómo? ¿Asesinado?

Si hubiera venido, habría dejado (*would have left*) una clave, ¿no?

Episodio 9

«Desaparecidos»

Relájate y disfruta el video.

9-49 **Después del video** Contesta las siguientes preguntas. ■

1. ¿Qué ocurrió con el hombre misterioso en este episodio?
2. ¿Quiénes entraron en casa de Celia? ¿Por qué entraron en su casa?
3. Según Javier, ¿qué le pasó al Dr. Huesos en Guatemala?
4. ¿Qué encontró Celia en la casa de Cisco?
5. ¿Qué hay en el museo?
6. ¿Qué es necesario que haga Celia si quiere que Cisco esté bien?
7. ¿Qué pasará si Celia intenta contactar a los detectives?

406

LETRAS

09-47 to 09-50

Acabas de terminar otro episodio de **Laberinto peligroso.** Explora más lecturas en la colección literaria, **Letras.**

Y por fin, ¿cómo andas?

Having completed this chapter, I now can . . .

	Feel confident	Need to review

Comunicación I

- explore the visual arts. (p. 372)
- offer comparisons of equality and inequality. (MSL)
- recommend and suggest, express volition, doubt, and emotions, and describe uncertainty or the unknown. (p. 375)
- examine handicrafts and their artisans. (p. 381)
- draw inferences about what I hear. (p. 384)

Comunicación II

- observe the world of music and theater. (p. 386)
- classify people and things in the extreme. (MSL)
- discuss possible actions in the present and future. (p. 391)
- delve into the world of cinema and television. (p. 398)
- practice and use circumlocution. (p. 400)
- create strong introductions and conclusions in writing. (p. 400)

Cultura

- share information about a pre-Columbian art museum. (p. 383)
- identify different artistic and expressive talents. (p. 397)
- investigate the art, artists, and artisans of Peru, Bolivia, and Ecuador. (p. 402)

Laberinto peligroso

- derive inferences when reading, and hypothesize about Dr. Huesos and the ominous man outside Celia's door. (p. 404)
- consider Celia's threatening e-mail and Cisco's predicament. (p. 406)

Comunidades

- use Spanish in real-life contexts. (SAM)

Literatura

- distinguish anaphora, metonymy, and synecdoche as vehicles of poetic expression. (Literary Reader)

VOCABULARIO ACTIVO

El arte visual	Visual arts
la acuarela	watercolor
el arte dramático	performance art
el/la artista	artist
el autorretrato	self-portrait
el dibujo	drawing
el diseño	design
el grabado	etching
la imagen	image
el lienzo	canvas
el motivo	motif; theme
el mural	mural
el/la muralista	muralist
la naturaleza muerta	still life
la obra maestra	masterpiece
el óleo	oil painting
el paisaje	landscape
el pincel	paintbrush
el/la pintor/a	painter
la pintura	painting
el retrato	portrait
el taller	workshop; studio
el tema	theme; subject
el valor	value

Algunos adjetivos	Some adjectives
cotidiano/a	everyday; daily
estético/a	aesthetic
gráfico/a	graphic
innovador/a	innovative
llamativo/a	colorful; showy; bright
talentoso/a	talented
técnico/a	technical
visual	visual

Algunos verbos	Some verbs
crear	to create
dibujar	to draw
encargarle (a alguien)	to commission (someone)
esculpir	to sculpt
exhibir	to exhibit
hacer a mano	to make by hand
reflejar	to reflect
representar	to represent

La artesanía	Arts and crafts
la alfarería	pottery; pottery making
el/la alfarero/a	potter
las artes decorativas / aplicadas	decorative / applied arts
el/la artesano/a	artisan
el barro	clay
la cerámica	ceramics
la cestería	basket weaving; basketry
el/la escultor/a	sculptor
la escultura	sculpture
la talla	wood sculpture; carving
el tapiz	tapestry
el/la tejedor/a	weaver
el tejido	weaving

El mundo de la música y del teatro	The world of music and theater
La música	*Music*
el clarinete	*clarinet*
el/la compositor/a	*composer*
el coro	*choir*
el cuarteto	*quartet*
las cuerdas	*strings; string instruments*
el espectáculo	*show*
el flamenco	*flamenco*
los instrumentos de metal	*brass instruments*
los instrumentos de viento / de madera	*woodwinds; wood instruments*
el mariachi	*mariachi*
el merengue	*merengue*
la música alternativa	*alternative music*
la música popular	*popular music*
el/la organista	*organist*
el órgano	*organ*
la orquesta sinfónica	*symphony orchestra*
la pieza musical	*musical piece*
el reproductor de MP3	*MP3 player*
el saxofón	*saxophone*
el/la saxofonista	*saxophonist*
los/las seguidores/as	*fans; groupies; followers*
el/la solista	*soloist*
el teclado	*keyboard*
el trío	*trio*
el trombón	*trombone*
el violín	*violín*

El teatro	*Theater*
el ballet	*ballet*
la comedia	*comedy*
la danza	*dance*
el decorado	*set*
el/la director/a de escena	*stage manager*
la diva	*diva*
el drama	*drama*
el/la dramaturgo/a	*playwright*
el escenario	*stage*
la función	*show; production*
el miedo de salir a escena	*stage fright*
la obra de teatro	*play*
la tragedia	*tragedy*
el vestuario	*costume; wardrobe; dressing room*

El mundo del cine y la televisión	The world of cinema and television
El cine	*Cinema*
el/la cinematógrafo/a	*cinematographer*
el cortometraje	*short (film)*
los dibujos animados	*cartoons*
el/la director/a	*director*
el equipo de cámara / sonido	*camera / sound crew*
el guión	*script*
el/la guionista	*scriptwriter; screenwriter*
el montaje	*staging; editing*
¡Silencio!	*Quiet everybody (on the set)!*
¡Se rueda!	*Action!*
los subtítulos	*subtitles*

La televisión	*Television*
el canal	*channel*
el concurso	*game show; pageant*
el noticiero	*news program*
la telenovela	*soap opera*
el/la televidente	*television viewer*

Algunos verbos	*Some verbs*
actuar	*to act*
aplaudir	*to applaud*
componer	*to compose*
editar	*to edit*
filmar	*to film*
hacer el papel	*to play the role*
improvisar	*to rehearse; to improvise*
informar	*to inform; to tell*
representar	*to perform*
rodar (en exteriores)	*to film (on location)*

Un planeta para todos

10

Un planeta para todos

Con más población y contaminación, la calidad de vida se reduce para todo ser vivo en el planeta, tanto para las personas como para los animales y las plantas. Cuidar de la naturaleza y los recursos que tiene la Tierra no es una opción: es una necesidad.

PREGUNTAS

1 ¿Qué tipo(s) de contaminación existe(n) en tu comunidad?

2 ¿Cuáles son algunos de los peligros de la contaminación del medio ambiente?

3 ¿Qué haces para contribuir a la contaminación? ¿Y para reducirla o disminuirla?

410

Kvost / Shutterstock

411

Comunicación I

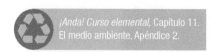

¡Anda! Curso elemental, Capítulo 11.
El medio ambiente, Apéndice 2.

10-01 to 10-03

El medio ambiente Describing the environment

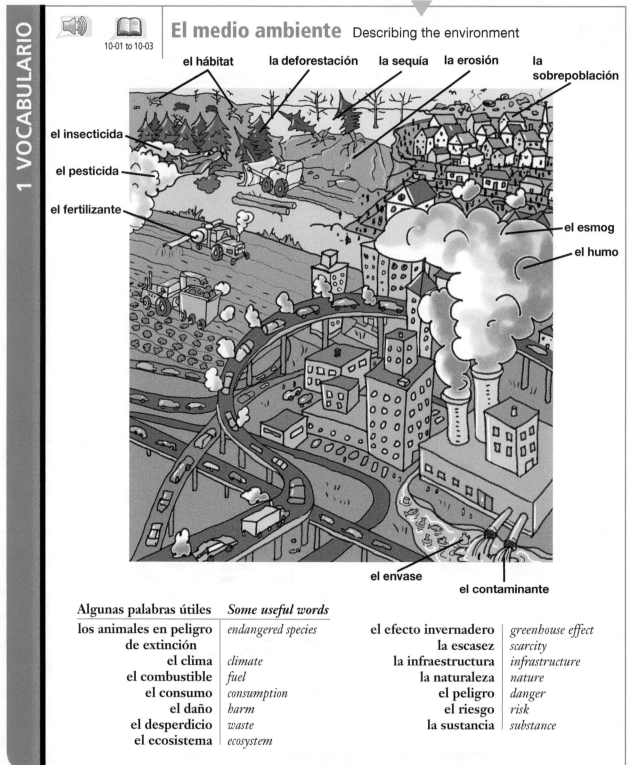

el hábitat   la deforestación   la sequía   la erosión   la sobrepoblación

el insecticida

el pesticida

el fertilizante

el esmog

el humo

el envase   el contaminante

Algunas palabras útiles	*Some useful words*		
los animales en peligro de extinción	*endangered species*	**el efecto invernadero**	*greenhouse effect*
el clima	*climate*	**la escasez**	*scarcity*
el combustible	*fuel*	**la infraestructura**	*infrastructure*
el consumo	*consumption*	**la naturaleza**	*nature*
el daño	*harm*	**el peligro**	*danger*
el desperdicio	*waste*	**el riesgo**	*risk*
el ecosistema	*ecosystem*	**la sustancia**	*substance*

Algunos verbos	Some verbs
amenazar	to threaten
conservar	to conserve
cosechar	to harvest
dañar	to damage; to harm
desaparecer	to disappear
descongelar	to thaw
desperdiciar	to waste
destruir	to destroy
fabricar	to make; to produce
hacer ruido	to make noise
mejorar	to improve
preservar	to preserve
prevenir	to prevent
reducir	to reduce
reemplazar	to replace
rescatar	to rescue
sobrevivir	to survive
sostener	to sustain

Algunos adjetivos	Some adjectives
árido/a	arid; dry
biodegradable	biodegradable
climático/a	climatic
ecológico/a	ecological
exterminado/a	exterminated
renovable	renewable
tóxico/a	poisonous

Estrategia

When discussing *El medio ambiente*, include previously learned vocabulary that connects with this theme. For example, in *¡Anda! Curso elemental* you learned *el daño*, *el efecto invernadero*, and *la naturaleza*. For more review vocabulary on the environment, go to Appendix 3, *Capítulo 11*.

REPASO

¡Hola!

Repaso & Spanish/English Tutorials   10-04 to 10-06

Las preposiciones y los pronombres preposicionales
Indicating purpose, time, and location

For a complete review of prepositions and prepositional pronouns, go to MySpanishLab or refer to **Capítulo 11** of *¡Anda! Curso elemental* in Appendix 3 of your textbook. The vocabulary activities that follow incorporate this grammar point. Practicing new vocabulary with a review grammar point helps to strengthen and increase your knowledge of Spanish.

  10-1 Definiciones Completa los siguientes pasos. ■

Paso 1   Aquí tienen las definiciones. ¿Cuáles son las palabras? Túrnense.

MODELO   todo lo que nos rodea (*surrounds us*) y que debemos cuidar para mantenerlo limpio
el medio ambiente

Estrategia

Remember that *la tierra* means "land" or "soil," whereas *la Tierra* refers to the planet Earth.

1. la falta o insuficiencia de algo, por ejemplo el agua o la energía   *la escasez*
2. una sustancia química tóxica que echamos encima de las plantas para controlar los insectos   *el insecticida, el pesticida*
3. la falta de agua en la Tierra   *la sequía*
4. tener demasiadas personas viviendo dentro de un área de la Tierra   *la sobrepoblación*
5. preparar con anticipación lo necesario para evitar algo   *prevenir*
6. liberar de peligro o daño   *rescatar*
7. tener la posibilidad de hacer algo de nuevo, o de volverlo a su estado original   *renovable*
8. elementos o servicios que son necesarios para la creación y buen funcionamiento de una organización   *la infraestructura*

Paso 2   Ahora di las preposiciones que hay en cada definición. Túrnense.

10-2 **Nuestros problemas** Delia y Fabián acaban de participar en el Día Mundial del Medio Ambiente. Lean la conversación entre ellos y completen los siguientes pasos. ■

Paso 1   Subrayen todas **las preposiciones**.

DÍA MUNDIAL DEL MEDIO AMBIENTE

DELIA: Fabián, ¿qué opinas de los problemas del medio ambiente?

FABIÁN: Bueno, creo que el crecimiento tan rápido de la población humana y el desarrollo tecnológico están produciendo un deterioro cada vez más acelerado en la calidad del medio ambiente y en su capacidad de sostener vida.

DELIA: Sí, estoy totalmente de acuerdo. Además, según los expertos, el dióxido de carbono atmosférico se ha incrementado un treinta por ciento en los últimos doscientos cincuenta años. El problema es que eso puede impedir que la radiación de onda larga escape al espacio exterior. Parece que producimos más calor mientras que es menos el que puede escapar.

FABIÁN: Sí, y ya sé a donde vas —la temperatura global de la Tierra está subiendo. Yo creo que el cambio climático es la cuestión crítica de nuestra época. Entonces las organizaciones nacionales e internacionales tienen que exigir que las empresas y las comunidades busquen la manera de reducir las emisiones de gases de invernadero.

DELIA: Y para que esto sea realidad, hay que buscar maneras de reducir emisiones de carbono. Todo eso va a requerir un gran mejoramiento en la eficiencia energética y en las fuentes alternativas de energía.

FABIÁN: Claro, y no te olvides de los bosques, los ríos y los océanos —el consumo tiene que ser ecológico para poder proteger y conservar la belleza que tenemos en nuestro mundo.

Paso 2   Túrnense para contestar las siguientes preguntas.

1. Según Fabián, ¿qué está causando el deterioro en la calidad del medio ambiente?
2. Según Delia, ¿cuánto ha aumentado el nivel de dióxido de carbono en los dos últimos siglos?
3. ¿Cuál puede ser el efecto de ese aumento en el dióxido de carbono?
4. ¿Qué necesitan hacer tanto los países como la comunidad global para combatir eso y para proteger nuestro mundo?

 10-3 **Así es** Busquen la pareja más lógica para cada frase y creen **ocho** oraciones completas. ■

1. __H__ Alguien bota el envase en el río y…
2. __E__ El consumo de la energía para mantener el nivel de vida…
3. __A__ Según las cifras (*figures*), los Estados Unidos desperdicia más…
4. __G__ Antes de destruir todos los bosques…
5. __B__ El mundo se está calentando hasta el punto de…
6. __F__ Para reducir el consumo de petróleo…
7. __D__ Sin preservar los recursos naturales…
8. __C__ Después de dañar tanto a la Madre Tierra…

a. que cualquier otro país del planeta.
b. descongelar los polos norte y sur.
c. es impresionante ver cómo nos sigue sosteniendo.
d. el mundo será muy diferente para las generaciones del futuro.
e. es un gran desperdicio.
f. tenemos que usar los coches de gasolina mucho menos que ahora.
g. necesitamos un mejor plan para reforestar.
h. termina en el mar.

10-4 **Encuesta** ¿Eres "verde"? Completa los siguientes pasos para averiguarlo. ▪

Workbooklet

© argus / Shutterstock

Paso 1   Indica con qué frecuencia haces las siguientes acciones.

	NUNCA	A VECES	CASI SIEMPRE	SIEMPRE
1. Hablar con mis amigos y parientes para animarlos a reciclar.				
2. No importarme pagar más por los productos que son orgánicos y/o biodegradables.				
3. Reciclar todo el papel que uso.				
4. Reciclar todos los envases posibles de vidrio, plástico, cartón y lata.				
5. No pensar comprar nada que dañe el ecosistema, incluso los pañales (*diapers*).				
6. Conducir menos para conservar energía y reducir la contaminación del aire.				
7. Conducir más lento y menos agresivamente para conservar energía.				
8. Leer el periódico y las revistas en el Internet.				
9. Buscar artículos y programas de televisión para poder aprender más sobre la ecología.				
10. Preocuparme por el agotamiento (*depletion*) de los recursos naturales.				

Paso 2   Crea preguntas y házselas a por lo menos **cinco** compañeros/as de clase. Escribe sus respuestas.

MODELO   E1:   *¿Hablas con tus amigos y parientes para animarlos a reciclar?*

E2:   *Sí, les hablo a veces.*

Paso 3   En grupos de cuatro o cinco, discutan sus respuestas y creen gráficas que representen sus resultados.

hablar con amigos

pagar más por los productos orgánicos

10-5 **La Selva Negra** En el **Capítulo 9,** hablamos de Maná. ¿Sabían que la fundación ecológica La Selva Negra es el brazo social de este grupo de rock? Vayan al Internet para ver artículos y fotos de algunos de sus proyectos dedicados a la protección y preservación del medio ambiente. Después, preparen una presentación de por lo menos **quince** oraciones sobre uno de los proyectos. ■

Fíjate

Suggested keyword for your Internet search include: *Selva negra, Maná, conservación,* and *fundación.*

¡Anda! Curso elemental, Capítulo 11. El medio ambiente, Apéndice 2.

 10-6 **Debate** Formen equipos para debatir las posibles causas y soluciones a los siguientes problemas. ■

PROBLEMAS:

1.

la sobrepoblación de algunos países del mundo

2.

la deforestación

Estrategia

For some useful phrases to express agreement or disagreement, consult the *¡Conversemos!* section of this chapter on p. 440.

3.

el alto consumo de petróleo

4.

la dependencia de la energía de combustibles fósiles

2 GRAMÁTICA

10-07 to 10-09   ¡*Hola!* Spanish Tutorial

El imperfecto de subjuntivo

Specifying prior recommendations, wants, doubts, and emotions

You already have learned and practiced when to use the subjunctive versus the indicative. You have been using the present and present perfect subjunctive. Now we will explore the past subjunctive, or **el imperfecto de subjuntivo.**

1. The imperfect subjunctive is used to refer to past events that can include those that were incomplete, hypothetical, unreal, or indefinite. It is used to express past wishes, doubts, and suggestions.

Para el artista era importante que se reciclara.

El granjero dudaba que la deforestación pudiera causar tanta erosión.	*The farmer doubted that deforestation could cause so much erosion.*
Los televidentes pidieron que hubiera más programas de temas ecológicos.	*The television viewers requested that there be more programs about ecological topics.*

2. The imperfect subjunctive is also used to make polite requests or statements using querer, poder, and deber.

Quisiera saber cómo este pueblo piensa rescatarse.	*I would like to know how this town is planning to save itself.*
¿**Pudieras** recomendarme un insecticida menos tóxico?	*Could you recommend a less toxic insecticide?*
Debieras ir a la conferencia sobre el medio ambiente.	*You should go to the conference on the environment.*

3. You may use the imperfect subjunctive with ojalá when it means *I wish.*

Ojalá que **pudiéramos** rescatar los animales que casi están en peligro de extinción.	*I wish we could rescue the animals that are on the verge of extinction.*

4. The imperfect subjunctive of regular and irregular verbs is formed by:

a. taking the third-person plural of the preterit,
b. dropping the -ron ending,
c. adding the following endings:

		conservar	**sostener**	**sobrevivir**
		(conservaron)	(sostuvieron)	(sobrevivieron)
yo	-ra	conservara	sostuviera	sobreviviera
tú	-ras	conservaras	sostuvieras	sobrevivieras
Ud.	-ra	conservara	sostuviera	sobreviviera
él, ella	-ra	conservara	sostuviera	sobreviviera
nosotros/as	-ramos	conserváramos	sostuviéramos	sobreviviéramos
vosotros/as	-rais	conservarais	sostuvierais	sobrevivierais
Uds.	-ran	conservaran	sostuvieran	sobrevivieran
ellos/as	-ran	conservaran	sostuvieran	sobrevivieran

Note: A **written accent** is required on the ***final vowel of the stem*** in the **nosotros** form (first person plural).

 10-7 **La corrida** Escuchen mientras su profesor/a les explica la actividad. Van a jugar este juego rápido para practicar las formas del **imperfecto de subjuntivo.** ■

¡Anda! Curso elemental, Capítulo 11. El medio ambiente; La política, Apéndice 2.

10-8 ¿Qué más? Acaban de ver un documental en la televisión sobre la protección del medio ambiente donde hablaron muchos expertos y personas oficiales del gobierno. Terminen las siguientes oraciones usando siempre **el imperfecto de subjuntivo.** ■

MODELO   El alcalde nos exigió que… (reducir)
El alcalde nos exigió que redujéramos la cantidad de basura que producíamos.

1. Los expertos esperaban que la gente… (saber)
2. Era imprescindible que yo… (no destruir)
3. El gobierno deseaba que los estados… (no utilizar)
4. Los oficiales nos sugirieron que… (prevenir)
5. Un experto buscaba un oficial que… (poder apoyar)
6. Nos mandó que… (evitar)

¡Anda! Curso intermedio, Capítulo 9. Repaso del subjuntivo, pág. 375.

¡Anda! Curso elemental, Capítulo 11. El medio ambiente; La política, Apéndice 2.

10-9 Mis deseos   ¿Cuáles son sus deseos o recomendaciones acerca del medio ambiente? Expresen sus recomendaciones usando **el imperfecto de subjuntivo.** ■

MODELO   E1: la deforestación
         E2: *¡Ojalá que pudiéramos plantar dos árboles por cada uno que cortamos!*

> ### Estrategia
> Remember that *ojalá* signals the use of the subjunctive. Also remember that the use of *que* is optional.
>
> *Ojalá (que) pudiera convencerlos.*   I wish (that) I could convince them.

1.
la escasez de agua

2.
el esmog

3.
la lluvia tóxica

4.
los animales en peligro de extinción

5.
el efecto invernadero

6.
el desperdicio

10-10 En el pasado ¿Qué hacía la gente en el pasado para proteger el medio ambiente? Túrnense para hacerse y contestar las preguntas sobre sus acciones usando **el imperfecto de subjuntivo**. ■

MODELO   conservar el agua

E1: *¿Qué hacían para conservar el agua?*

E2: *Era importante que las duchas fueran cortas y que no se usara mucha agua en el jardín para regar el césped y las plantas…*

1. conservar la gasolina
2. reducir la basura
3. evitar el uso de contaminantes
4. proteger la tierra
5. proteger los animales salvajes / desplazados (*displaced*)

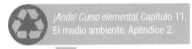
¡Anda! Curso elemental, Capítulo 11. El medio ambiente, Apéndice 2.

 10-11 Por favor Hay personas que tienen excusa tras excusa para no hacer nada para sostener o ayudar a proteger el medio ambiente. Tienen también unos amigos que son creativos en las excusas que tienen para no ayudarlos. Usen **el imperfecto de subjuntivo** para pedirles favores a sus amigos. ■

MODELO   cosechar el maíz

E1: *Tomás, hoy mi padre empieza a cosechar el maíz. ¿Pudieras ayudarnos?*

E2: *Me gustaría ayudarlos, pero tengo que llevar a mi abuelo al médico.*

1. trabajar en el centro de reciclaje
2. reemplazar las bombillas en todos los edificios de la universidad
3. llevar todas las sustancias químicas tóxicas a un vertedero especial
4. reforestar el bosque detrás de la universidad
5. rescatar unos animales desplazados

 ¡Anda! Curso elemental, Capítulo 10. Los medios de transporte; Capítulo 11. El medio ambiente; La política, Apéndice 2.

 ¡Anda! Curso intermedio, Capítulo 7. Algunos artículos en las tiendas, pág. 303; Capítulo 9. Repaso del subjuntivo, pág. 375.

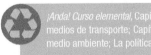 **10-12 Un futuro mejor** Imagina que dentro de veinte años estás hablando con tus padres sobre "aquellos tiempos" cuando el planeta estaba en más peligro y la sociedad tenía más problemas. ■

Paso 1   Escribe por lo menos **ocho** comentarios sobre lo que hacías para mejorar el medio ambiente. Necesitas usar **el imperfecto de subjuntivo** en cada oración.

MODELO   E1: *Papá, en aquel entonces* (back then) *tú querías que compráramos un coche muy pequeño que usara menos gasolina. En casa, nos exigías que… En el jardín…*

Paso 2   Comparte tus comentarios con un/a compañero/a. Túrnense.

3 GRAMÁTICA

  ¡Hola! Spanish Tutorial

10-10 to 10-12

El pasado perfecto de subjuntivo
Discussing actions completed before others in the past

¡No había nadie que hubiera reciclado más que mis padres!

The **past perfect subjunctive** (also known as the *pluperfect subjunctive*) is used under the same conditions as the **present perfect subjunctive (haya -ado / -ido, hayas -ado / -ido, etc.), but** it is used to refer to an event prior to another past event. This includes events that were doubted or that one wished had already occurred.

Sentíamos que el gobierno hubiera dejado que cortaran tantos árboles.

We were sorry that the government had allowed them to cut so many trees.

Esperaba que mis padres ya hubieran reciclado sus latas.

I hoped that my parents had already recycled their cans.

Dudaba que ya hubieran comprado los productos biodegradables.

He doubted that they had already bought the biodegradable products.

Note: The first verb in each of the sample sentences is in the **imperfect** (**Sentíamos, Esperaba,** and **Dudaba**). Those first verbs are in the ***main clause***, which is also known as the ***independent clause***.

- The **pasado perfecto de subjuntivo** is formed in the following manner:

imperfect subjunctive form of *haber* + participio pasado (-ado /-ido)

yo	hubiera	
tú	hubieras	
Ud.	hubiera	
él, ella	hubiera	**dañ**ado
nosotros/as	hubiéramos	**sosten**ido
vosotros/as	hubierais	**sobreviv**ido
Uds.	hubieran	
ellos/as	hubieran	

10-13 **El pasado** ¿Cómo se sentían en el pasado? Cambien las siguientes oraciones usando **el pasado perfecto de subjuntivo.** ■

MODELO   Dudo que algunos de nuestros compañeros hayan pensado en la cantidad de basura que producen.

Dudaba que algunos de nuestros compañeros hubieran pensado en la cantidad de basura que producían.

1. Dudo que nuestros vecinos hayan reciclado tanto como nosotros.
2. No puedo creer que el presidente de la universidad no haya apoyado los esfuerzos de nuestra organización "campus verde".
3. Me molesta que nuestros compañeros hayan puesto tantos periódicos en la basura.
4. Nos alegra que la universidad haya dejado de usar sustancias químicas tóxicas para la limpieza de los edificios.
5. No creemos que hayan cambiado los pesticidas por unos biodegradables.

¡Anda! Curso elemental,
Capítulo 11. El medio
ambiente, Apéndice 2.

10-14 **Tiempo y modo** Expresen sus opiniones sobre el medio ambiente usando **el pasado perfecto de subjuntivo.** ■

MODELO   es bueno / rescatar / el oso panda…

Era bueno que hubiera rescatado el oso panda…

1. (yo) sentir / dañar / ese bosque
2. ser dudoso / sobrevivir / animales
3. ser importante / sostener / infraestructura
4. (nosotros) no creer / amenazar / dueños de la fábrica
5. ser lástima / destruir / cosecha

¡Anda! Curso elemental, Capítulo 11.
El medio ambiente, Apéndice 2.

10-15 **En el centro de reciclaje** Ayer se presentaron varios voluntarios, pero pasaron el día charlando y mucho se quedó sin hacer (*a lot was left undone*). Ahora ustedes y sus amigos tienen que hacerlo todo. Cambien los verbos del pasado perfecto de indicativo al **pasado perfecto de subjuntivo.** ■

MODELO   Cuando llegamos al centro:

No habían hecho nada del trabajo del día anterior. (molestarnos)

Cuando llegamos al centro, nos molestó que no hubieran hecho nada del trabajo del día anterior.

Cuando llegamos al centro:

1. No habían separado los periódicos. (molestarnos)
2. Habían dejado muchas cajas de plástico en la entrada. (sorprenderme)
3. Alguien había escrito "latas" en el recipiente general para el aluminio. (frustrarnos)
4. El director del centro nos dijo que había buscado otras personas para ayudar en el futuro. (alegrarnos)
5. No había venido nadie que pudiera levantar una caja enorme de vidrio. (extrañarme)

10-16 **El verano pasado** Imaginen que los siguientes eventos ocurrieron el verano pasado. Túrnense para explicar cómo hubieran reaccionado usando **el pasado perfecto de subjuntivo.** ■

MODELO   ir de vacaciones a Venezuela (yo / ellos)

E1: *Me encantó que hubieran ido de vacaciones a Venezuela.*

1. recibir un coche nuevo de sus padres (yo / Mariela)
2. romper con tu novio/a (nosotros / tú)
3. ganar $5.000 en la lotería (Jorge / Gustavo y Rafi)
4. casarse con la prima de Tami (a ellos / tú)
5. romperse la pierna (yo / Víctor)
6. perder su bolso (Cecilia / Amalia)

NOTAS CULTURALES

Amigos del Medio Ambiente

10-13 to 10-14

Amigos del Medio Ambiente

Nuestra historia

En el año 1973, unos individuos con conciencia ambiental quisieron fundar una organización sin fines de lucro que intentara mejorar el medio ambiente. Si estos individuos no hubieran tenido esta visión hacia el futuro, hoy no existiría Amigos del Medio Ambiente (AMA), que tanto ha progresado en esta área.

Nuestra misión

Amigos del Medio Ambiente se dedica a la preservación del medio ambiente mediante la reducción del desperdicio y la contaminación con la promoción de programas que favorezcan la reducción de toda acción que dañe el ecosistema.

Nuestros principios y acciones

Desarrollamos programas para reducir los efectos dañinos de la deforestación, la erosión, el efecto invernadero y los resultados del uso de los insecticidas y los pesticidas.

Trabajamos con los políticos para implementar unas leyes que protejan el medio ambiente y su flora y fauna.

Proponemos acciones para limpiar el aire y mejorar la calidad del agua de que tanto dependemos.

Insistimos en la educación para sostener los recursos naturales a fin de cambiar los hábitos de consumo del ser humano.

Reconocemos los derechos de las especies animales como seres no humanos y les brindamos respeto a su vida y su dignidad.

Preguntas

1. ¿Cuándo fue fundada esta organización y quiénes la crearon?
2. Explica su misión en tus propias palabras. ¿Cómo cumplen con esta misión?
3. ¿Con qué organizaciones de los Estados Unidos puedes comparar *Amigos del Medio Ambiente*? ¿En qué son semejantes y en qué son diferentes? ¿Qué opinas tú de este tipo de organizaciones?

10-17 Lo que hubiera hecho Entrevista a tu compañero/a para averiguar todo lo que él/ella esperaba que el gobierno hubiera hecho en los últimos veinte años para conservar el medio ambiente. Usen **el pasado perfecto de subjuntivo.** Túrnense. ■

MODELO *Esperaba que ya hubiera programas de reciclaje en las escuelas primarias…*

 10-18 Un año académico en Latinoamérica Imaginen que acaban de volver de un año académico en un país latinoamericano. Hagan comentarios sobre **ocho** aspectos (inventados) del año y lo que hubieran hecho antes de viajar a Latinoamérica. Usen **el pasado perfecto de subjuntivo.** ■

MODELO *No pensaba que hubiera sido posible quedarme un año completo lejos de mi casa…*

ESCUCHA

Un comentario de radio

10-15 to 10-16

Estrategia	If you are listening to a political commentary, a news broadcast, or some other type of public announcement, your listening is often guided by your personal interest as well as your own opinions and feelings regarding the topic. When you know	something about a topic, your background knowledge will help you understand and remember more of what you hear. The degree to which you need to attend to a message depends on what you are listening to and who is delivering it.
Listening in different contexts		

 10-19 Antes de escuchar ¿Has visto o escuchado anuncios sobre el medio ambiente? ¿Cuáles eran sus mensajes? ¿Qué recomendaban? ■

10-20 A escuchar Vas a escuchar un anuncio de la radio sobre el medio ambiente, dirigido a los jóvenes ecuatorianos. Completa los siguientes pasos. ■

Paso 1 Escucha la primera vez para captar la idea general del anuncio.

Paso 2 Escucha de nuevo, esta vez enfocándote en la información necesaria para contestar las siguientes preguntas.

1. Según el joven, ¿cuál es la primera cosa que debemos hacer en nuestras propias casas para proteger el medio ambiente?
2. ¿Qué debemos tener en cuenta cuando usamos productos, por ejemplo para la limpieza?
3. ¿Cómo podemos reutilizar los envases?

 10-21 Después de escuchar Escribe tu propio anuncio para los jóvenes de tu pueblo o ciudad sobre un aspecto del medio ambiente que te interese. Después, compártelo con tus compañeros de clase. ■

¿Cómo andas? I

	Feel confident	Need to review
Having completed **Comunicación I,** I now can . . .		
• describe the environment. (p. 412)	☐	☐
• indicate purpose, time, and location. (MSL)	☐	☐
• specify prior recommendations, wants, doubts, and emotions. (p. 416)	☐	☐
• discuss actions completed before others in the past. (p. 420)	☐	☐
• share information about an environmental protection foundation. (p. 422)	☐	☐
• distinguish different contexts. (p. 423)	☐	☐

Comunicación II

¡Anda! Curso elemental, Capítulo 9.
Los animales, Apéndice 2.

4 VOCABULARIO

10-17 to 10-18

Algunos animales Identifying a variety of animals

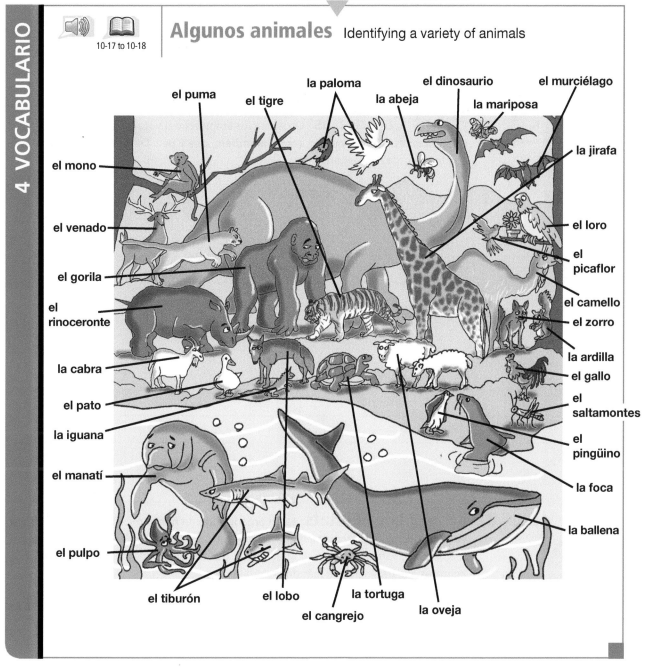

el puma · el tigre · la paloma · la abeja · el dinosaurio · la mariposa · el murciélago · la jirafa · el mono · el loro · el picaflor · el camello · el venado · el zorro · el gorila · la ardilla · el gallo · el rinoceronte · el saltamontes · la cabra · el pingüino · el pato · la foca · la iguana · el manatí · la ballena · el pulpo · el tiburón · el lobo · la tortuga · el cangrejo · la oveja

*Repaso &
Spanish/English
Tutorials* 10-19 to 10-20

El uso del infinitivo después de las preposiciones
Communicating agency, purpose, and source

For a complete review of the use of infinitives after prepositions, go to MySpanishLab or refer to **Capítulo 11** of *¡Anda! Curso elemental* in Appendix 3 of your textbook. The vocabulary activities that follow incorporate this grammar point. Practicing new vocabulary with a review grammar point helps to strengthen and increase your knowledge of Spanish.

Workbooklet

10-22 Categorías Organiza los animales del vocabulario según las siguientes categorías: **insecto, reptil, mamífero, ave** y **pez.** Después, compara tus listas con las de un/a compañero/a. ■

INSECTO	REPTIL	MAMÍFERO	AVE	PEZ
la abeja			el loro	

Workbooklet

10-23 Los hábitats Están organizando un nuevo museo de historia natural en su pueblo o ciudad y quieren que ayuden con la organización de los animales para seis hábitats. Túrnense para indicar el hábitat de cada animal de la lista. **¡OJO!** Hay animales que pertenecen a más de un hábitat. ■

*¡Anda! Curso elemental,
Capítulo 11. Los
animales, Apéndice 2.*

LA GRANJA	EL BOSQUE	EL OCÉANO	LA SELVA	EL DESIERTO	LA LLANURA

1. la oveja
2. el rinoceronte
3. la cabra
4. el tigre
5. el cangrejo
6. el venado
7. la mariposa
8. la ardilla
9. la foca
10. el gallo
11. el gorila
12. el camello
13. la iguana
14. el lobo
15. el pulpo

¡Anda! Curso intermedio, Capítulo 8.
El condicional, pág. 338.

¡Anda! Curso elemental, Capítulo 11.
Los animales, Apéndice 2.

10-24 **¿Qué harían?** Hoy en día está muy de moda viajar a donde puedes interactuar con animales "exóticos". Expliquen a dónde irían o qué harían para poder hacer las siguientes cosas. ■

MODELO   para montar en camello

Para montar en camello, tendría que ir al desierto del Sahara, por ejemplo, y buscar a alguien que tenga camellos.

1.

para atraer los picaflores

2.

para ver una jirafa

3.

para observar las ballenas

4.

para evitar una serpiente peligrosa

5.

para aprender más sobre los gorilas

10-25 **¿Qué significan para ti?** Para muchas culturas, incluso para muchas personas, los animales son utilizados como símbolos. Juntos escojan **seis** animales que puedan ser sus símbolos. ■

MODELO

la paloma
La paloma blanca es un símbolo de la paz.

10-26 **Cadenas** En grupos de cinco, van a crear oraciones sobre animales, usando siempre **el infinitivo después de las preposiciones.** Un/a compañero/a empieza con una oración y cada uno/a tiene que añadir una oración sobre el mismo animal. ■

© Christopher Ewing / Shutterstock

MODELO E1: *Acabo de ver una paloma en el jardín de mi casa.*

 E2: *Después de ver la paloma, saqué una foto.*

 E3: *Antes de ver la paloma, estaba leyendo.*

 E4: *Para ver una paloma, yo necesito ir al parque.*

 E5: *Entre ver una paloma y ver un picaflor, prefiero el picaflor.*

1.

© Serg64 / Shutterstock

2.

© James Laurie / Shutterstock

3.

© kochanowski / Shutterstock

4.

© Jan Martin Will / Shutterstock

5.

© palko72 / Shutterstock

6.

Chuck Wagner / Shutterstock

7.

© visceralimage / Shutterstock

8.

© Hugh Lansdown / Shutterstock

9.

© vblinov / Shutterstock

¡Anda! Curso intermedio, Capítulo 1. El presente perfecto de indicativo, pág. 49; Capítulo 4. El pretérito y el imperfecto, pág. 149; Capítulo 5. El pretérito y el imperfecto (cont.), pág. 205.

Workbooklet

10-27 Búsqueda Circula por la clase buscando personas que hayan hecho las siguientes cosas. Si la persona lo ha hecho, debe firmar y explicar dónde y cuándo lo hizo. ■

MODELO ¿Quién… intentar comunicarse con un gorila?

E1: *¿Has intentado comunicarte con un gorila?*

E2: *Sí, cuando tenía diez años fui con mis padres al parque zoológico y me fascinaron los gorilas. Intenté comunicarme con gestos (gestures).*

E1: *Pues, firma aquí…*

¿QUIÉN…?

nadar cerca de tiburones

_____

cargar (*to carry*) una serpiente

_____

ir de safari y estar cerca de un rinoceronte

_____

capturar un saltamontes

_____

ver un zorro en el jardín de su casa

_____

comer pulpo

_____

ir a un museo para ver los huesos de un dinosaurio

_____

tener un pato como animal doméstico

_____

tocar una iguana

_____

5 GRAMÁTICA

10-21 to 10-23 Spanish/English Tutorials

Cláusulas de *si* (Parte 2)
Conveying hypothetical or contrary-to-fact information

In **Capítulo 9,** you learned about si clauses with the **present indicative.** You will remember that the "formula" for sentence formation is:

Si + present indicative + (then)   present indicative
                          + (then)   future
                          + (then)   command

You can also use si clauses to express hypothetical and contrary-to-fact information.

• The "formula" for these sentences is:

Si + imperfect subjunctive + conditional
Si + past perfect subjunctive + conditional perfect

Note: The **si clause** can come either at the **beginning or at the end of a sentence.**

Si hubiera sido Tarzán, habría vivido con los monos.

Note the following examples that express *hypothetical and contrary-to-fact information*:

Si fuera Tarzán, viviría con los monos.	*If I were Tarzan, I would live with monkeys.*
Si hubiera sido Tarzán, habría vivido con los monos.	*If I had been Tarzan, I would have lived with monkeys.*
Si Fernando pudiera ir de safari, no cazaría; sacaría muchas fotos.	*If Fernando could go on a safari, he would not hunt; he would take many photos.*
Si Fernando hubiera podido ir de safari, no habría cazado; habría sacado muchas fotos.	*If Fernando had been able to go on a safari, he would not have hunted; he would have taken many photos.*
Si encontrara unos huesos importantes de dinosaurio en mi jardín, sería famosa.	*If I found some important dinosaur bones in my yard, I'd be famous.*
Si hubiera encontrado unos huesos importantes de dinosaurio en mi jardín, habría sido famosa.	*If I had found some important dinosaur bones in my yard, I'd have been famous.*
Verían muchos pingüinos si vivieran en el sur de la Patagonia.	*They would see many penguins if they lived in the southern part of Patagonia.*
Habrían visto muchos pingüinos si hubieran vivido en el sur de la Patagonia.	*They would have seen many penguins if they had lived in the southern part of Patagonia.*

10-28 **¡Ay —los animales!** Posiblemente ¿qué les pasaría? Túrnense para determinarlo combinando los elementos de las dos columnas. ■

1. _____ Nos preguntaríamos si fue vampiro…
2. _____ Veríamos muchas iguanas…
3. _____ Podríamos críar patos…
4. _____ Montaríamos en camello…
5. _____ No necesitaríamos cortar el cesped tanto…
6. _____ Tendríamos una buena comida…

a. si compráramos unas cabras.
b. si viviéramos en un lago.
c. si quisiéramos cocinar el pulpo.
d. si estuviéramos en Cancún.
e. si nos mordiera un murciélago.
f. si tuviéramos que cruzar el desierto del Sahara.

 10-29 **Teléfono** Escuchen mientras su profesor/a les da las instrucciones para este juego. ■

¡Anda! Curso elemental, Capítulo 11. Los animales, Apéndice 2.

 10-30 **Si pudiera** Completen los siguientes pasos.

Paso 1 ¿Cómo terminarían las siguientes oraciones? Túrnense.

MODELO Si hubiera una culebra venenosa en mi casa…

Si hubiera una culebra venenosa en mi casa, saldría inmediatamente y gritaría "¡socorro!" (help!).

1. Si pudiera hacer un safari fotográfico…
2. Si viera en persona un animal salvaje…
3. Si tuviera una granja de ovejas…
4. Si estuviera en el desierto de Atacama…
5. Si quisiera proteger las tortugas…
6. Si hubiera muchos saltamontes en mi jardín…

Paso 2 Comparen sus reacciones. ¿Harían lo mismo o tendrían reacciones diferentes?

 10-31 **La otra mitad** Es interesante considerar qué provocaría alguna solución u otra. Túrnense y terminen las siguientes oraciones con **cláusulas de *si*.** ■

MODELO …no nadaría en el mar por mucho tiempo.

Si viera tiburones cerca de la playa, no nadaría en el mar por mucho tiempo.

1. …iría a África.
2. …me compraría unas cabras.
3. …llamaría al 911 para que me llevaran al hospital inmediatamente.
4. …tendría los hábitats más naturales posibles para todos los animales.
5. …compraría unos patos.

10-32 **El círculo** Escuchen mientras su profesor/a les da las instrucciones para este juego. ■

MODELO   E1: *Si no quisiera estudiar español...* (tira la pelota)

E2: (toma la pelota) *no estaría en esta clase.* (tira la pelota)

E3: (toma la pelota) *Si estuviera en Colombia...* (tira la pelota)

E4: (toma la pelota) *¡iría a la playa ahora mismo!* (tira la pelota)...

 10-33 **La conferencia** Completen los siguientes pasos. ■

Paso 1   Tu compañero/a y tú fueron a una conferencia sobre el medio ambiente el fin de semana pasado. Escriban **cinco** oraciones de lo que podría ocurrir si realmente quisiéramos dedicarnos a preservar el medio ambiente. Usen siempre **cláusulas de *si*.**

Paso 2   Compartan sus oraciones con otros compañeros y juntos elijan las **tres** mejores oraciones para compartirlas con el/la profesor/a.

MODELO   *Si dejáramos de desperdiciar tanto, habría menos basura. Si camináramos más y condujéramos menos...*

Algunos términos geográficos
Illustrating geographic features

10-24 to 10-26

6 VOCABULARIO

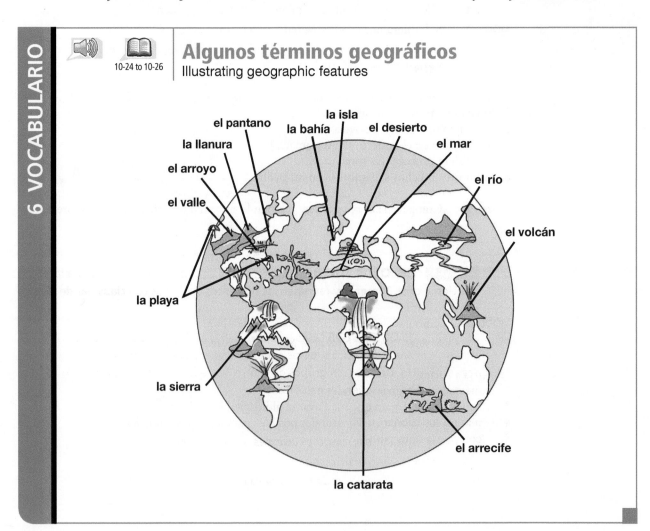

214

10-34 **Lugares famosos** ¿Pueden nombrar algunos lugares conocidos para cada término geográfico? Después, digan dónde se encuentran esos lugares. ■

MODELO bahías

la bahía de Campeche, la bahía Biscayne (bahía Vizcaína)…

La bahía de Campeche está en la costa este de México, cerca del Yucatán.

La bahía de Biscayne está en el sur de Florida…

1. ríos	3. valles	5. desiertos	7. mares
2. sierras	4. cataratas	6. islas	8. volcanes

 ¡Anda! Curso intermedio, Capítulo 1. Algunos verbos como *gustar;* pág. 39; Capítulo 2. Deportes, pág. 72; Pasatiempos y deportes, pág. 86.

 ¡Anda! Curso elemental, Capítulo 2. Los deportes y los pasatiempos; Capítulo 11. Los animales, Apéndice 2.

 10-35 **Los deportes y los pasatiempos**

¿Qué deportes y pasatiempos pueden disfrutar en los siguientes lugares? Usen **gustar** y algunos **verbos como gustar.** ■

MODELO en el lago

E1: *¿Qué te gusta hacer en el lago?*

E2: *Me encanta nadar, pescar y esquiar en el lago. ¿Y a ti?*

E1: *Me gusta pasear en barco de vela.*

1. en las montañas	4. en el bosque
2. en la playa	5. en el océano / mar
3. en el río	

 *¡Anda! Curso elemental,* Capítulo 11. El medio ambiente, Apéndice 2.

 10-36 **Tres pistas** Escoge **cuatro** palabras del vocabulario nuevo y escribe **tres** pistas para cada una. Las pistas deben empezar por lo más general e ir hasta lo más específico. Después, en grupos de cuatro, van a darles las pistas a sus compañeros para que ellos averigüen las palabras. ■

MODELO el desierto

PISTA 1: No hay ni muchos animales ni muchas plantas.

PISTA 2: Hace mucho calor.

PISTA 3: Es un lugar de mucha sequía.

¡Anda! Curso elemental,
Capítulo 11. El medio
ambiente; Los animales,
Apéndice 2.

 10-37 **¿Qué harías?** Acaban de ver un documental que trata del medio
ambiente y los inspiró. Expliquen qué harían para mejorar el medio ambiente en los
siguientes lugares o situaciones. Usen **cláusulas de *si*.** ■

MODELO   el arrecife

    E1: *¿Qué harías para proteger los arrecifes?*

    E2: *Si fuera posible, prohibiría que los barcos se acercaran*
        y mandaría que no botaran basura. ¿Y tú? ¿Qué harías?

1. el río   4. el bosque
2. la playa   5. con dos millones de dólares
3. la selva   6. ser el/la director/a de una fundación
                        para proteger el medio ambiente

Workbooklet

 10-38 **Preguntas** ¿Son semejantes o
diferentes las experiencias y opiniones de tus
compañeros de clase? Completa los siguientes
pasos para averiguarlo. ■

Paso 1   Crea preguntas para tus compañeros.

MODELO   *Si pudieras navegar por cualquier río, ¿cuál*
            sería? ¿Por qué?

© Tischenko Irina / Shutterstock

1. Si / poder navegar / por cualquier río / ¿cuál / ser? / ¿Por qué?	5. ¿Cuáles / ser / algunos países / que / tener / volcanes activos? ¿Ver (*Have you seen*) / tú / un volcán en persona?
2. Si /estar / ahora mismo en la playa / ¿con quién(es) / te gustar / estar?	6. ¿Nadar (*have you swum*) / tú / alrededor de una catarata? Si / poder visitar / tú / unas cataratas famosas / ¿cuáles / visitar?
3. ¿Cuáles / ser / las mejores playas? (pueden ser de los Estados Unidos o de cualquier parte del mundo)	7. Si / poder / tú /¿dónde / bucear o hacer snorkel?
4. ¿Vivir / tú / cerca de un bosque? / ¿Caminar / tú / por un bosque de vez en cuando? / ¿Ver (*have you seen*) / tú / algunos animales allí?	8. ¿Cuál / ser / el lugar más interesante / que / conocer / tú? / ¿Por qué / ser / tan interesante?

Paso 2   Haz una encuesta de tus compañeros.

Paso 3   Comparte tus resultados con un/a compañero/a.

10-27 to 10-29

La secuencia de los tiempos verbales
Sequencing temporal events

You have learned and have been practicing a number of tenses over the course of your Spanish studies. What follows is a synthesis and summary of what tenses go together to express certain conditions in the subjunctive.

No hay nadie que haya desperdiciado tanto como mis tíos.

USING THE SUBJUNCTIVE

1. When the verb in the main clause is in the *present indicative, present perfect indicative,* or *future indicative,* or is *a command,* the **present** or **present perfect subjunctive** is generally used in the subordinate clause.

MAIN CLAUSE	SUBORDINATE CLAUSE
present indicative, present perfect indicative, future indicative, or *command*	*present subjunctive* or *present perfect subjunctive*

1.1. The **present subjunctive** is used when the action of the subordinate clause occurs *at the same time* as the action in the main clause *or after* it:

MAIN CLAUSE   SUBORDINATE CLAUSE

Insistimos en que nuestros compañeros **empiecen** a reciclar el papel.
We insist that our classmates begin to recycle paper.

No hay nadie que **desperdicie** tanto como mi tío.
There is no one who wastes as much as my uncle.

1.2. The **present perfect subjunctive** is used when the action of the **subordinate clause** occurs *before* the action in the **main clause**:

MAIN CLAUSE   SUBORDINATE CLAUSE

Esperamos que todos nuestros compañeros **hayan empezado** a reciclar el papel.
We hope that all our classmates have begun to recycle paper.

No hay nadie que **haya desperdiciado** tanto como mis tíos.
There is no one who has wasted as much as my aunt and uncle.

2. When the verb in the main clause is in the *preterit, imperfect,* or *conditional indicative,* the *imperfect subjunctive* or the *past perfect subjunctive* form is generally used in the subordinate clause.

MAIN CLAUSE	SUBORDINATE CLAUSE
preterit, imperfect, or *conditional indicative*	*imperfect subjunctive* or *past perfect subjunctive*

MAIN CLAUSE   SUBORDINATE CLAUSE

Roberto **insistió** en que **fuéramos** al volcán.
Roberto insisted that we go to the volcano.

Pediría que **viajáramos** con él cada semana.
He would ask that we travel with him each week.

(continued)

2.1. The *imperfect* subjunctive is used when the action of the subordinate clause occurs at the *same time* as the action in the main clause or *after* it:

MAIN CLAUSE   SUBORDINATE CLAUSE

Insistíamos en **que** todos nuestros compañeros **reciclaran** el papel.
We insisted that all our classmates recycle paper.

No **había** nadie **que desperdiciara** tanto como mi tío.
There was no one who wasted as much as my uncle.

2.2. The *past perfect* subjunctive is used when the action of the subordinate clause occurs *before* the action in the main clause:

MAIN CLAUSE   SUBORDINATE CLAUSE

Esperábamos que todos nuestros compañeros **hubieran empezado** a reciclar el papel.
We hoped that all our classmates had begun to recycle paper.

No **había** nadie **que hubiera desperdiciado** tanto como mi tío.
There was no one who had wasted as much as my uncle.

 10-39 **Reportaje** ¿Cómo se puede proteger las tortugas de mar? Completen los siguientes pasos. ■

David Peart © Dorling Kindersley

Paso 1   Subrayen **una** vez el verbo de la cláusula principal y **dos** veces el verbo de la cláusula subordinada de cada oración.

1. Es bueno que protejan a las tortugas de mar.
2. Me sugirieron que redujera la comida que yo les daba a las tortugas.
3. Ella no quiso ir a la playa hasta que hubieran salido las tortugas.
4. Queremos que el pueblo deje de tocar los huevos de las tortugas.
5. No encontré a nadie que hubiera estado en la orilla cuando salieron las tortugas de los huevos.
6. Volveremos a casa en cuanto se hayan metido todas en el agua.

Paso 2   Indiquen si la acción de la cláusula subordinada ocurre **antes de (A), después de (D)** o **al mismo tiempo (MT)** que la acción de la cláusula principal.

10-40 **Formas** La práctica hace al maestro. Túrnense para completar los siguientes pasos. ■

Paso 1   Completen las siguientes oraciones con las formas correctas de los verbos en paréntesis.

1. Su novio quería que le (comprar) unos patos para el lago que está delante de su casa.
2. No creía que el clima (cambiar) tanto.
3. Nos habría gustado que ellos (dejar) de cortar los árboles del pantano.
4. Los políticos exigen que la gente (reforestar) ese lugar cuanto antes.
5. Ellos vendrán a vernos tan pronto como nosotros (llegar) del trabajo.
6. Buscamos a alguien que (querer) ir a la sierra con nosotros.

Paso 2   Indiquen si la acción de la cláusula subordinada ocurre **antes de (A), después de (D)** o **al mismo tiempo (MT)** que la acción de la cláusula principal.

 10-41 **A terminar** ¿Cómo terminarían las siguientes oraciones? Usen una forma apropiada del **subjuntivo** y el **vocabulario** de este capítulo. ■

1. Dicen que no van a reemplazar los métodos antiguos de producción hasta que…
2. Para la próxima presentación, el/la profesor/a quiere que…
3. Después de ver la cantidad de basura, yo dudaba que…
4. Cuando mi papá vio el zorro, temía que…
5. Insistimos en que…
6. Ojalá que…

¡Anda! Curso elemental, Capítulo 11.
El medio ambiente, Apéndice 2.

 10-42 **Soluciones** Piensen en los factores que afectan al mundo de los animales. ¿Qué se podría hacer para solucionar algunos problemas y para evitar problemas en el futuro? Túrnense para discutir los siguientes problemas y usen **el subjuntivo** cuando sea posible. ■

POSIBLES PROBLEMAS:

1. el trato (*treatment*) de los animales en algunos parques zoológicos
2. la reducción de los bosques (y así del hábitat de muchos animales)
3. los problemas con los insectos
4. el trato de los animales que se crían (*raise*) para comer
5. los animales en peligro de extinción

MODELO   *Es importante que los parques zoológicos sean lo más naturales posible.*
Es necesario que los animales tengan suficiente espacio para moverse bien.
En el pasado, no era tan crítico que…

PERFILES

10-30 to 10-31

Algunas personas con una conciencia ambiental

A propósito o no, el ser humano ha contribuido mucho a la destrucción del medio ambiente. Estas tres personas admirables han dedicado sus vidas al combate de los problemas ambientales.

Joel Sartore Photography

El Parque Nacional Madidi no existiría si no fuera por la determinación de **Rosa María Ruiz,** una activista ecológica boliviana. Por medio de su trabajo, se protege esta vasta área que incluye una geografía muy variada: desde la cordillera de los Andes hasta los valles de la selva tropical amazónica.

Album/Newscom

Si no hubiera tenido un gran interés y destreza en la cetrería (*falconry*), tal vez **Félix Rodríguez de la Fuente** (1928–1980) no habría llegado a ser el conservacionista español más conocido del siglo XX. Colaboró en una serie de programas de televisión y documentales muy populares sobre el tema de la preservación de la fauna y del medio ambiente.

© ARMANDO SALAZAR/NOTIMEX/Newscom

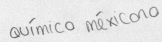

químico méxicano

Tal vez no se habría investigado el peligro que causan los clorofluorocarbonos (CFC) en la capa de ozono si a **Mario José Molina Henríquez** (n. 1943 México, D.F.) no le hubiera interesado tanto la química de joven. Descubrió que estos gases dañan la estratosfera. En el año 1995, recibió el Premio Nobel con otros dos científicos por sus investigaciones.

Preguntas

1. ¿Cómo han contribuido estas personas a la concienciación del público sobre el estado del medio ambiente?
2. ¿Qué piensas de la crisis del medio ambiente?
3. ¿Qué puedes hacer para mejorar el medio ambiente?

10-43 **Conversación** Ya es hora de conocer mejor a tus compañeros de clase. Completa los siguientes pasos. ■

Paso 1 Contesta las siguientes preguntas con un/a compañero/a de clase. Túrnense.

1. Si pudieras vivir en cualquier lugar, ¿preferirías vivir en la sierra, la llanura, la costa u otro lugar? ¿Por qué? ¿Cómo sería el lugar perfecto para ti?
2. ¿Vivirías en un lugar donde pudiera ocurrir un desastre natural?
3. ¿Es importante que tu vida sea como la de tus padres? Explica.
4. ¿Cómo sería la vida perfecta para ti?
5. Si tu trabajo te mandara a otro país, ¿adónde te gustaría ir? Explica.
6. Cuando eras chico/a, ¿había algo que tus padres siempre querían que hicieras?
7. ¿Crees que haya más interés en el medio ambiente entre los jóvenes o las personas mayores?
8. ¿Quiénes tienen la responsabilidad de proteger el medio ambiente?

Paso 2 Selecciona **dos** de las preguntas y házselas a **diez** compañeros/as de clase.

  10-44 **El Parque Nacional Madidi** Investiguen el maravilloso Parque Nacional Madidi que se encuentra en Bolivia. Escriban **seis** oraciones que representen diferentes ejemplos de las secuencias de tiempos. Después compartan sus oraciones con un/a compañero/a. ■

Fíjate

Suggested keywords for your Internet search include: *El Parque Madidi*, *Bolivia*, and *conservación*.

MODELO *El Parque Nacional Madidi no existiría si no fuera por Rosa María Ruiz. Esperamos que ella continúe sus esfuerzos como…*

¡CONVERSEMOS!

10-32 to 10-34

10-32 to 10-34

ESTRATEGIAS COMUNICATIVAS Expressing agreement, disagreement, or surprise

When conversing, you have many occasions to express agreement, disagreement, or surprise about what you hear or read. What follows are useful expressions for you to use.

Para expresar acuerdo	To express agreement
• Absolutamente.	Absolutely.
• Claro que sí. / Por supuesto. / ¡Cómo no! / Desde luego.	Of course.
• Está bien.	Okay. / It's all right.
• (Estoy) de acuerdo.	I agree. / Okay.
• Eso es. / Así es.	That's it.
• Es verdad. / Es cierto.	It's true.
• Exacto. / Exactamente.	Exactly.
• No hay duda. / No cabe duda.	There's no doubt. / Without a doubt.
• No hay más remedio.	There's no other way / solution.
• Precisamente. / Efectivamente.	Precisely.
• Sin duda.	Without a doubt. / No doubt.
• Te digo. / Ya lo creo.	I'm telling you… / I'll say.

Para expresar desacuerdo	To express disagreement
• Al contrario.	On / To the contrary.
• Claro que no.	Of course not.
• De ninguna manera.	No way.
• En mi vida.	Never in my life.
• Me estás tomando el pelo.	You're kidding me / pulling my leg.
• Nada de eso.	Of course not.
• ¡Ni lo sueñes!	Don't even think about it!
• No estoy de acuerdo.	I don't agree.
• No puede ser.	It can't be.
• ¡Qué va!	No way!

Para expresar sorpresa	To express surprise
• ¡Imagínate! / ¡Figúrate!	Imagine!
• ¡No me digas!	You don't say!

🔊 **10-45 Diálogo** Rosario acaba de recibir una llamada y quiere compartirla con su esposo, Marco. Escucha la conversación entre Rosario y Marco y contesta las siguientes preguntas. ■

1. ¿Está Marco de acuerdo con lo que Rosario le dice? ¿Cómo lo sabes?
2. Al final, ¿cómo se expresa Marco?

👥 **10-46 Una entrevista** ¡Qué suerte! Tienes la oportunidad de entrevistar a Al Gore, a Leonardo DiCaprio o a Rosa María Ruiz, tres personas que se han dedicado a asuntos "verdes". Completa los siguientes pasos. ■

Paso 1 Crea preguntas para hacerles.

Paso 2 Hagan los papeles del/de la entrevistador/a y el/la medio ambientalista. Túrnense.

© beboy / Shutterstock

Estrategia

Remember that you can use the imperfect subjunctive to soften requests. You may wish to use them when formulating your questions or comments for your interviews.

440

10-47 **Tiempo para jugar** Pónganse en grupos de tres. Una persona sale del grupo y los otros dos estudiantes escogen un animal. Su compañero/a regresa al grupo y hace preguntas para adivinar el animal. Túrnense. ■

MODELO (el picaflor)

E1: *¿Es un mamífero?*

E2: *No.*

E1: *¿Es un pájaro?*

E3: *Así es…*

10-48 **Si pudieras ser…** Es hora de ser creativos. Hablen de los siguientes temas. ■

1. Si pudieras ser cualquier animal, ¿cuál serías y por qué?
2. ¿Qué animal es el menos entendido y por qué?
3. ¿Qué animal es el más inteligente y por qué?
4. ¿Cuál es el animal que menos te gustaría encontrar?
5. ¿Cuál es el animal que más te gustaría ver en su hábitat natural?

10-49 **Un ecotour** ¿Tienes ganas de conocer los arrecifes de Puerto Rico, la catarata más alta del mundo en Venezuela o el desierto de Atacama en Chile? Con un/a compañero/a, completen los siguientes pasos para planear un ecotour virtual. ■

Paso 1   Escojan un lugar. Mientras deciden el lugar, usen las expresiones comunicativas nuevas para mostrar si están de acuerdo o no.

Paso 2   Sugieran ideas de lo que la gente podría hacer para proteger y conservar el lugar para futuras generaciones.

10-50 **¡Eres el/la jefe/a!** Imagina que eres o el/la alcalde/sa de tu pueblo o ciudad, o el/la gobernador/a de tu estado, ¡o aun el/la presidente/a del país! Haz una presentación o un discurso para convencer a un grupo de ciudadanos (*citizens*) de la importancia de conservar el medio ambiente. Incluye por lo menos **quince** oraciones. Por lo menos **dos** de las oraciones deben usar **el imperfecto de subjuntivo** y por lo menos **dos** deben usar **cláusulas de sí.** Tu compañero/a va a añadir comentarios cuando está de acuerdo o no lo está con lo que dices. Túrnense. ■

ESCRIBE

10-35 to 10-36

Un ensayo convincente

Estrategia		
More on linking sentences	In **Capítulo 2,** you learned how to use linking words to connect simple sentences, making them into more complex expressions of	thought. The linking words below represent a progression toward an even more sophisticated connection of ideas.

Más palabras nexo	*Additional linking words*
además	*besides*
mientras	*while*
no obstante	*notwithstanding*
por eso	*for this reason*
por otro lado	*on the other hand*
sin embargo	*nevertheless*
sino	*but rather*

10-51 **Antes de escribir** Vas a escribir un ensayo en el cual tratas de convencer a tu comunidad de que participe en un proyecto para mejorar el medio ambiente. ■

1. Primero, piensa en el proyecto "verde" que quieres proponer. Concibe una explicación sencilla pero informativa de ello.
2. Después, haz una lista de los beneficios que este proyecto les dará a las personas de la comunidad. También enumera las desventajas para el medio ambiente si el proyecto no logra completarse.

10-52 **A escribir** Usa lo que has aprendido sobre la escritura de los capítulos anteriores (por ejemplo: emplea una introducción y una conclusión). Menciona por lo menos **tres** beneficios y **tres** desventajas que se puedan relacionar con el proyecto. Tu ensayo debe consistir de **cuatro** o **cinco** párrafos. Usa por lo menos **tres cláusulas de *si* condicionales.** ■

 10-53 **Después de escribir** Lee tu ensayo a la clase. Luego, solicita voluntarios para trabajar en el proyecto. Así verás si has logrado persuadir a los compañeros de clase o no. ■

¿Cómo andas? II

	Feel confident	Need to review

Having completed **Comunicación II,** I now can . . .

- identify a variety of animals. (p. 425) ☐ ☐
- communicate agency, purpose, and source. (MSL) ☐ ☐
- convey hypothetical or contrary-to-fact information. (p. 430) ☐ ☐
- illustrate geographic features. (p. 432) ☐ ☐
- sequence temporal events. (p. 435) ☐ ☐
- name three Hispanic environmental activists. (p. 438) ☐ ☐
- express agreement, disagreement, and surprise. (p. 440) ☐ ☐
- link sentences when writing to be more cohesive, persuasive, and clear. (p. 442) ☐ ☐

Vistazo cultural

RAL • VISTAZO CULTURAL • VISTAZO CULTURAL • VISTAZO CULTURAL • VISTAZO CULTURAL • VISTAZO CULTURAL • VISTAZO CULTURAL • VISTAZO

10-37 to 10-38

La naturaleza y la geografía de Colombia y Venezuela

María Luisa Briceño Bolívar, estudiante doctoral de Ecología Tropical

Para mí, no hay nada más importante que preservar la naturaleza de mi país. Para lograr esto, estoy cursando un doctorado en Ecología Tropical aquí en el Instituto de Ciencias Ambientales y Ecológicas de la Facultad de Ciencias en la Universidad de los Andes (ULA) de Mérida, Venezuela.

Un *tepuy* de Venezuela

[nota manuscrita: → palabra indígina-significa "casa de los dioses"]

El Monte Roraima es el mejor conocido y el más alto de los tepuyes del Parque Nacional Canaima. Es una meseta de unos 2.800 metros de altura, difícil de escalar. Por este aislamiento, los tepuyes son valorados por las especies de vegetación endémicas que existen en sus zonas más altas.

[nota manuscrita: only exist in this part of the world]

El Parque Nacional Archipiélago Los Roques, Venezuela

Si Los Roques no hubiera sido creado en el año 1972 para proteger el ecosistema marino, tal vez el archipiélago no tendría hoy día los arrecifes mejor conservados del Caribe. El archipiélago contiene unas cincuenta islas diferentes. Sus playas de arena blanca atraen mucho turismo; también es un refugio para muchas especies de fauna.

Misión árbol: Un país petrolero implementa una política "verde"

[nota manuscrita: → tipe de]

Tal vez si no se implementara la iniciativa Misión árbol, Venezuela continuaría sufriendo de una tasa (*rate*) alta de deforestación. El objetivo es crear en la población venezolana una conciencia ambiental sobre la importancia en mantener un equilibrio ecológico y animarla a que contribuya al uso sostenible de los bosques.

444

El Día sin Carro

Un día cada febrero se denomina el "Día sin Carro" en Bogotá, Colombia. Si no fuera por el sistema extensivo de movilidad alternativa (las ciclorrutas), sería difícil circular durante El Día sin Carro. No obstante, los ciudadanos votaron para continuar con esta tradición, y Bogotá cuenta con la mayor participación del mundo latinoamericano.

ProAves y los pájaros de Colombia

Si pudiera proteger todas las especies de pájaros en peligro de extinción, ProAves lo haría. Esta fundación colombiana se dedica a estudiar las aves y a conservar su hábitat en la naturaleza. Colombia tiene el número más alto de especies de aves en el mundo.

La Feria de las Flores

Si no fuera por la industria de floricultura en Colombia, posiblemente no tendrías rosas para el Día de la Madre o de San Valentín. Colombia es el segundo país del mundo en la exportación de flores, detrás de Holanda. En Medellín, cada año se celebra La Feria de las Flores.

El manatí amazónico

Colombia tiene una gran biodiversidad de fauna. Entre las muchas especies que existen en los ecosistemas colombianos se encuentra el manatí amazónico, el más pequeño de todos los manatís. Se encuentra en los ríos de la parte sureste de Colombia, y figura en la lista de animales en peligro de extinción.

Preguntas

1. Identifica los vistazos que representan un esfuerzo para proteger el medio ambiente. ¿Qué opinas de estas acciones?
2. ¿Por qué es importante considerar la interrelación entre todos los factores del medio ambiente? ¿Qué pasaría si no consideráramos estos factores?
3. Considera los otros países que has estudiado. ¿Qué hacen (o no hacen) para promover la protección del medio ambiente?

445

Laberinto peligroso

EPISODIO 10

© Pearson Education/PH College

Lectura

10-41

Estrategia Identifying characteristics of different text types

Different texts have different characteristics, and recognizing these at the outset will help your comprehension. For example, the characteristics of a poem are different from those of a newspaper article, which are in turn different from the instructions for putting together a multimedia entertainment center. Academic texts exhibit different characteristics from literary texts; reading for information differs from reading for pleasure. Recognition of these differences provides you, the reader, with aids for comprehension.

10-54 **Antes de leer** Piensa en los episodios de *Laberinto peligroso* que has visto hasta el momento. ■

a. Pensando en la estrategia de identificar los diferentes tipos de discursos, ¿qué tipo de discurso ha tenido la mayoría de los episodios? ¿Diferentes secciones con subtítulos? ¿Diálogo? ¿Narración?

b. ¿Qué tipo de vocabulario han tenido? ¿Técnico? ¿Coloquial? ¿Formal?

c. Mira rápidamente el episodio e identifica los diferentes tipos de discurso que tiene. ¿Tiene diferentes secciones con subtítulos? ¿Tiene diálogo? ¿Tiene narración? ¿Qué es lo que predomina?

d. ¿Qué tipo de texto es *Laberinto peligroso*? ¿Cómo se distingue este episodio de los anteriores?

En los episodios de este capítulo, vas a ver cómo reacciona Celia ante la situación tan difícil en la que se encuentra. Antes de empezar a trabajar con la lectura, contesta las siguientes preguntas.

1. ¿Cuáles son algunos de los problemas importantes que has tenido que solucionar? ¿Y tu familia y tus amigos?

2. ¿Cuáles son los problemas que tu familia te puede ayudar a resolver? ¿Qué problemas prefieres que tus amigos te ayuden a solucionar? ¿Y un profesional, como un médico, un psicólogo, la policía, un abogado, etc.?

3. ¿Hay problemas que prefieres resolver tú solo/a? Si contestas sí, ¿cuáles son? Si no, ¿por qué no?

4. ¿Cuáles son las ventajas de compartir tus problemas con otras personas?

5. ¿Por qué crees que a veces la gente decide no compartir sus problemas y trata de resolverlos sin la ayuda de otras personas?

6. ¿Crees que es importante que la gente busque la ayuda de su familia, sus amigos y/o algún profesional cuando está en una situación difícil? ¿Por qué?

446

En peligro de extinción

Después de ver la amenaza de la mujer que le había escrito, Celia estaba muy nerviosa. Era más importante que nunca que resolviera los casos. La vida de Cisco dependía de ella. Se preguntó, si todavía fuera un agente federal, ¿qué haría? Casi de inmediato le vino la respuesta: no habría tenido otra opción que hablarlo con sus compañeros. Siempre trabajaban en equipo. Siempre tomaban las decisiones en equipo. Sin embargo, le parecía muy evidente que el caso actual era delicado; sabía que tenía que tener mucho cuidado. Todavía no quería que las autoridades supieran más sobre la desaparición de Cisco porque, *got involved* por la seguridad de su amigo, no era nada recomendable que se involucraran° más. Sabía *risks* que no iban a mejorar nada y que era posible que crearan más riesgos° para Cisco y para ella también. Tenía mucho miedo de que su amigo estuviera en muchísimo peligro: la mujer le había dicho claramente que si llamaba a la policía, lo iba a matar. Y si ella no había podido hablar con él, ¿cómo podía estar segura de que no le habían hecho daño ya? Quizás incluso lo hubieran matado. Y si Cisco estaba bien y ella seguía las instrucciones de la mujer, ¿realmente iba a poder salvarle la vida? Por su experiencia como agente federal sabía exactamente cuáles eran los riesgos: era posible que, incluso después de seguir todas sus indicaciones, la mujer lo matara. También era posible que esa mujer tuviera planes de matarla a ella, si al final Celia decidiera ir al museo sola esa noche. No obstante, pasara *rescue* lo que pasara, tenía muy claro que había que hacer todo lo posible por rescatar° a Cisco. Su amigo era listo, fuerte y duro; había sobrevivido muchas situaciones difíciles. Hasta *proof* que Celia no tuviera pruebas° convincentes de lo contrario, era importante que creyera firmemente que él estaba bien.

Overwhelmed Agobiada° y confundida, decidió llamar a una amiga con la que antes había trabajado en el FBI, pero que ya no era agente sino que trabajaba en el departamento de fraude de una compañía internacional. Buscó el número de teléfono de su amiga y la llamó. Saltó el mensaje de su buzón de voz y Celia le dejó un mensaje pidiéndole que le devolviera la llamada lo antes posible y diciéndole que era urgente que hablara con ella sobre un asunto importante.

Mientras esperaba a que su amiga la llamara, se dio cuenta de que era preferible que se mantuviera ocupada con algo, que se distrajera de alguna manera. Decidió repasar las últimas búsquedas que Cisco y ella habían realizado. Era evidente que habían descubierto algo importante; si no hubieran encontrado nada, nadie estaría amenazándolos. Celia encontró un informe confidencial que había leído Cisco: se trataba de las sustancias medicinales de las plantas tropicales. El informe indicaba que, usando una sustancia extraída de unas plantas tropicales, se había desarrollado un antídoto muy fuerte *smallpox* con múltiples aplicaciones. La sustancia servía como antídoto contra la viruela°, y también eliminaba los efectos tóxicos de otras sustancias que algunos grupos terroristas estaban manipulando para usar como armas biológicas. Un grave problema era que la deforestación estaba amenazando esas plantas.

La tensión que sentía Celia en esos momentos se hizo muy evidente cuando, de pronto, sonó el teléfono, y se asustó. Lo contestó y era su amiga, la ex agente federal. Después de contarle todo lo que había pasado, su amiga le dijo que llamara inmediatamente a la policía, que no había otra opción. Celia le dio las gracias por la ayuda y colgó el teléfono.

10-42 to 10-43

10-55 **Después de leer** Contesta las siguientes preguntas. ■

1. ¿Por qué le parecía tan urgente a Celia resolver los casos?
2. ¿Por qué no quería Celia enseñarles el mensaje de correo electrónico que había recibido a los detectives?
3. ¿Qué habría hecho si todavía hubiera sido una agente federal?
4. ¿Cuáles eran algunos de los riesgos que Celia tenía que tener en cuenta antes de actuar?
5. ¿A quién decidió pedirle ayuda con su situación?
6. ¿Qué información encontró cuando leyó el informe confidencial que había leído Cisco?
7. ¿Por qué se asustó cuando sonó el teléfono?
8. ¿Qué consejo recibió Celia durante su conversación telefónica?
9. ¿A qué se refiere el título del episodio?

Video

10-56 **Antes del video** Antes de empezar a trabajar con el episodio del video, *¡Alto! ¡Tire el arma!,* contesta las siguientes preguntas. ■

1. ¿Crees que Celia va a seguir el consejo que recibió durante su conversación telefónica? ¿Por qué?
2. ¿Crees que Celia va a ir al museo sola o crees que va a pedir que la ayude otra persona? ¿Por qué? Si crees que va a pedir la ayuda de otra persona, ¿a quién se la va a pedir? ¿Por qué?
3. Basándote en el título del video, ¿qué crees que va a pasar en este episodio?

¡Alto! ¡Policia! ¡Arriba las manos! ¡Tire el arma!

Me convenció que desactivara el sistema de seguridad y sacara unos mapas.

¿Qué relación tiene todo esto con la desaparición de Cisco?

Episodio 10

«¡Alto! ¡Tire el arma!»

Relájate y disfruta el video.

10-57 **Después del video** Contesta las siguientes preguntas. ■

1. Al final, ¿fue Celia al museo sola o buscó la ayuda de otra(s) persona(s)?
2. ¿Quién robó los mapas y las crónicas de la biblioteca? ¿Por qué los robó?
3. ¿Quién había amenazado a Cisco y a Celia? ¿Por qué los había amenazado?
4. ¿Quién era el Señor A. Menaza? ¿Por qué quería hacerles daño a Cisco y a Celia?
5. ¿Cómo concluyó el episodio?

448

LETRAS

Acabas de terminar otro episodio de **Laberinto peligroso.** Explora más lecturas en la colección literaria, **Letras.**

10-47 to 10-50

Y por fin, ¿cómo andas?

	Feel confident	Need to review

Having completed this chapter, I now can . . .

Comunicación I

- describe the environment. (p. 412) ☐ ☐
- indicate purpose, time, and location. (MSL) ☐ ☐
- specify prior recommendations, wants, doubts, and emotions. (p. 416) ☐ ☐
- discuss actions completed before others in the past. (p. 420) ☐ ☐
- distinguish different contexts. (p. 423) ☐ ☐

Comunicación II

- identify a variety of animals. (p. 425) ☐ ☐
- communicate agency, purpose, and source. (MSL) ☐ ☐
- convey hypothetical or contrary-to-fact information. (p. 430) ☐ ☐
- illustrate geographic features. (p. 432) ☐ ☐
- sequence temporal events. (p. 435) ☐ ☐
- express agreement, disagreement, or surprise. (p. 440) ☐ ☐
- link sentences when writing to be more cohesive, persuasive, and clear. (p. 442) ☐ ☐

Cultura

- share information about an environmental protection foundation. (p. 422) ☐ ☐
- name three Hispanic environmental activists. (p. 438) ☐ ☐
- compare and contrast conservation initiatives in Colombia and Venezuela. (p. 444) ☐ ☐

Laberinto peligroso

- recognize and identify characteristics of different text types and discover what Celia does next. (p. 446) ☐ ☐
- find out what happened to Cisco. (p. 448) ☐ ☐

Comunidades

- use Spanish in real-life contexts. (SAM) ☐ ☐

Literatura

- retell a fable and state the moral. (Literary Reader) ☐ ☐

VOCABULARIO ACTIVO

El medio ambiente	The environment
los animales en peligro de extinción	endangered species
el clima	climate
el combustible	fuel
el consumo	consumption
el contaminante	contaminant
el daño	harm
la deforestación	deforestation
el desperdicio	waste
el ecosistema	ecosystem
el efecto invernadero	greenhouse effect
el envase	package; container
la erosión	erosion
la escasez	scarcity
el esmog	smog
el fertilizante	fertilizer
el hábitat	habitat
el humo	smoke
la infraestructura	infrastructure
el insecticida	insecticide
la naturaleza	nature
el peligro	danger
el pesticida	pesticide
el riesgo	risk
la sequía	drought
la sobrepoblación	overpopulation
la sustancia	substance

Algunos verbos	Some verbs
amenazar	to threaten
conservar	to conserve
cosechar	to harvest
dañar	to damage; to harm
desaparecer	to disappear
descongelar	to thaw
desperdiciar	to waste
destruir	to destroy
fabricar	to make; to produce
hacer ruido	to make noise
mejorar	to improve
preservar	to preserve
prevenir	to prevent
reducir	to reduce
reemplazar	to replace
rescatar	to rescue
sobrevivir	to survive
sostener	to sustain

Algunos adjetivos	Some adjectives
árido/a	arid; dry
biodegradable	biodegradable
climático/a	climatic
ecológico/a	ecological
exterminado/a	exterminated
renovable	renewable
tóxico/a	poisonous

450

Algunos animales	Some animals
la abeja	bee
la ardilla	squirrel
la ballena	whale
la cabra	goat
el camello	camel
el cangrejo	crab
el dinosaurio	dinosaur
la foca	seal
el gallo	rooster
el gorila	gorilla
la iguana	iguana
la jirafa	giraffe
el lobo	wolf
el loro	parrot
el manatí	manatee
la mariposa	butterfly
el mono	monkey
el murciélago	bat
la oveja	sheep
la paloma	pigeon; dove
el pato	duck
el picaflor	hummingbird
el pingüino	penguin
el pulpo	octopus
el puma	puma
el rinoceronte	rhinoceros
el saltamontes	grasshopper
el tiburón	shark
el tigre	tiger
la tortuga	turtle
el venado	deer
el zorro	fox

Algunos términos geográficos	Some geographical terms
el arrecife	coral reef
el arroyo	stream
la bahía	bay
la catarata	waterfall
el desierto	desert
la isla	island
la llanura	plain
el mar	sea
el pantano	marsh
la playa	beach
el río	river
la sierra	mountain range
el valle	valley
el volcán	volcano

Appendix 1

Answers to ¡Explícalo tú! (Inductive Grammar Answers)

Capítulo Preliminar A

8. Los verbos con cambio de raíz

1. What is a rule that you can make regarding all four groups (e → ie, e → i, o → ue, and u → ue) of stem-changing verbs and their forms?

   Nosotros / vosotros **look like the infinitive. All the other forms have a spelling change.**

2. With what group of stem-changing verbs would you place each of the following verbs?

demostrar	o → ue	encerrar	e → ie
devolver	o → ue	perseguir	e → i

10. Un repaso de ser y estar

Compare the following sentences and answer the questions below.

   Su hermano **es** simpático.
   Su hermano **está** enfermo.

1. Why do you use a form of **ser** in the first sentence?
   It is a characteristic that remains relatively constant.

2. Why do you use a form of **estar** in the second sentence?
   It describes a physical condition that can change.

11. El verbo gustar

1. To say you like or dislike one thing, what form of **gustar** do you use?
   gusta

2. To say you like or dislike more than one thing, what form of **gustar** do you use?
   gustan

3. Which words in the examples mean *I?* **(me)** *You?* **(te)** *He/She?* **(le)** *You (all)?* **(les/os)** *They?* **(les)** *We?* **(nos)**

4. If a verb is needed after **gusta / gustan,** what form of the verb do you use?
   You use the infinitive form of the verb.

Capítulo 2

2. Los mandatos de nosotros/as

1. Where are object pronouns placed when used with affirmative commands?
   They follow, and are attached to, the commands.

2. Where are object pronouns placed when used with negative commands?
   They precede the commands.

3. When do you need to add a written accent mark?
   Add a written accent mark when pronunciation would change without it.

4. El subjuntivo para expresar pedidos, mandatos y deseos

1. In **Part A,** how many verbs are in each sample sentence?
   There are two verbs in each sentence.

2. Which verb is in the present indicative: the verb in blue or the one in red?
   The verb in blue is in the present indicative.

3. Which verb is in the present subjunctive: the verb in blue or the one in red?
   The verb in red is in the present subjunctive.

4. Is there a different subject for each verb?
   yes

5. What word joins the two distinct parts of the sentence?
   the conjunction *que*

6. State a rule for the use of the subjunctive in the sentences from **Part A.**
   The present subjunctive is used when the verb in the present indicative requests or suggests something. There must be a change of subject also.

7. State a rule for the sentences in **Part B.**
   If the subject does not change, the infinitive is used.

From *Anda!: curso intermedio*, Second Edition. Audrey L. Heining-Boynton, Jean W. LeLoup, Glynis S. Cowell.

A1

Capítulo 3

4. El subjuntivo para expresar sentimientos, emociones y dudas

1. In which part of the sentence do you place the verb that expresses feelings, emotions, or doubts: to the right or to the left of **que**?
to the left

2. Where do you put the subjunctive form of the verb: to the right or to the left of **que**?
to the right

3. What word joins the two parts of the sentence?
the conjunction *que*

4. When you have only one subject/group of people and you are expressing **feelings, emotions, doubt,** or **probability,** do you use a subjunctive sentence?
No, the infinitive is used.

5. *Estar* + el participio pasado

Based on the examples above, what rule can you state with regard to what determines the endings of the past participles **(-ado / -ido)** when used as adjectives?
When used as an adjective, the past participle must agree in number and gender with the noun it modifies.

Capítulo 4

2. El pasado perfecto (pluscuamperfecto)

1. How do you form the past perfect tense?
It is formed with the imperfect tense of *haber* **and the past participle.**

2. How does the form compare with the present perfect tense **(he hablado, has comido, han ido,** etc.)?
It is similar, but *haber* **must be in the imperfect (a past) tense.**

3. To make the sentence negative in the past perfect, where does the word *no* go?
It goes before / in front of the form of *haber.*

4. Which verbs have irregular past participles?
several verbs: e.g., abrir, decir, escribir, hacer, morir, poner, volver, ver

5. El presente perfecto de subjuntivo

1. How is the present perfect subjunctive formed?
It is formed with the present subjunctive of *haber* **and the past participle.**

2. When is it used?
It is used when the subjunctive mood is needed in a sentence.

Capítulo 9

2. Repaso del subjuntivo: El subjuntivo en cláusulas sustantivas, adjetivales y adverbiales

El subjuntivo en cláusulas sustantivas
Having studied the preceding examples of the subjunctive, answer the following questions to complete your review:

1. How many verbs are in each sentence?
two

2. Which verb in the sentence is *not* in the **subjunctive**?
the one in the main clause / before (to the left of) *que*

3. Which verb is in the **subjunctive**?
the verb in the subordinate clause / after (to the right of) *que*

4. Is there a different subject for each verb?
yes

5. What word joins the two distinct parts of the sentence?
que

6. State a rule for the use of the subjunctive to express **volition** and **will, feelings** and **emotions, doubt, uncertainty,** and **probability.**
When the verb in the main clause expresses doubt, uncertainty, influence, opinion, feelings, hope, wishes, or desires and there is a change of subject, the verb in the second (subordinate) clause must be in the subjunctive.

El subjuntivo con antecedentes indefinidos o que no existen

1. What kinds of verbs tell you that there is a possibility that something or someone is uncertain or nonexistent?
verbs such as *buscar, no conocer,* **and** *dudar*

2. If you know that something or someone exists, do you use the indicative or the subjunctive?
If the person, place, or thing being talked about exists in the mind of the speaker, then the indicative is used. If not, the subjunctive is needed.

A2

El subjuntivo en cláusulas adverbiales
Having studied the previous examples, answer the
following questions to complete your review:

1. Which conjunctions **always** use the subjunctive?
   **The *subjunctive* is always used after these
   conjunctions: *a menos que, en caso (de) que, antes
   (de) que, para que, con tal (de) que,* and *sin que*. After
   *aunque, a pesar de que, cuando, en cuanto, tan pronto
   como,* and *después que,* you use the subjunctive if
   the action has not yet occurred.**

2. Which conjunctions **never** use the subjunctive?
   **The indicative is always used after these
   conjunctions: *ahora que, puesto que,* and *ya que*.**

3. Which conjunctions **sometimes** use the subjunctive?
   *Aunque, a pesar de que, cuando, en cuanto, tan
   pronto como,* and *después que* **sometimes use the
   subjunctive.**

4. What question do you ask yourself with these types of
   conjunctions?
   **With these conjunctions, you must ask yourself
   whether the action has already occurred. If so, the
   indicative is used; if not, the subjunctive is used.
   Always use the indicative after *ahora que, puesto
   que,* and *ya que*. Always use the subjunctive after *a
   menos que, en caso (de) que, antes (de) que, para que,
   con tal (de) que,* and *sin que*.**

Capítulo 11

7. La voz pasiva

1. What are the nouns (*people, places, or things*) in the
   sample sentences of **passive** with **ser**?
   a. **el pulso (subject), la enfermera (object of
      preposition)**
   b. **la presión (subject), el médico (object of
      preposition)**
   c. **los resultados (subject), la cirujana (object of
      preposition)**
   d. **las recetas (subject), el neurólogo (object of
      preposition)**

2. In the **passive** with **ser** sentences,
   a. what form (person: e.g., first, second, third) of each
      verb is used?
      3rd person

   b. what determines whether each verb is singular or
      plural?
      the subject

   c. with what does each past participle (**-ado / -ido**)
      agree?
      the subject

3. With the **passive** *se* sentences, do you still have the
   same subjects and objects as in the **passive** with **ser?**
   no, only subjects (recipients)

4. What form of the verb is used with the **passive** *se?*
   What determines whether that form is singular or
   plural?
   third person; must agree with the subject

5. Is the doer clear in the **passive** *se* sentences?
   no

A3

Vocabulary from *¡Anda! Curso elemental*

Appendix 2

Vocabulary from ¡Anda! Curso elemental

Capítulo Preliminar A de ¡Anda! Curso elemental

Los saludos Greetings

Bastante bien. *Just fine.*
Bien, gracias. *Fine, thanks.*
Buenos días. *Good morning.*
Buenas noches. *Good evening.;*
  Good night.
Buenas tardes. *Good afternoon.*
¿Cómo está usted? *How are you?*
  (formal)
¿Cómo estás? *How are you?* (familiar)
¡Hola! *Hi!; Hello!*
Más o menos. *So-so.*
Muy bien. *Really well.*
¿Qué tal? *How's it going?*
Regular. *Okay.*
¿Y tú? *And you?* (familiar)
¿Y usted? *And you?* (formal)

Las despedidas Farewells

Adiós. *Good-bye.*
Chao. *Bye.*
Hasta luego. *See you later.*
Hasta mañana. *See you tomorrow.*
Hasta pronto. *See you soon.*

Las presentaciones Introductions

¿Cómo te llamas? *What is your name?*
  (familiar)
¿Cómo se llama usted? *What is your name?*
  (formal)
Encantado/a. *Pleased to meet you.*
Igualmente. *Likewise.*
Me llamo... *My name is . . .*
Mucho gusto. *Nice to meet you.*
Quiero presentarte a... *I would like to*
  introduce you to . . . (familiar)
Quiero presentarle a... *I would like to*
  introduce you to . . . (formal)
Soy... *I am . . .*

Expresiones útiles para la clase Useful classroom expressions

Preguntas y respuestas *Questions*
  and answers

¿Cómo? *What?; How?*
¿Cómo se dice... en español? *How do you*
  say . . . in Spanish?

¿Cómo se escribe... en español? *How do*
  you write . . . in Spanish?
Lo sé. *I know.*
No. *No.*
No comprendo. *I don't understand.*
No lo sé. *I don't know.*
Sí. *Yes.*
¿Qué es esto? *What is this?*
¿Qué significa? *What does it mean?*
¿Quién? *Who?*

Expresiones de cortesía Polite expressions

De nada. *You're welcome.*
Gracias. *Thank you.*
Por favor. *Please.*

Mandatos para la clase Classroom instructions (commands)

Abra(n) el libro en la página... *Open your*
  book to page . . .
Cierre(n) el/los libro/s. *Close your book/s.*
Conteste(n). *Answer.*
Escriba(n). *Write.*
Escuche(n). *Listen.*
Lea(n). *Read.*
Repita(n). *Repeat.*
Vaya(n) a la pizarra. *Go to the board.*

Las nacionalidades Nationalities

alemán/alemana *German*
canadiense *Canadian*
chino/a *Chinese*
cubano/a *Cuban*
español/a *Spanish*
estadounidense (norteamericano/a)
  American
francés/francesa *French*
inglés/inglesa *English*
japonés/japonesa *Japanese*
mexicano/a *Mexican*
nigeriano/a *Nigerian*
puertorriqueño/a *Puerto Rican*

Los números 0–30 Numbers 0–30

cero *0*
uno *1*

dos *2*
tres *3*
cuatro *4*
cinco *5*
seis *6*
siete *7*
ocho *8*
nueve *9*
diez *10*
once *11*
doce *12*
trece *13*
catorce *14*
quince *15*
dieciséis *16*
diecisiete *17*
dieciocho *18*
diecinueve *19*
veinte *20*
veintiuno *21*
veintidós *22*
veintitrés *23*
veinticuatro *24*
veinticinco *25*
veintiséis *26*
veintisiete *27*
veintiocho *28*
veintinueve *29*
treinta *30*

La hora Telling time

A la... / A las... *At . . . o'clock.*
¿A qué hora... ? *At what time . . . ?*
... de la mañana *. . . in the morning*
... de la noche *. . . in the evening*
... de la tarde *. . . in the afternoon, early*
  evening
¿Cuál es la fecha de hoy? *What is today's*
  date?
Es la... / Son las... *It's . . . o'clock.*
Hoy es... *Today is . . .*
Mañana es... *Tomorrow is . . .*
la medianoche *midnight*
el mediodía *noon*
¿Qué día es hoy? *What day is*
  today?
¿Qué hora es? *What time is it?*
y cinco *five minutes after the hour*

Los días de la semana *Days of the week*

lunes *Monday*
martes *Tuesday*
miércoles *Wednesday*
jueves *Thursday*
viernes *Friday*
sábado *Saturday*
domingo *Sunday*

Los meses del año *Months of the year*

enero *January*
febrero *February*
marzo *March*
abril *April*
mayo *May*
junio *June*

julio *July*
agosto *August*
septiembre *September*
octubre *October*
noviembre *November*
diciembre *December*

Las estaciones *Seasons*

el invierno *winter*
la primavera *spring*
el otoño *autumn; fall*
el verano *summer*

Expresiones del tiempo *Weather expressions*

Está nublado. *It's cloudy.*
Hace buen tiempo. *The weather is nice.*
Hace calor. *It's hot.*

Hace frío. *It's cold.*
Hace mal tiempo. *The weather is bad.*
Hace sol. *It's sunny.*
Hace viento. *It's windy.*
Llueve. *It's raining.*
la lluvia *rain*
Nieva. *It's snowing.*
la nieve *snow*
la nube *cloud*
¿Qué tiempo hace? *What's the weather like?*
el sol *sun*
la temperatura *temperature*
el viento *wind*

Algunos verbos *Some verbs*

gustar *to like*
ser *to be*

Capítulo 1 de ¡Anda! Curso elemental

La familia *Family*

el/la abuelo/a *grandfather/grandmother*
los abuelos *grandparents*
el/la esposo/a *husband/wife*
el/la hermano/a *brother/sister*
los hermanos *brothers and sisters; siblings*
el/la hijo/a *son/daughter*
los hijos *sons and daughters; children*
la madrastra *stepmother*
la madre / la mamá *mother / mom*
el/la nieto/a *grandson/grandaughter*
el padrastro *stepfather*
el padre / el papá *father / dad*
los padres *parents*
el/la primo/a *cousin*
los primos *cousins*
el/la tío/a *uncle/aunt*
los tíos *aunts and uncles*

La gente *People*

el/la amigo/a *friend*
el/la chico/a *boy/girl*
el hombre *man*
el/la joven *young man/young woman*
el/la muchacho/a *boy/girl*
la mujer *woman*
el/la niño/a *little boy/little girl*
el/la novio/a *boyfriend/girlfriend*
el señor (Sr.) *man; gentleman; Mr.*
la señora (Sra.) *woman; lady; Mrs.*
la señorita (Srta.) *young woman; Miss*

Los adjetivos *Adjectives*

La personalidad y otros rasgos *Personality and other characteristics*

aburrido/a *boring*
antipático/a *unpleasant*

bueno/a *good*
cómico/a *funny; comical*
inteligente *intelligent*
interesante *interesting*
malo/a *bad*
paciente *patient*
perezoso/a *lazy*
pobre *poor*
responsable *responsible*
rico/a *rich*
simpático/a *nice*
tonto/a *silly; dumb*
trabajador/a *hard-working*

Las características físicas *Physical characteristics*

alto/a *tall*
bajo/a *short*
bonito/a *pretty*
débil *weak*
delgado/a *thin*
feo/a *ugly*
fuerte *strong*
gordo/a *fat*
grande *big; large*
guapo/a *handsome/pretty*
joven *young*
mayor *old*
pequeño/a *small*

Los números 31–100 *Numbers 31–100*

treinta y uno *31*
treinta y dos *32*
treinta y tres *33*
treinta y cuatro *34*
treinta y cinco *35*

treinta y seis *36*
treinta y siete *37*
treinta y ocho *38*
treinta y nueve *39*
cuarenta *40*
cuarenta y uno *41*
cincuenta *50*
cincuenta y uno *51*
sesenta *60*
setenta *70*
ochenta *80*
noventa *90*
cien *100*

Un verbo *A verb*

tener *to have*

Otras palabras útiles *Other useful words*

muy *very*
(un) poco *(a) little*

Vocabulario útil *Useful vocabulary*

más *plus*
menos *minus*
son *equals*
por ciento *percent*
por *times; by*
dividido por *divided by*

A5

Las materias y las especialidades
Subjects and majors

la administración de empresas *business*
la arquitectura *architecture*
el arte *art*
la biología *biology*
las ciencias (pl.) *science*
el derecho *law*
los idiomas (pl.) *languages*
la informática *computer science*
la literatura *literature*
las matemáticas (pl.) *mathematics*
la medicina *medicine*
la música *music*
la pedagogía *education*
el periodismo *journalism*
la psicología *psychology*
el semestre *semester*

En la sala de clase   *In the classroom*

los apuntes (pl.) *notes*
el bolígrafo *ballpoint pen*
el borrador *eraser*
el/la compañero/a de clase *classmate*
la composición *composition*
el cuaderno *notebook*
el escritorio *desk*
el/la estudiante *student*
el examen *exam*
el lápiz *pencil*
el libro *book*
el mapa *map*
la mesa *table*
la mochila *book bag; knapsack*
el papel *paper*
la pared *wall*
la pizarra *chalkboard*
el/la profesor/a *professor*
la puerta *door*
la sala de clase *classroom*
la silla *chair*
la tarea *homework*
la tiza *chalk*
la ventana *window*

Los verbos *Verbs*

abrir *to open*
aprender *to learn*
comer *to eat*
comprar *to buy*
comprender *to understand*
contestar *to answer*
correr *to run*
creer *to believe*
enseñar *to teach; to show*
escribir *to write*
esperar *to wait for; to hope*
estar *to be*
estudiar *to study*
hablar *to speak*

leer *to read*
llegar *to arrive*
necesitar *to need*
preguntar *to ask (a question)*
preparar *to prepare; to get ready*
recibir *to receive*
regresar *to return*
terminar *to finish; to end*
tomar *to take; to drink*
trabajar *to work*
usar *to use*
vivir *to live*

Las palabras interrogativas
Interrogative words

¿Adónde? *To where?*
¿Cómo? *How?*
¿Cuál? *Which (one)?*
¿Cuáles? *Which (ones)?*
¿Cuándo? *When?*
¿Cuánto/a? *How much?*
¿Cuántos/as? *How many?*
¿Dónde? *Where?*
¿Por qué? *Why?*
¿Qué? *What?*
¿Quién? *Who?*
¿Quiénes? *Who?*

Los números 100–1.000 *Numbers 100–1,000*

cien *100*
ciento uno *101*
ciento dos *102*
ciento dieciséis *116*
ciento veinte *120*
doscientos *200*
doscientos uno *201*
trescientos *300*
cuatrocientos *400*
quinientos *500*
seiscientos *600*
setecientos *700*
ochocientos *800*
novecientos *900*
mil *1,000*

Los lugares *Places*

el apartamento *apartment*
la biblioteca *library*
la cafetería *cafeteria*
el centro estudiantil *student center; student union*
el cuarto *room*
el edificio *building*
el estadio *stadium*
el gimnasio *gymnasium*
el laboratorio *laboratory*
la librería *bookstore*
la residencia estudiantil *dormitory*
la tienda *store*

La residencia   *The dorm*

la calculadora *calculator*
el/la compañero/a de cuarto *roommate*
la computadora *computer*
el despertador *alarm clock*
el dinero *money*
el disco compacto (el CD) *compact disk*
el DVD *DVD*
el horario (de clases) *schedule (of classes)*
el radio/la radio *radio*
el reloj *clock; watch*
el reproductor de CD/DVD *CD/DVD player*
la televisión *television*

Los deportes y los pasatiempos
Sports and pastimes

bailar *to dance*
caminar *to walk*
el equipo *team*
escuchar música *to listen to music*
hacer ejercicio *to exercise*
ir de compras *to go shopping*
jugar al básquetbol *to play basketball*
jugar al béisbol *to play baseball*
jugar al fútbol *to play soccer*
jugar al fútbol americano *to play football*
jugar al golf *to play golf*
jugar al tenis *to play tennis*
montar en bicicleta *to ride a bike*
nadar *to swim*
patinar *to skate*
la pelota *ball*
tocar un instrumento *to play an instrument*
tomar el sol *to sunbathe*
ver la televisión *to watch television*

Otras palabras útiles   *Other useful words*

a menudo *often*
a veces *sometimes; from time to time*
difícil *difficult*
fácil *easy*
hay *there is; there are*
nunca *never*
pero *but*
también *too; also*
y *and*

Emociones y estados   *Emotions and states of being*

aburrido/a *bored (with estar)*
cansado/a *tired*
contento/a *content; happy*
enfermo/a *ill; sick*
enojado/a *angry*
feliz *happy*
nervioso/a *upset; nervous*
preocupado/a *worried*
triste *sad*

A6

La casa *The house*

el altillo *attic*
el balcón *balcony*
el baño *bathroom*
la cocina *kitchen*
el comedor *dining room*
el cuarto *room*
el dormitorio *bedroom*
la escalera *staircase*
el garaje *garage*
el jardín *garden*
la oficina *office*
el piso *floor; story*
la planta baja *ground floor*
el primer piso *second floor*
la sala *living room*
el segundo piso *third floor*
el sótano *basement*
el suelo *floor*
el techo *roof*
el tercer piso *fourth floor*

Los verbos *Verbs*

conocer *to be acquainted with*
dar *to give*
decir *to say; to tell*
hacer *to do; to make*
oír *to hear*
poder *to be able to*
poner *to put; to place*
querer *to want; to love*
salir *to leave; to go out*
traer *to bring*
venir *to come*
ver *to see*

Los muebles y otros objetos de la casa *Furniture and other objects in the house*

La sala y el comedor *The living room and dining room*

la alfombra *rug; carpet*
el estante *bookcase*
la lámpara *lamp*
el sillón *armchair*
el sofá *sofa*

La cocina *The kitchen*

la estufa *stove*
el lavaplatos *dishwasher*
el microondas *microwave*
el refrigerador *refrigerator*

El baño *The bathroom*

la bañera *bathtub*
el bidet *bidet*

la ducha *shower*
el inodoro *toilet*
el lavabo *sink*

El dormitorio *The bedroom*

la almohada *pillow*
la cama *bed*
la colcha *bedspread; comforter*
la manta *blanket*
las sábanas *sheets*
el tocador *dresser*

Otras palabras útiles en la casa *Other useful words in the house*

amueblado/a *furnished*
el armario *armoire; closet; cabinet*
la cosa *thing*
el cuadro *picture; painting*
el mueble *piece of furniture*
los muebles *furniture*
el objeto *object*

Los quehaceres de la casa *Household chores*

arreglar *to straighten up; to fix*
ayudar *to help*
cocinar, preparar la comida *to cook*
guardar *to put away; to keep*
hacer la cama *to make the bed*
lavar los platos *to wash dishes*
limpiar *to clean*
pasar la aspiradora *to vacuum*
poner la mesa *to set the table*
sacar la basura *to take out the garbage*
sacudir los muebles *to dust*

Los colores *Colors*

amarillo *yellow*
anaranjado *orange*
azul *blue*
beige *beige*
blanco *white*
gris *gray*
marrón *brown*
morado *purple*
negro *black*
rojo *red*
rosado *pink*
verde *green*

Expresiones con *tener* *Expressions with* tener

tener... años *to be ... years old*
tener calor *to be hot*
tener cuidado *to be careful*

tener éxito *to be successful*
tener frío *to be cold*
tener ganas de + (*infinitive*) *to feel like + (verb)*
tener hambre *to be hungry*
tener miedo *to be afraid*
tener prisa *to be in a hurry*
tener que + (*infinitive*) *to have to + (verb)*
tener razón *to be right*
tener sed *to be thirsty*
tener sueño *to be sleepy*
tener suerte *to be lucky*
tener vergüenza *to be embarrassed*

Los números 1.000–100.000.000 *Numbers 1,000–100,000,000*

mil *1,000*
mil uno *1,001*
mil diez *1,010*
dos mil *2,000*
treinta mil *30,000*
cien mil *100,000*
cuatrocientos mil *400,000*
un millón *1,000,000*
dos millones *2,000,000*
cien millones *100,000,000*

Otras palabras útiles *Other useful words*

a la derecha (de) *to the right (of)*
a la izquierda (de) *to the left (of)*
al lado (de) *beside*
a menudo *often*
a veces *sometimes*
antiguo/a *old*
la calle *street*
el campo *country*
la ciudad *city*
contemporáneo/a *contemporary*
desordenado/a *messy*
encima (de) *on top (of)*
humilde *humble*
limpio/a *clean*
moderno/a *modern*
nuevo/a *new*
la ropa *clothes; clothing*
siempre *always*
sucio/a *dirty*
tradicional *traditional*
viejo/a *old*

A7

Capítulo 4 de ¡Anda! Curso elemental

Los lugares *Places*

el almacén *department store*
el banco *bank*
el bar; el club *bar; club*
el café *cafe*
el cajero automático *ATM machine*
el centro *downtown*
el centro comercial *mall; business / shopping district*
el cibercafé *Internet café*
el cine *movie theater*
la iglesia *church*
el mercado *market*
el museo *museum*
la oficina de correos; correos *post office*
el parque *park*
la plaza *town square*
el pueblo *town; village*
el restaurante *restaurant*
el supermercado *supermarket*
el teatro *theater*
el templo *temple*

Algunos verbos *Some verbs*

buscar *to look for*
estar de acuerdo *to agree*
mandar una carta *to send / mail a letter*

Otras palabras útiles *Other useful words*

la ciudad *city*
la cuenta *bill; account*
detrás (de) *behind*
enfrente (de) *in front (of)*
el/la mejor *the best*
la película *movie; film*
el/la peor *the worst*

Servicios a la comunidad *Community service*

apoyar a un/a candidato/a *to support a candidate*
ayudar a las personas mayores / los mayores *to help elderly people*
circular una petición *to circulate a petition*
dar un paseo *to go for a walk*
deber *ought to; should*
hacer artesanía *to make arts and crafts*
hacer una hoguera *to light a campfire*
ir de camping *to go camping*
ir de excursión *to take a short trip*
llevar a alguien al médico *to take someone to the doctor*
montar una tienda de campaña *to put up a tent*
organizar *to organize*
participar en una campaña política *to participate in a political campaign*
repartir comidas *to hand out / deliver food*
trabajar como consejero/a *to work as a counselor*
trabajar en un campamento de niños *to work in a summer camp*
trabajar como voluntario/a en la residencia de ancianos *to volunteer at a nursing home*
trabajar en política *to work in politics*
viajar en canoa *to canoe*

Otras palabras útiles *Other useful words*

el deber *obligation; duty*
el voluntariado *volunteerism*

¿Qué tienen que hacer? *What do they have to do?*

(Verbos con cambio de raíz)
(Stem-changing verbs)

almorzar (ue) *to have lunch*
cerrar (ie) *to close*
comenzar (ie) *to begin*
costar (ue) *to cost*
demostrar (ue) *to demonstrate*
devolver (ue) *to return (an object)*
dormir (ue) *to sleep*
empezar (ie) *to begin*
encerrar (ie) *to enclose*
encontrar (ue) *to find*
entender (ie) *to understand*
jugar (ue) *to play*
mentir (ie) *to lie*
morir (ue) *to die*
mostrar (ue) *to show*
pedir (i) *to ask for*
pensar (ie) *to think*
perder (ie) *to lose; to waste*
perseguir (i) *to chase*
preferir (ie) *to prefer*
recomendar (ie) *to recommend*
recordar (ue) *to remember*
repetir (i) *to repeat*
seguir (i) *to follow; to continue (doing something)*
servir (i) *to serve*
volver (ue) *to return*

Otros verbos *Other verbs*

ir *to go*
saber *to know*

Expresiones afirmativas y negativas *Affirmative and negative expressions*

a veces *sometimes*
algo *something; anything*
alguien *someone*
algún *some; any*
alguno/a/os/as *some; any*
jamás *never; not ever* (emphatic)
nada *nothing*
nadie *no one; nobody*
ni... ni *neither . . . nor*
ningún *none*
ninguno/a/os/as *none*
nunca *never*
o... o *either . . . or*
siempre *always*

Capítulo 5 de ¡Anda! Curso elemental

El mundo de la música *The world of music*

el/la artista *artist*
la batería *drums*
el/la baterista *drummer*
el/la cantante *singer*
el concierto *concert*
el conjunto *group; band*
el/la empresario/a *agent; manager*
la gira *tour*
las grabaciones *recordings*
la guitarra *guitar*
el/la guitarrista *guitarist*
el/la músico/a *musician*
la música *music*
la orquesta *orchestra*
el/la pianista *pianist*
el piano *piano*
el tambor *drum*
el/la tamborista *drummer*
la trompeta *trumpet*
el/la trompetista *trumpet player*

Algunos géneros musicales *Some musical genres*

el jazz *jazz*
la música clásica *classical music*
la música folklórica *folk music*
la música popular *pop music*
la música rap *rap music*
la ópera *opera*
el rock *rock*
la salsa *salsa*

A8

Algunas características *Some characteristics*

apasionado/a *passionate*
cuidadoso/a *careful*
fino/a *fine; delicate*
lento/a *slow*
suave *smooth*

Algunos verbos *Some verbs*

dar un concierto *to give / perform a concert*
ensayar *to practice / rehearse*
grabar *to record*
hacer una gira *to tour*
sacar un CD *to release a CD*
tocar *to play (a musical instrument)*

Otras palabras útiles *Other useful words*

el/la aficionado/a *fan*
la fama *fame*
el género *genre*
la habilidad *ability; skill*
la letra *lyrics*
el ritmo *rhythm*
la voz *voice*

El mundo del cine *The world of cinema*

el actor *actor*
la actriz *actress*
el documental *documentary*
la entrada *ticket*
la estrella *star*
la pantalla *screen*
una película... *a ... film; movie*
   de acción *action*
   de ciencia ficción *science fiction*
   dramática *drama*
   de guerra *war*
   de humor *funny; comedy*
   de misterio *mystery*
   musical *musical*
   romántica *romantic*
   de terror *horror*

Otras palabras útiles *Other useful words*

el estreno *opening*
la película *film; movie*
una película... *a ... movie*
   aburrida *boring*
   animada *animated*
   conmovedora *moving*
   creativa *creative*
   emocionante *moving*

entretenida *entertaining*
épica *epic*
espantosa *scary*
estupenda *stupendous*
imaginativa *imaginative*
impresionante *impressive*
pésima *heavy; depressing*
sorprendente *surprising*
trágica *tragic*

Algunos verbos *Some verbs*

estrenar una película *to release a film / movie*
presentar una película *to show a film / movie*

Los números ordinales *Ordinal numbers*

primer, primero/a *first*
segundo/a *second*
tercer, tercero/a *third*
cuarto/a *fourth*
quinto/a *fifth*
sexto/a *sixth*
séptimo/a *seventh*
octavo/a *eighth*
noveno/a *ninth*
décimo/a *tenth*

Capítulo 7 de *¡Anda! Curso elemental*

Las carnes y las aves *Meat and poultry*

las aves *poultry*
el bistec *steak*
la carne *meat*
la hamburguesa *hamburger*
el jamón *ham*
el perro caliente *hot dog*
el pollo *chicken*

El pescado y los mariscos *Fish and seafood*

el atún *tuna*
los camarones (*pl.*) *shrimp*
el pescado *fish*

Las frutas *Fruit*

la banana *banana*
el limón *lemon*
la manzana *apple*
el melón *melon*
la naranja *orange*
la pera *pear*
el tomate *tomato*

Las verduras *Vegetables*

la cebolla *onion*
el chile *chili pepper*
la ensalada *salad*
los frijoles (*pl.*) *beans*
la lechuga *lettuce*
el maíz *corn*
la papa / la patata *potato*
las papas fritas (*pl.*) *french fries; potato chips*
la verdura *vegetable*

Los postres *Desserts*

los dulces *candy; sweets*
las galletas *cookies; crackers*
el helado *ice cream*
el pastel *pastry; pie*
el postre *dessert*
la torta *cake*

Las bebidas *Beverages*

el agua (con hielo) *water (with ice)*
el café *coffee*
la cerveza *beer*
el jugo *juice*
la leche *milk*

el refresco *soft drink*
el té (helado / caliente) *tea (iced / hot)*
el vino *wine*

Más comidas *More foods*

el arroz *rice*
el cereal *cereal*
el huevo *egg*
el pan *bread*
el queso *cheese*
la sopa *soup*
la tostada *toast*

Las comidas *Meals*

el almuerzo *lunch*
la cena *dinner*
la comida *food; meal*
el desayuno *breakfast*
la merienda *snack*

Verbos *Verbs*

almorzar (ue) *to have lunch*
andar *to walk*
beber *to drink*
cocinar *to cook*

A9

conducir *to drive*
cenar *to have dinner*
desayunar *to have breakfast*
merendar *to have a snack*

Los condimentos y las especias *Condiments and spices*

el aceite *oil*
el azúcar *sugar*
la mantequilla *butter*
la mayonesa *mayonnaise*
la mermelada *jam; marmalade*
la mostaza *mustard*
la pimienta *pepper*
la sal *salt*
la salsa de tomate *ketchup*
el vinagre *vinegar*

Algunos términos de cocina *Cooking terms*

a la parrilla *grilled*
al horno *baked*
asado/a *roasted; grilled*
bien cocido/a *well done*
bien hecho/a *well cooked*
caliente *hot (temperature)*
cocido/a *boiled; baked*

crudo/a *rare; raw*
duro/a *hard-boiled*
fresco/a *fresh*
frito/a *fried*
helado/a *iced*
hervido/a *boiled*
picante *spicy*
poco hecho/a *rare*
término medio *medium*

En el restaurante *In the restaurant*

el/la camarero/a *waiter/waitress*
el/la cliente/a *customer; client*
el/la cocinero/a *cook*
la cuchara *soup spoon; tablespoon*
la cucharita *teaspoon*
el cuchillo *knife*
la especialidad de la casa *specialty of the house*
el mantel *tablecloth*
el menú *menu*
el plato *plate; dish*
la propina *tip*
la servilleta *napkin*
la tarjeta de crédito *credit card*
la tarjeta de débito *debit card*
la taza *cup*

el tenedor *fork*
el vaso *glass*

Verbos *Verbs*

pagar *to pay*
pedir *to order*
reservar una mesa *to reserve a table*

Otras palabras útiles *Other useful words*

anoche *last night*
anteayer *the day before yesterday*
el año pasado *last year*
ayer *yesterday*
barato/a *cheap*
¡Buen provecho! *Enjoy your meal!*
caro/a *expensive*
cerca (de) *near*
debajo (de) *under; underneath*
encima (de) *on top (of); above*
el fin de semana pasado *last weekend*
el... (jueves) pasado *last . . . (Thursday)*
La cuenta, por favor. *The check, please.*
la semana pasada *last week*
más tarde que *later than*
más temprano que *earlier than*

Capítulo 8 de ¡Anda! Curso elemental

La ropa *Clothing*

el abrigo *overcoat*
la bata *robe*
la blusa *blouse*
el bolso *purse*
las botas (*pl.*) *boots*
los calcetines (*pl.*) *socks*
la camisa *shirt*
la camiseta *T-shirt*
la chaqueta *jacket*
el cinturón *belt*
el conjunto *outfit*
la corbata *tie*
la falda *skirt*
la gorra *cap*
los guantes *gloves*
el impermeable *raincoat*
los jeans (*pl.*) *jeans*
las medias (*pl.*) *stockings; hose*
la moda *fashion*
los pantalones (*pl.*) *pants*
los pantalones cortos (*pl.*) *shorts*
el paraguas *umbrella*
el pijama *pajamas*
las prendas *articles of clothing*
la ropa interior *underwear*
las sandalias (*pl.*) *sandals*
el sombrero *hat*

la sudadera *sweatshirt*
el suéter *sweater*
los tenis (*pl.*) *tennis shoes*
el traje *suit*
el traje de baño *swimsuit; bathing suit*
el vestido *dress*
las zapatillas (*pl.*) *slippers*
los zapatos (*pl.*) *shoes*

Algunos verbos *Some verbs*

llevar *to wear; to take; to carry*
prestar *to loan; to lend*

Algunos verbos como *gustar* *Verbs similar to* gustar

encantar *to love; delight*
fascinar *to fascinate*
hacer falta *to need; to be lacking*
importar *to matter; to be important*
molestar *to bother*

Las telas y los materiales *Fabrics and materials*

el algodón *cotton*
el cuero *leather*
la lana *wool*
el poliéster *polyester*

la seda *silk*
la tela *fabric*

Algunos adjetivos *Some adjectives*

ancho/a *wide*
atrevido/a *daring*
claro/a *light (colored)*
cómodo/a *comfortable*
corto/a *short*
de cuadros *checked*
de lunares *polka-dotted*
de rayas *striped*
elegante *elegant*
estampado/a *print; with a design or pattern*
estrecho/a *narrow; tight*
formal *formal*
incómodo/a *uncomfortable*
informal *casual*
largo/a *long*
liso/a *solid-colored*
oscuro/a *dark*

Otra palabra útil *A useful word*

el/la modelo *model*

Un verbo *A verb*

quedar bien / mal *to fit well / poorly*

A10

Algunos verbos reflexivos *Some reflexive verbs*

acordarse de (o → ue) *to remember*
acostarse (o → ue) *to go to bed*
afeitarse *to shave*
arreglarse *to get ready*
bañarse *to bathe*
callarse *to get / keep quiet*
cepillarse (el pelo, los dientes) *to brush (one's hair, teeth)*

despertarse (e → ie) *to wake up; to awaken*
divertirse (e → ie → i) *to enjoy oneself; to have fun*
dormirse (o → ue → u) *to fall asleep*
ducharse *to shower*
irse *to go away; to leave*
lavarse *to wash oneself*
levantarse *to get up; to stand up*
llamarse *to be called*
maquillarse *to put on makeup*

peinarse *to comb one's hair*
ponerse (la ropa) *to put on (one's clothes)*
ponerse (nervioso/a) *to get (nervous)*
quedarse *to stay; to remain*
quitarse (la ropa) *to take off (one's clothes)*
reunirse *to get together; to meet*
secarse *to dry off*
sentarse (e → ie) *to sit down*
sentirse (e → ie → i) *to feel*
vestirse (e → i → i) *to get dressed*

Capítulo 9 de ¡Anda! Curso elemental

El cuerpo humano *The human body*

la boca *mouth*
el brazo *arm*
la cabeza *head*
la cara *face*
la cintura *waist*
el corazón *heart*
el cuello *neck*
el cuerpo *body*
el dedo (de la mano) *finger*
el dedo (del pie) *toe*
el diente *tooth*
la espalda *back*
el estómago *stomach*
la garganta *throat*
la mano *hand*
la nariz *nose*
el oído *inner ear*
el ojo *eye*
la oreja *ear*
el pecho *chest*
el pelo *hair*
el pie *foot*
la pierna *leg*

Algunos verbos *Some verbs*

doler (ue) *to hurt*
estar enfermo/a *to be sick*
estar sano/a; saludable *to be healthy*
ser alérgico/a (a) *to be allergic (to)*

Otras palabras útiles *Other useful words*

la salud *health*
la sangre *blood*

Algunas enfermedades y tratamientos médicos *Illnesses and medical treatments*

el antiácido *antacid*
el antibiótico *antibiotic*
la aspirina *aspirin*
el catarro / el resfriado *cold*
la curita *adhesive bandage*
el/la doctor/a *doctor*
el dolor *pain*
el/la enfermero/a *nurse*
el estornudo *sneeze*
el examen físico *physical exam*
la farmacia *pharmacy*
la fiebre *fever*
la gripe *flu*
la herida *wound; injury*
el hospital *hospital*
la inyección *shot*
el jarabe *cough syrup*
el/la médico/a *doctor*
la náusea *nausea*
las pastillas *pills*
la receta *prescription*
la sala de urgencias *emergency room*
la tos *cough*
la venda / el vendaje *bandage*

Algunos verbos *Some verbs*

acabar de + (infinitive) *to have just finished + (something)*
caer(se) *to fall down*
cortar(se) *to cut (oneself)*
curar(se) *to cure; to be cured*
enfermar(se) *to get sick*
estornudar *to sneeze*
evitar *to avoid*
guardar cama *to stay in bed*
lastimar(se) *to get hurt*
mejorar(se) *to improve; to get better*
ocurrir *to occur*
quemar(se) *to burn; to get burned*
romper(se) *to break*
tener...
    alergia (a) *to be allergic (to)*
    (un) catarro, resfriado *to have a cold*
    (la/una) gripe *to have the flu*
    una infección *to have an infection*
    tos *to have a cough*
    un virus *to have a virus*
tener dolor de... *to have a ...*
    cabeza *headache*
    espalda *backache*
    estómago *stomachache*
    garganta *sore throat*
toser *to cough*
tratar de *to try to*
vendar(se) *to bandage (oneself); to dress (a wound)*

Capítulo 10 de ¡Anda! Curso elemental

El transporte *Transportation*

el autobús *bus*
el avión *airplane*
la bicicleta *bicycle*
el camión *truck*
el carro/el coche *car*
el metro *subway*
la moto(cicleta) *motorcycle*

el taxi *taxi*
el tren *train*

Otras palabras útiles *Other useful words*

la autopista *highway; freeway*
el boleto *ticket*
la calle *street*

la cola *line (of people)*
el estacionamiento *parking*
la gasolinera *gas station*
la licencia (de conducir) *driver's license*
la multa *traffic ticket; fine*
la parada *bus stop*
el peatón *pedestrian*
el/la policía *policeman*

A11

el ruido *noise*
el semáforo *auto repair shop*
el taller mecánico *traffic light*
el tráfico *traffic*

Algunas partes de un vehículo *Parts of a vehicle*

el aire acondicionado *air conditioning*
el baúl *trunk*
la calefacción *heat*
el limpiaparabrisas *windshield wiper*
la llanta *tire*
la llave *key*
el motor *motor; engine*
el parabrisas *windshield*
el tanque *gas tank*
el volante *steering wheel*

Algunos verbos útiles *Some useful verbs*

arreglar / hacer la maleta *to pack a suitcase*
bajar (de) *to get down (from); to get off (of)*
cambiar *to change*
caminar, ir a pie *to walk; to go on foot*

dejar *to leave*
doblar *to turn*
entrar *to enter*
estacionar *to park*
funcionar *to work; to function*
ir de vacaciones *to go on vacation*
ir de viaje *to go on a trip*
irse del hotel *to leave the hotel; to check out*
llenar *to fill*
manejar / conducir *to drive*
prestar *to loan; to lend*
registrarse (en el hotel) *to check in*
revisar *to check; to overhaul*
sacar la licencia *to get a driver's license*
subir (a) *to go up; to get on*
viajar *to travel*
visitar *to visit*
volar (o → ue) *to fly; to fly away*

El viaje *The trip*

el aeropuerto *airport*
la agencia de viajes *travel agency*
el/la agente de viajes *travel agent*
el barco *boat*

el boleto de ida y vuelta *round-trip ticket*
la estación (de tren, de autobús) *(train, bus) station*
el extranjero *abroad*
la maleta *suitcase*
el pasaporte *passport*
la reserva *reservation*
el sello *postage stamp*
la tarjeta postal *postcard*
las vacaciones *vacation*
los viajeros *travelers*
el vuelo *flight*

El hotel *The hotel*

el botones *bellman*
el cuarto doble *double room*
el cuarto individual *single room*
la recepción *front desk*

Algunos lugares *Some places*

el lago *lake*
las montañas *mountains*
el parque de atracciones *theme park*
la playa *beach*

Capítulo 11 de *¡Anda! Curso elemental*

Algunos animales *Some animals*

el caballo *horse*
el cerdo *pig*
el conejo *rabbit*
el elefante *elephant*
la gallina *chicken; hen*
el gato *cat*
la hormiga *ant*
el insecto *insect*
el león *lion*
la mosca *fly*
el mosquito *mosquito*
el oso *bear*
el pájaro / el ave *bird*
el perro *dog*
el pez (*pl.*, los peces) *fish*
la rana *frog*
la rata *rat*
el ratón *mouse*
la serpiente *snake*
el toro *bull*
la vaca *cow*

Algunos verbos *Some verbs*

cuidar *to take care of*
preocuparse (por) *to worry about; to concern oneself with*

Las cuestiones políticas *Political issues*

el bienestar *well-being; welfare*

la defensa *defense*
la delincuencia *crime*
el desempleo *unemployment*
la deuda (externa) *(foreign) debt*
el impuesto *tax*
la inflación *inflation*

Otras palabras útiles *Other useful words*

los animales domésticos *domesticated animals; pets*
los animales en peligro de extinción *endangered species*
los animales salvajes *wild animals*
el árbol *tree*
el bosque *forest*
la cueva *cave*
la finca *farm*
la granja *farm*
el hoyo *hole*
el lago *lake*
la montaña *mountain*
el océano *ocean*
peligroso/a *dangerous*
el río *river*
la selva *jungle*

El medio ambiente *The environment*

el aluminio *aluminum*
la botella *bottle*

la caja (de cartón) *(cardboard) box*
la contaminación *pollution*
el derrame de petróleo *oil spill*
el huracán *hurricane*
el incendio *fire*
la inundación *flood*
la lata *can*
el papel *paper*
el periódico *newspaper*
el plástico *plastic*
el terremoto *earthquake*
la tormenta *storm*
el tornado *tornado*
el tsunami *tsunami*
el vidrio *glass*

Algunos verbos *Some verbs*

apoyar *to support*
botar *to throw away*
combatir *to fight; to combat*
contaminar *to pollute*
cuidar *to take care of*
elegir *to elect*
estar en huelga *to be on strike*
evitar *to avoid*
hacer daño *to (do) damage; to harm*
llevar a cabo *to carry out*
luchar *to fight; to combat*
matar *to kill*
meterse en política *to get involved in politics*
plantar *to plant*

A12

proteger *to protect*
reciclar *to recycle*
reforestar *to reforest*
reutilizar *to reuse*
resolver (o → ue) *to resolve*
sembrar (e → ie) *to sow*
votar *to vote*

La política *Politics*

el alcalde/la alcaldesa *mayor*
el/la candidato/a *candidate*
el/la dictador/a *dictator*
el/la diputado/a *deputy; representative*
el/la gobernador/a *governor*
la guerra *war*
la huelga *strike*
el/la juez/a *judge*
el juicio *jury*
el/la presidente/a *president*
el rey/la reina *king/queen*
el/la senador/a *senator*

Las preposiciones *Prepositions*

a *to; at*
a la derecha de *to the right of*
a la izquierda de *to the left of*
acerca de *about*
(a)fuera de *outside of*
al lado de *next to*
antes de *before (time / space)*
cerca de *near*
con *with*

de *of; from; about*
debajo de *under; underneath*
delante de *in front of*
dentro de *inside of*
desde *from*
después de *after*
detrás de *behind*
en *in*
encima de *on top of*
enfrente de *across from; facing*
entre *among; between*
hasta *until*
lejos de *far from*
para *for; in order to*
por *for; through; by; because of*
según *according to*
sin *without*
sobre *over; about*

Las administraciones y los regímenes *Administrations and regimes*

el congreso *congress*
la corte *court*
la democracia *democracy*
la dictadura *dictatorship*
el estado *state*
el gobierno *government*
la ley *law*
la monarquía *monarchy*
la presidencia *presidency*
la provincia *province*

la región *region*
el senado *senate*

Las elecciones *Elections*

la campaña *campaign*
el discurso *speech*
la encuesta *survey; poll*
el partido político *political party*
el voto *vote*

Otras palabras útiles *Other useful words*

el aire *air*
la basura *garbage*
la calidad *quality*
la capa de ozono *ozone layer*
el cielo *sky; heaven*
el desastre *disaster*
la destrucción *destruction*
la ecología *ecology*
el efecto invernadero *global warming*
la lluvia ácida *acid rain*
la naturaleza *nature*
el planeta *planet*
puro/a *pure*
el recurso natural *natural resource*
la selva tropical *jungle; (tropical) rain forest*
la Tierra *Earth*
la tierra *land; soil*
la tragedia *tragedy*
el vertedero *dump*
vivo/a *alive; living*

A13

Grammar from *¡Anda! Curso elemental*

Appendix 3

Grammar from *¡Anda! Curso elemental*

Capítulo Preliminar A de *¡Anda! Curso elemental*

El alfabeto

The Spanish alphabet is quite similar to the English alphabet except in the ways the letters are pronounced. Learning the proper pronunciation of the individual letters in Spanish will help you pronounce new words and phrases.

Letter	Letter Name	Examples
a	a	adiós
b	be	buenos
c	ce	clase
d	de	día
e	e	español
f	efe	por favor
g	ge	luego
h	hache	hola
i	i	señorita
j	jota	julio
k	ka	kilómetro
l	ele	luego
m	eme	madre
n	ene	noche
ñ	eñe	mañana
o	o	cómo
p	pe	por favor
q	cu	qué
r	ere	señora
s	ese	saludos
t	te	tarde
u	u	usted
v	uve	nueve
w	doble ve o uve doble	Washington
x	equis	examen
y	ye o i griega	yo
z	zeta	pizarra

Los pronombres personales

The chart below lists the subject pronouns in Spanish and their equivalents in English. As you will note, Spanish has several equivalents for *you*.

yo	*I*	nosotros/as	*we*
tú	*you (fam.)*	vosotros/as	*you (pl., Spain)*
usted	*you (form.)*	ustedes	*you (pl.)*
él	*he*	ellos	*they (masc.)*
ella	*she*	ellas	*they (fem.)*

Generally speaking, **tú** (you, singular) is used for people with whom you are on a first-name basis, such as family members and friends.

Usted, abbreviated **Ud.,** is used with people you do not know well, or with people with whom you are not on a first-name basis. **Usted** is also used with older people, or with those to whom you want to show respect.

Spanish shows gender more clearly than English. **Nosotros** and **ellos** are used to refer to either all males or to a mixed group of males and females. **Nosotras** and **ellas** refer to an all-female group.

El verbo *ser*

You have already learned the subject pronouns in Spanish. It is time to put them together with a verb. First, consider the verb *to be* in English. The *to* form of a verb, as in *to be* or *to see* is called an *infinitive*. Note that *to be* has different forms for different subjects.

to be			
I	am	we	are
you	are	you (all)	are
he, she, it	is	they	are

Verbs in Spanish also have different forms for different subjects.

ser (*to be*)					
Singular			**Plural**		
yo	**soy**	*I am*	nosotros/as	**somos**	*we are*
tú	**eres**	*you are*	vosotros/as	**sois**	*you are*
Ud.	**es**	*you are*	Uds.	**son**	*you are*
él, ella	**es**	*he/she is*	ellos/as	**son**	*they are*

A14

- In Spanish, subject pronouns are not required, but rather used for clarification or emphasis. Pronouns are indicated by the verb ending. For example:

  Soy means *I am.*

  Es means either *he is, she is,* or *you* (formal) *are.*

- If you are using a subject pronoun, it will appear first, followed by the form of the verb that corresponds to the subject pronoun, and then the rest of the sentence, as in the examples:

  Yo **soy** Mark. **Soy** Mark.

  Él **es** inteligente. **Es** inteligente.

Capítulo 1 de *¡Anda! Curso elemental*

El verbo *tener*

In **Capítulo Preliminar A** you learned the present tense of **ser.** Another very common verb in Spanish is **tener** (*to have*). The present tense forms of the verb **tener** follow.

tener (*to have*)				
Singular		**Plural**		
yo	**tengo** *I have*	nosotros/as	**tenemos** *we have*
tú	**tienes** *you have*	vosotros/as	**tenéis** *you have*
Ud.	**tiene** *you have*	Uds.	**tienen** *you all have*
él, ella	**tiene** *he/she has*	ellos/as	**tienen** *they have*

Sustantivos singulares y plurales

To pluralize singular nouns and adjectives in Spanish, follow these simple guidelines.

1. If the word ends in a vowel, add **-s.**

   hermana → hermanas abuelo → abuelos

   día → días mi → mis

2. If the word ends in a consonant, add **-es.**

   mes → meses ciudad → ciudades

   televisión → televisiones joven → jóvenes

3. If the word ends in a **-z**, change the **z** to **c**, and add **-es.**

   lápiz → lápices feliz → felices

El masculino y el femenino

In Spanish, all nouns (people, places, and things) have a gender; they are either masculine or feminine. Use the following rules to help you determine the gender of nouns. If a noun does not belong to any of the following categories, you must memorize the gender as you learn that noun.

1. Most words ending in **-a** are feminine.

   la hermana, la hija, la mamá, la tía

   *Some exceptions: **el día, el papá,** and words of Greek origin ending in **-ma,** such as **el problema** and **el programa.**

2. Most words ending in **-o** are masculine.

   el abuelo, el hermano, el hijo, el nieto

   *Some exceptions: **la foto** (*photo*), **la mano** (*hand*), **la moto** (*motorcycle*)

   *Note: **la foto** and **la moto** are shortened forms for **la fotografía** and **la motocicleta.**

3. Words ending in **-ción** and **-sión** are feminine.

   la discusión, la recepción, la televisión

   *Note: The suffix **-ción** is equivalent to the English *-tion.*

4. Words ending in **-dad** or **-tad** are feminine.

   la ciudad (*city*), **la libertad, la universidad**

   *Note: these suffixes are equivalent to the English *-ty.*

As you learned in **Capítulo Preliminar A,** words that look alike and have the same meaning in both English and Spanish, such as **discusión** and **universidad,** are known as *cognates.* Use them to help you decipher meaning and to form words.

Los artículos definidos e indefinidos

Like English, Spanish has two kinds of articles, definite and indefinite. The definite article in English is *the;* the indefinite articles are *a, an,* and *some.*

In Spanish, articles and other adjectives mirror the gender (masculine or feminine) and number (singular or plural) of the nouns to which they refer. For example, an article referring to a singular masculine noun must also be singular and masculine. Note the forms of the articles in the following charts.

Los artículos definidos			
el hermano	*the brother*	**los** hermanos	*the brothers / the brothers and sisters*
la hermana	*the sister*	**las** hermanas	*the sisters*

Los artículos indefinidos			
un hermano	*a / one brother*	**unos** hermanos	*some brothers / some brothers and sisters*
una hermana	*a / one sister*	**unas** hermanas	*some sisters*

A15

1. *Definite articles* are used to refer to **the** person, place, or thing.

2. *Indefinite articles* are used to refer to **a** or **some** person, place, or thing.

| Adriana es **la** hermana de Eduardo y **los** abuelos de él se llaman Carmen y Manuel. | *Adriana is Eduardo's sister, and his grandparents' names are Carmen and Manuel.* |
| Jorge tiene **una** tía y **unos** tíos. | *Jorge has an aunt and some uncles.* |

Los adjetivos posesivos

You have already used the possessive adjective **mi** (*my*). Other forms of possessive adjectives are also useful in conversation.

Look at the following chart to see how to personalize talk about your family (*our* dad, *his* sister, *our* cousins, etc.) using possessive adjectives.

Los adjetivos posesivos

mi, mis	*my*	nuestro/a/os/as	*our*
tu, tus	*your*	vuestro/a/os/as	*your*
su, sus	*your*	su, sus	*your*
su, sus	*his, her, its*	su, sus	*their*

Note:

1. Possessive adjectives agree in form with the person, place, or thing possessed, *not with the possessor*.

2. Possessive adjectives agree in number (singular or plural), and in addition, **nuestro** and **vuestro** indicate gender (masculine or feminine).

3. The possessive adjectives **tu/tus** (*your*) refer to someone with whom you are familiar and/or on a first name basis. **Su/sus** (*your*) is used when you are referring to people to whom you refer with *usted* and *ustedes*, that is, more formally and perhaps not on a first-name basis. **Su/sus** (*your* plural or *their*) is used when referring to individuals whom you are addressing with *ustedes* or when expressing possession with *ellos* and *ellas*.

mi	*my*	**mis**	*my brothers /*
hermano	*brother*	hermanos	*siblings*
tu primo	*your cousin*	**tus** primos	*your cousins*
su tía	*her/his/your/ their aunt*	**sus** tías	*her/his/your/their aunts*
nuestra familia	*our family*	**nuestras** familias	*our families*
vuestra mamá	*your mom*	**vuestras** mamás	*your moms*
su hija	*your/their daughter*	**sus** hijas	*your* (plural)/ *their daughters*

Eduardo tiene una novia.	*Eduardo has a girlfriend.*
Su novia se llama Julia.	*His girlfriend's name is Julia.*
Nuestros padres tienen dos amigos.	*Our parents have two friends.*
Sus amigos son Jorge y Marta.	*Their friends are Jorge and Marta.*

Los adjetivos descriptivos

Descriptive adjectives are words that describe people, places, and things.

1. In English, adjectives usually come before the words they describe (e.g., **the** *red* **car**), but in Spanish, they usually follow the word (e.g., **el coche** *rojo*).

2. Adjectives in Spanish agree with the nouns they modify in number (singular or plural) and in gender (masculine or feminine).

Carlos es un **chico** simpátic**o**.	*Carlos is a nice boy.*
Adela es una **chica** simpátic**a**.	*Adela is a nice girl.*
Carlos y Adela son (unos) **chicos** simpátic**os**.	*Carlos and Adela are (some) nice children.*

3. A descriptive adjective can also follow the verb **ser** directly. When it does, it still agrees with the noun to which it refers, which is the subject in this case.

Carlos es simpátic**o**.	*Carlos is nice.*
Adela es simpátic**a**.	*Adela is nice.*
Carlos y Adela son simpátic**os**.	*Carlos and Adela are nice.*

Las características físicas, la personalidad y otros rasgos

La personalidad	*Personality*		
aburrido/a	*boring*	**interesante**	*interesting*
alto/a	*tall*	**joven**	*young*
antipático/a	*unpleasant*	**malo/a**	*bad*
bajo/a	*short*	**mayor**	*old*
bueno/a	*good*	**paciente**	*patient*
cómico/a	*funny; comical*	**perezoso/a**	*lazy*
débil	*weak*	**pobre**	*poor*
delgado/a	*thin*	**responsable**	*responsible*
fuerte	*strong*	**rico/a**	*rich*
gordo/a	*fat*	**simpático/a**	*nice*
guapo/a	*handsome/pretty*	**tonto/a**	*silly; dumb*
inteligente	*intelligent*	**trabajador/a**	*hard-working*

A16

Las características físicas	Physical characteristics
bonito/a	pretty
feo/a	ugly
grande	big; large
pequeño/a	small

Otras palabras útiles	Other useful words
muy	very
(un) poco	(a) little

Capítulo 2 de ¡Anda! Curso elemental

Presente indicativo de verbos regulares

Spanish has three groups of verbs which are categorized by the ending of the infinitive. Remember that an infinitive is expressed in English by the word *to: to have, to be,* and *to speak* are all infinitive forms of English verbs. Spanish infinitives end in **-ar, -er,** or **-ir.**

Verbos que terminan en -ar

comprar	to buy	preguntar	to ask (a question)
contestar	to answer	preparar	to prepare; to get ready
enseñar	to teach; to show	regresar	to return
esperar	to wait for; to hope	terminar	to finish; to end
estudiar	to study	tomar	to take; to drink
hablar	to speak	trabajar	to work
llegar	to arrive	usar	to use
necesitar	to need		

Verbos que terminan en -er

aprender	to learn	correr	to run
comer	to eat	creer	to believe
comprender	to understand	leer	to read

Verbos que terminan en -ir

abrir	to open	recibir	to receive
escribir	to write	vivir	to live

To talk about daily or ongoing activities or actions, you need to use the present tense. You can also use the present tense to express future events.

Mario **lee** en la biblioteca.
- *Mario reads in the library.*
- *Mario is reading in the library.*

Mario **lee** en la biblioteca mañana.
- *Mario will read in the library tomorrow.*

To form the present indicative, drop the **-ar, -er,** or **-ir** ending from the infinitive, and add the appropriate ending. The endings are highlighted in the following chart. Follow this simple pattern with all regular verbs.

	hablar (*to speak*)	comer (*to eat*)	vivir (*to live*)
yo	habl**o**	com**o**	viv**o**
tú	habl**as**	com**es**	viv**es**
Ud.	habl**a**	com**e**	viv**e**
él, ella	habl**a**	com**e**	viv**e**
nosotros/as	habl**amos**	com**emos**	viv**imos**
vosotros/as	habl**áis**	com**éis**	viv**ís**
Uds.	habl**an**	com**en**	viv**en**
ellos/as	habl**an**	com**en**	viv**en**

La formación de preguntas y las palabras interrogativas

Asking yes/no questions

Yes/no questions in Spanish are formed in two different ways:

a. Adding question marks to the statement.

Antonio habla español. → ¿Antonio habla español?

Antonio speaks Spanish.   *Does Antonio speak Spanish? or Antonio speaks Spanish?*

As in English, your voice goes up at the end of the sentence. Remember that written Spanish has an upside-down question mark at the beginning of a question.

b. Inverting the order of the subject and the verb.

Antonio habla español. → ¿Habla Antonio español?

SUBJECT + VERB   VERB + SUBJECT

Antonio speaks Spanish.   *Does Antonio speak Spanish?*

Answering yes/no questions

Answering questions is also like English.

¿Habla Antonio español?   *Does Antonio speak Spanish?*

Sí, habla español.   *Yes, he speaks Spanish.*

No, no habla español.   *No, he does not speak Spanish.*

Notice that in the negative response to the question above, both English and Spanish have two negative words.

A17

Information questions

Information questions begin with interrogative words. Study the list of question words below and remember, accents are used on all interrogative words and also on exclamatory words: **¡Qué bueno!** (*That's great!*)

Las palabras interrogativas

¿Qué?	*What?*	**¿Qué** idioma habla Antonio?	*What language does Antonio speak?*
¿Por qué?	*Why?*	**¿Por qué** no trabaja Antonio?	*Why doesn't Antonio work?*
¿Cómo?	*How?*	**¿Cómo** está Antonio?	*How is Antonio?*
¿Cuándo?	*When?*	**¿Cuándo** es la clase?	*When is the class?*
¿Adónde?	*To where?*	**¿Adónde** va Antonio?	*(To) Where is Antonio going?*
¿Dónde?	*Where?*	**¿Dónde** vive Antonio?	*Where does Antonio live?*
¿De dónde?	*From where?*	**¿De dónde** regresa Antonio?	*Where is Antonio coming back from?*
¿Cuánto/a?	*How much?*	**¿Cuánto** estudia Antonio para la clase?	*How much does Antonio study for the class?*
¿Cuántos/as?	*How many?*	**¿Cuántos** idiomas habla Antonio?	*How many languages does he speak?*
¿Cuál?	*Which (one)?*	**¿Cuál** es su clase favorita?	*Which is his favorite class?*
¿Cuáles?	*Which (ones)?*	**¿Cuáles** son sus clases favoritas?	*Which are his favorite classes?*
¿Quién?	*Who?*	**¿Quién** habla cinco idomas?	*Who speaks five languages?*
¿Quiénes?	*Who? (pl.)*	**¿Quiénes** hablan cinco idiomas?	*Who speaks five languages?*

Note that, although it is not always necessary, when the subject is included in the sentence it follows the verb.

El verbo estar

Another verb that expresses *to be* in Spanish is **estar**. Like **tener** and **ser, estar** is not a regular verb; that is, you cannot simply drop the infinitive ending and add the usual **-ar** endings.

estar (*to be*)

Singular		Plural	
yo	**estoy**	nosotros/as	**estamos**
tú	**estás**	vosotros/as	**estáis**
Ud.	**está**	Uds.	**están**
él, ella	**está**	ellos/as	**están**

Ser and **estar** are not interchangeable because they are used differently. Two uses of **estar** are:

1. To describe the location of someone or something.

   Manuel **está** en la sala de clase. — *Manuel is in the classroom.*

   Nuestros padres **están** en México. — *Our parents are in Mexico.*

2. To describe how someone is feeling or to express a change from the norm.

   Estoy bien. ¿Y tú? — *I'm fine. And you?*

   Estamos tristes hoy. — *We are sad today. (Normally we are upbeat and happy.)*

Capítulo 3 de ¡Anda! Curso elemental

Algunos verbos irregulares

Look at the present tense forms of the following verbs. In the first group, note that they all follow the same patterns that you learned in **Capítulo 2** to form the present tense of regular verbs, *except* in the **yo** form.

Group 1

	conocer (*to be acquainted with*)	dar (*to give*)	hacer (*to do; to make*)	poner (*to put; to place*)
yo	cono**zco**	doy	ha**go**	pon**go**
tú	conoces	das	haces	pones
Ud.	conoce	da	hace	pone
él, ella	conoce	da	hace	pone
nosotros/as	conocemos	damos	hacemos	ponemos
vosotros/as	conocéis	dais	hacéis	ponéis
Uds.	conocen	dan	hacen	ponen
ellos/as	conocen	dan	hacen	ponen

	salir (to leave; to go out)	traer (to bring)	ver (to see)
yo	sal**go**	trai**go**	ve**o**
tú	sales	traes	ves
Ud.	sale	trae	ve
él, ella	sale	trae	ve
nosotros/as	salimos	traemos	vemos
vosotros/as	salís	traéis	veis
Uds.	salen	traen	ven
ellos/as	salen	traen	ven

Group 2

In the second group, note that **venir** is formed similarly to **tener.**

venir (to come)	
yo	ven**go**
tú	vienes
Ud.	viene
él, ella	viene
nosotros/as	venimos
vosotros/as	venís
Uds.	vienen
ellos/as	vienen

Group 3

In the third group of verbs, note that all of the verb forms have a spelling change except in the **nosotros** and **vosotros** forms.

	decir (to say; to tell)	oír (to hear)
yo	di**go**	oi**go**
tú	dices	oyes
Ud.	dice	oye
él, ella	dice	oye
nosotros/as	decimos	oímos
vosotros/as	decís	oís
Uds.	dicen	oyen
ellos/as	dicen	oyen

	poder (to be able to)	querer (to want; to love)
yo	puedo	quiero
tú	puedes	quieres
Ud.	puede	quiere
él, ella	puede	quiere
nosotros/as	podemos	queremos
vosotros/as	podéis	queréis
Uds.	pueden	quieren
ellos/as	pueden	quieren

Algunas expresiones con *tener*

The verb **tener,** besides meaning *to have*, is used in a variety of expressions.

tener... años	*to be . . . years old*
tener calor	*to be hot*
tener cuidado	*to be careful*
tener éxito	*to be successful*
tener frío	*to be cold*
tener ganas de + (*infinitive***)**	*to feel like + (verb)*
tener hambre	*to be hungry*
tener miedo	*to be afraid*
tener prisa	*to be in a hurry*
tener que + (*infinitive***)**	*to have to + (verb)*
tener razón	*to be right*
tener sed	*to be thirsty*
tener sueño	*to be sleepy*
tener suerte	*to be lucky*
tener vergüenza	*to be embarrassed*

—Mamá, **tengo hambre.** ¿Cuándo comemos? *Mom, I'm hungry. When are we eating?*

—**Tienes suerte,** hijo. Salimos para el restaurante Tío Tapas en diez minutos. *You are lucky, son. We are leaving for Tío Tapas Restaurant in ten minutes.*

Hay

In **Capítulo 2,** you became familiar with **hay** when you described your classroom. To say *there is* or *there are* in Spanish you use **hay.** The irregular form **hay** comes from the verb **haber.**

Hay un baño en mi casa. *There is one bathroom in my house.*

Hay cuatro dormitorios también. *There are also four bedrooms.*

—¿**Hay** tres baños en tu casa? *Are there three bathrooms in your house?*

—No, no **hay** tres baños. *No, there aren't three bathrooms.*

A19

Saber y conocer

In **Capítulo 3,** you learned that **conocer** means *to know.* Another verb, **saber,** also expresses *to know.*

saber (*to know*)			
Singular		**Plural**	
yo	**sé**	nosotros/as	**sabemos**
tú	**sabes**	vosotros/as	**sabéis**
Ud.	**sabe**	Uds.	**saben**
él, ella	**sabe**	ellos/as	**saben**

The verbs are not interchangeable. Note when to use each.

Conocer

■ Use **conocer** to express ***being familiar or acquainted with people, places, and things.***

Ellos **conocen** los mejores restaurantes de la ciudad.	*They know the best restaurants in the city.*
Yo **conozco** a tu hermano, pero no muy bien.	*I know your brother, but not very well.*

Note:

1. When expressing that *a person* is known, you must use the personal "a." For example, *Conozco **a** tu hermano…*

2. When **a** is followed by **el, a + el = al.** For example, **Conozco al** señor (a + el señor)…

Saber

■ Use **saber** to express ***knowing facts, pieces of information,*** or ***how to do something.***

¿Qué **sabes** sobre la música de Guatemala?	*What do you know about Guatemalan music?*
Yo **sé** tocar la guitarra.	*I know how to play the guitar.*

Los verbos con cambio de raíz

In **Capítulo 3,** you learned a variety of common verbs that are irregular. Two of those verbs were **querer** and **poder,** which are irregular due to some changes in their stems. Look at the following verb groups.

Change e → ie cerrar (*to close*)			
Singular		**Plural**	
yo	cierro	nosotros/as	cerramos
tú	cierras	vosotros/as	cerráis
Ud.	cierra	Uds.	cierran
él, ella	cierra	ellos/as	cierran

Other verbs like **cerrar** (e → ie) are:

comenzar	*to begin*	pensar	*to think*
empezar	*to begin*	perder	*to lose; to waste*
entender	*to understand*	preferir	*to prefer*
mentir	*to lie*	recomendar	*to recommend*

Change e → i pedir (*to ask for*)			
Singular		**Plural**	
yo	pido	nosotros/as	pedimos
tú	pides	vosotros/as	pedís
Ud.	pide	Uds.	piden
él, ella	pide	ellos/as	piden

Other verbs like **pedir** (e → i) are:

repetir	*to repeat*
seguir*	*to follow; to continue (doing something)*
servir	*to serve*

*Note: The **yo** form of **seguir** is **sigo.**

Change o → ue encontrar (*to find*)			
Singular		**Plural**	
yo	encuentro	nosotros/as	encontramos
tú	encuentras	vosotros/as	encontráis
Ud.	encuentra	Uds.	encuentran
él, ella	encuentra	ellos/as	encuentran

Other verbs like **encontrar** (o → ue) are:

almorzar	*to have lunch*	mostrar	*to show*
costar	*to cost*	recordar	*to remember*
dormir	*to sleep*	volver	*to return*
morir	*to die*		

Change u → ue jugar (*to play*)			
Singular		**Plural**	
yo	juego	nosotros/as	jugamos
tú	juegas	vosotros/as	jugáis
Ud.	juega	Uds.	juegan
él, ella	juega	ellos/as	juegan

El verbo *ir*

Another important verb in Spanish is **ir.** Note its irregular present tense forms.

ir (*to go*)			
Singular		**Plural**	
yo	**voy**	nosotros/as	**vamos**
tú	**vas**	vosotros/as	**vais**
Ud.	**va**	Uds.	**van**
él, ella	**va**	ellos/as	**van**

A20

Voy al parque. ¿**Van** ustedes también?

I'm going to the park. Are you all going too?

No, no **vamos** ahora. Preferimos **ir** más tarde.

No, we're not going now. We prefer to go later.

Ir + a + infinitivo

You can use a present tense form of **ir** + **a** + an infinitive to talk about actions that will take place in the future.

Voy a mandar esta carta. ¿Quieres ir?

I'm going to mail this letter. Do you want to come?

Sí. Luego, ¿**vas a almorzar**?

Yes. Then, are you going to have lunch?

Sí, **vamos a comer** comida guatemalteca.

Yes, we are going to eat Guatemalan food.

¡Perfecto! Ya sé que **voy a pedir** unos tamales.

Perfect! I already know that I am going to order some tamales.

Pero, primero, ¡**vamos a ir** al banco!

But first we are going to go to the bank!

Las expresiones afirmativas y negativas

In the previous chapters, you have seen and used a number of the affirmative and negative expressions listed below. Study the list, and learn the ones that are new to you.

Expresiones afirmativas		Expresiones negativas	
a veces	*sometimes*	**jamás**	*never; not ever (emphatic)*
algo	*something; anything*	**nada**	*nothing*
alguien	*someone*	**nadie**	*no one; nobody*
algún	*some; any*	**ningún**	*none*
alguno/a/ os/as	*some; any*	**ninguno/a/ os/as**	*none*
siempre	*always*	**nunca**	*never*
o... o	*either . . . or*	**ni... ni**	*neither . . . nor*

Look at the following sentences, paying special attention to the position of the negative words, and answer the questions that follow.

—¿Quién llama?

Who is calling?

—**Nadie** llama. (**No** llama **nadie**.)

No one is calling.

—¿Vas al gimnasio todos los días?

Do you go to the gym every day?

—No, **nunca** voy. (No, **no** voy **nunca**.)

No, I never go.

Algún and *ningún*

1. Forms of **algún** and **ningún** need to agree in gender and number with the nouns they modify.

2. **Alguno** and **ninguno** are shortened to **algún** and **ningún** when they are followed by *masculine, singular nouns.*

3. When no noun follows, use **alguno** or **ninguno** when referring to masculine, singular nouns.

4. The plural form **ningunos** is rarely used.

Study the following sentences.

MARÍA: ¿Tienes **alguna** clase fácil este semestre?

JUAN: No, no tengo **ninguna**. ¡Y **ningún** profesor es simpático!

MARÍA: Vaya, ¿y puedes hacer **algún** cambio?

JUAN: No, no puedo hacer **ninguno**. (No, no puedo tomar **ningún** otro curso.)

Un repaso de *ser* y *estar*

You have learned two Spanish verbs that mean *to be* in English. These verbs, **ser** and **estar**, are contrasted below.

SER

Ser is used:

■ **To describe physical or personality characteristics that remain relatively constant**

Gregorio **es** inteligente.

Gregorio is intelligent.

Yanina **es** guapa.

Yanina is pretty.

Su tienda de campaña **es** amarilla.

Their tent is yellow.

Las casas **son** grandes.

The houses are large.

■ **To explain what or who someone or something is**

El Dr. Suárez **es** profesor de literatura.

Dr. Suárez is a literature professor.

Marisol **es** mi hermana.

Marisol is my sister.

■ **To tell time, or to tell when or where an event takes place**

¿Qué hora **es**?

What time is it?

Son las ocho.

It's eight o'clock.

Mi clase de español **es** a las ocho y **es** en Peabody Hall.

My Spanish class is at eight o'clock and is in Peabody Hall.

■ **To tell where someone is from and to express nationality**

Somos de Honduras.

We are from Honduras.

Somos hondureños.

We are Honduran.

Ellos **son** de Guatemala.

They are from Guatemala.

Son guatemaltecos.

They are Guatemalan.

A21

ESTAR

Estar is used:

- **To describe physical or personality characteristics that can change, or to indicate a change in condition**

María **está** enferma hoy.	*María is sick today.*
Jorge y Julia **están** tristes.	*Jorge and Julia are sad.*
La cocina **está** sucia.	*The kitchen is dirty.*

- **To describe the location of people or places**

El museo **está** en la calle Quiroga.	*The museum is on Quiroga Street.*
Estamos en el centro comercial.	*We're at the mall.*
¿Dónde **estás** tú?	*Where are you?*

Capítulo 5 de ¡Anda! Curso elemental

Los adjetivos demostrativos

When you want to point out a specific person, place, thing, or idea, you use a *demonstrative adjective*. In Spanish, they are:

Demonstrative adjectives	Meaning	From the perspective of the speaker, it refers to . . .
este, esta, estos, estas	*this, these*	something nearby
ese, esa, esos, esas	*that, those over there*	something farther away
aquel, aquella, aquellos, aquellas	*that, those (way) over there*	something even farther away in distance and/or time . . . perhaps not even visible

Since forms of **este, ese,** and **aquel** are adjectives, they must agree in gender and number with the nouns they modify. Note the following examples.

Este conjunto es fantástico.	*This group is fantastic.*
Esta cantante es fenomenal.	*This singer is phenomenal.*
Estos conjuntos son fantásticos.	*These groups are fantastic.*
Estas cantantes son fenomenales.	*These singers are phenomenal.*
Ese conjunto es fantástico.	*That group is fantastic.*
Esa cantante es fenomenal.	*That singer is phenomenal.*
Esos conjuntos son fantásticos.	*Those groups are fantastic.*
Esas cantantes son fenomenales.	*Those singers are phenomenal.*
Aquel conjunto es fantástico.	*That group (over there) is fantastic.*
Aquella cantante es fenomenal.	*That singer (over there) is phenomenal.*
Aquellos conjuntos son fantásticos.	*Those groups (over there) are fantastic.*
Aquellas cantantes son fenomenales.	*Those singers (over there) are phenomenal.*

Los pronombres demostrativos

Demonstrative pronouns take the place of nouns. They are identical in form and meaning to demonstrative adjectives.

Masculino	Femenino	Meaning
este	esta	*this one*
estos	estas	*these*
ese	esa	*that one*
esos	esas	*those*
aquel	aquella	*that one (way over there / not visible)*
aquellos	aquellas	*those (way over there / not visible)*

A demonstrative pronoun must agree in gender and number with the noun it replaces. Observe how demonstrative adjectives and demonstrative pronouns are used in the following sentences.

Yo quiero comprar **este CD,** pero mi hermana quiere comprar **ese.**	*I want to buy this CD, but my sister wants to buy that one.*
—¿Te gusta **esa guitarra**?	*Do you like that guitar?*
—No, a mí me gusta **esta.**	*No, I like this one.*
Estos instrumentos son interesantes, pero prefiero tocar **esos.**	*These instruments are interesting, but I prefer to play those.*
En **esta** calle hay varios cines. ¿Quieres ir a **aquel**?	*There are several movie theaters on this street. Do you want to go to that one over there?*

Los adverbios

An adverb usually describes a verb and answers the question "how." Many Spanish adverbs end in **-mente,** which is equivalent to the English *-ly*. These Spanish adverbs are formed as follows:

1. Add **-mente** to the *feminine singular* form of an *adjective*.

ADJETIVOS		ADVERBIOS
Masculino	**Femenino**	
rápido	→ *rápida* + -mente	→ **rápidamente**
lento	→ *lenta* + -mente	→ **lentamente**
tranquilo	→ *tranquila* + -mente	→ **tranquilamente**

A22

2. If an *adjective* ends in a *consonant* or in **-e**, simply add **-mente**.

ADJETIVOS		ADVERBIOS
Masculino	Femenino	
fácil →	*fácil* + -mente →	**fácilmente**
suave →	*suave* + -mente →	**suavemente**

Note: If an adjective has a written accent, it is retained when **-mente** is added.

El presente progresivo

So far you have been learning and using the present tense to communicate ideas. If you want to emphasize that an action is occurring at the moment and is in progress, you can use the *present progressive* tense.

The English present progressive is made up of a form of the verb *to be* + *present participle* (*-ing*). Look at the following sentences and formulate a rule for creating the present progressive in Spanish. Use the following questions to guide you.

—¿Qué *estás* **haciendo**?	*What are you doing?*
—*Estoy* **ensayando**.	*I'm rehearsing.*
—¿*Está* **escuchando** música tu hermano?	*Is your brother listening to music?*
—No, *está* **tocando** la guitarra.	*No, he is playing the guitar.*
—¿*Están* **viendo** ustedes la televisión?	*Are you watching television?*
—No, les *estamos* **escribiendo** una carta a nuestros padres.	*No, we are writing a letter to our parents.*

Note: The following are some verbs that have irregular forms in this tense.

creer	creyendo	perseguir	persiguiendo
leer	leyendo	repetir	repitiendo
ir	yendo	seguir	siguiendo
decir	diciendo	servir	sirviendo
mentir	mintiendo	dormir	durmiendo
pedir	pidiendo	morir	muriendo
preferir	prefiriendo		

Los números ordinales

An ordinal number indicates position in a series or order. The first ten ordinal numbers in Spanish are listed below. Ordinal numbers above *décimo* are rarely used.

primer, primero/a	*first*
segundo/a	*second*
tercer, tercero/a	*third*
cuarto/a	*fourth*

quinto/a	*fifth*
sexto/a	*sixth*
séptimo/a	*seventh*
octavo/a	*eighth*
noveno/a	*ninth*
décimo/a	*tenth*

1. Ordinal numbers are adjectives and agree in number and gender with the nouns they modify. They usually *precede* nouns.

el **cuarto** año	*the fourth year*
la **octava** sinfonía	*the eighth symphony*

2. Before masculine, singular nouns, **primero** and **tercero** are shortened to **primer** and **tercer.**

el **primer** concierto	*the first concert*
el **tercer** curso de español	*the third Spanish course*

3. After *décimo*, a cardinal number is used and *follows* the noun.

el piso **catorce**

Hay que + infinitivo

So far when you have wanted to talk about what someone should do, needs to do, or has to do, you have used the expressions **debe, necesita,** or **tiene que.** The expression **hay que** + *infinitive* is another way to communicate responsibility, obligation, or the importance of something. **Hay que** + *infinitive* means:

It is necessary to . . .
You must . . .
One must / should . . .

Para ser un músico bueno **hay que** ensayar mucho.	*To be a good musician it is necessary to rehearse a lot.*
Hay que terminar nuestro trabajo antes de ir al cine.	*We must finish our work before we go to the movie theater.*
Hay que ver la nueva película de Almodóvar.	*You must see the new Almodóvar film.*

Los pronombres de complemento directo y la "a" personal

Direct objects receive the action of the verb and answer the questions *What?* or *Whom?* Note the following examples.

A: I need to do *what?*

B: You need to buy *the concert tickets* by Monday.

A: Yes, I do need to buy *them.*

A: I have to call *whom?*

B: You have to call *your agent.*

A: Yes, I do have to call *him.*

A23

Note the following examples of *direct objects* in Spanish.

María toca **dos instrumentos** muy bien.	*María plays two instruments very well.*
Sacamos **un CD** el primero de septiembre.	*We are releasing a CD the first of September.*
¿Tienes **las entradas**?	*Do you have the tickets?*
No conozco a **Benicio del Toro.**	*I do not know Benicio del Toro.*
Siempre veo a **Selena Gómez** en la televisión.	*I always see Selena Gómez on television.*

Note: In **Capítulo 4,** you learned that to express knowing a person, you put **a** after the verb (**conocer + a** + person). Now that you have learned about direct objects, a more global way of stating the rule is: When direct objects refer to *people*, you must use the personal "**a.**" Review the following examples.

People	Things
¡Veo a *Cameron Díaz*!	¡Veo *el coche de Cameron Díaz*!
Hay que ver a *mis padres*.	Hay que ver *la película*.
¿**A** *qué actores* conoces?	¿*Qué ciudades* conoces?

As in English, we can replace direct objects nouns with *direct object pronouns*.

María **los** toca muy bien.	*María plays them very well.*
Lo sacamos el primero de septiembre.	*We are releasing it the first of September.*
¿**Las** tienes?	*Do you have them?*
No **lo** conozco.	*I do not know him.*
Siempre **la** veo en la televisión.	*I always see her on television.*

In Spanish, direct object pronouns *agree in gender and number with the nouns they replace.* The following chart lists the direct object pronouns.

Singular		Plural	
me	*me*	nos	*us*
te	*you*	os	*you all*
lo, la	*you*	los, las	*you all*
lo, la	*him, her, it*	los, las	*them*

Placement of direct object pronouns

Direct object pronouns are:

1. Placed before verbs.

2. Attached to *infinitives* or to *present participles* (**-ando, -iendo**).

¿Tienes los discos compactos?	→	Sí, **los** tengo.
Tengo que traer los instrumentos.	→	**Los** tengo que traer. / Tengo que traer**los**.
Tiene que llevar su guitarra.	→	**La** tiene que llevar. / Tiene que llevar**la**.

—¿Por qué estás escribiendo una canción para tu madre?

—**La** estoy escribiendo porque es su cumpleaños. / Estoy escribiéndo**la** porque es su cumpleaños.

Capítulo 7 de ¡Anda! Curso elemental

El pretérito (Parte I)

Up to this point, you have been expressing ideas or actions that take place in the present and future. To talk about something you did or something that occurred in the past, you can use the **pretérito** (*preterit*).

Los verbos regulares

Note the endings for regular verbs in the **pretérito** below.

	-ar: comprar	-er: comer	-ir: vivir
yo	compré	comí	viví
tú	compraste	comiste	viviste
Ud.	compró	comió	vivió
él/ella	compró	comió	vivió

	-ar: comprar	-er: comer	-ir: vivir
nosotros/as	compramos	comimos	vivimos
vosotros/as	comprasteis	comisteis	vivisteis
Uds.	compraron	comieron	vivieron
ellos/as	compraron	comieron	vivieron

—¿Dónde está el vino que **compré** ayer?	*Where is the wine that I bought yesterday?*
—Mis primos **bebieron** la botella entera anoche.	*My cousins drank the whole bottle last night.*
—¿Ah, sí? ¿**Comieron** ustedes en casa?	*Really? Did you all eat at home?*
—No, **comimos** en un restaurante chino. ¡**Terminaron** el vino antes de salir a cenar!	*No, we ate at a Chinese restaurant. They finished the wine before we went out to dinner!*

A24

El pretérito (Parte II)

Several verbs have small spelling changes in the preterit. Look at the following charts.

tocar (c → qu)		empezar (z → c)	
yo	toqué	yo	empecé
tú	tocaste	tú	empezaste
Ud.	tocó	Ud.	empezó
él/ella	tocó	él/ella	empezó
nosotros/as	tocamos	nosotros/as	empezamos
vosotros/as	tocasteis	vosotros/as	empezasteis
Uds.	tocaron	Uds.	empezaron
ellos/as	tocaron	ellos/as	empezaron
*(sacar and buscar have the same spelling change)		*(comenzar and organizar have the same spelling change)	

jugar (g → gu)		leer (i → y)	
yo	jugué	yo	leí
tú	jugaste	tú	leíste
Ud.	jugó	Ud.	leyó
él/ella	jugó	él/ella	leyó
nosotros/as	jugamos	nosotros/as	leímos
vosotros/as	jugasteis	vosotros/as	leísteis
Uds.	jugaron	Uds.	leyeron
ellos/as	jugaron	ellos/as	leyeron
*(llegar has the same spelling change)		*(creer and oír have the same spelling change)	

—**Toqué** la guitarra con el conjunto de mariachis en un restaurante mexicano anoche.
I played the guitar with a mariachi band at a Mexican restaurant last night.

—¿A qué hora **empezaste**?
At what time did you begin?

—**Empecé** a las nueve.
I began at nine.

—¿**Jugaron** tus hermanos al béisbol hoy?
Did your brothers play baseball today?

—No, **leyeron** un libro de recetas porque van a cocinar una cena especial para nuestros padres.
No, they read a recipe book because they are going to cook a special dinner for our parents.

Some things to remember:

1. With verbs that end in **-car,** the **c** changes to **qu** in the **yo** form to preserve the sound of the hard **c** of the infinitive.

2. With verbs that end in **-zar,** the **z** changes to **c** before **e.**

3. With verbs that end in **-gar,** the **g** changes to **gu** to preserve the sound of the hard **g** (**g** before **e** or **i** sounds like the **j** sound in Spanish).

4. For **leer, creer,** and **oír,** change the **i** to **y** in the third-person singular and plural.

Algunos verbos irregulares en el pretérito

In the first **Comunicación** you learned about verbs that are regular in the **pretérito** and others that have spelling changes. The following verbs are *irregular* in the **pretérito**; they follow patterns of their own. Study the verb charts to determine the similarities and differences among the forms.

	andar (*to walk*)	estar	tener
yo	anduve	estuve	tuve
tú	anduviste	estuviste	tuviste
Ud.	anduvo	estuvo	tuvo
él/ella	anduvo	estuvo	tuvo
nosotros/as	anduvimos	estuvimos	tuvimos
vosotros/as	anduvisteis	estuvisteis	tuvisteis
Uds.	anduvieron	estuvieron	tuvieron
ellos/as	anduvieron	estuvieron	tuvieron

—El lunes pasado llegamos a Santiago y **anduvimos** mucho por la ciudad.
Last Monday we arrived in Santiago and walked a lot throughout the city.

—¿**Estuvieron** en un restaurante o bar interesante?
Were you all in an interesting restaurant or bar?

—Sí, **tuvimos** muy buena suerte y comimos en el mejor restaurante de la ciudad.
Yes, we were very lucky and we ate at the best restaurant in the city.

	conducir (*to drive*)	traer	decir
yo	conduje	traje	dije
tú	condujiste	trajiste	dijiste
Ud.	condujo	trajo	dijo
él/ella	condujo	trajo	dijo
nosotros/as	condujimos	trajimos	dijimos
vosotros/as	condujisteis	trajisteis	dijisteis
Uds.	condujeron	trajeron	dijeron
ellos/as	condujeron	trajeron	dijeron

—¿**Condujiste** de Santiago a Valparaiso?
Did you drive from Santiago to Valparaiso?

—No pude conducir porque no **traje** mi licencia.
I couldn't drive because I didn't bring my driver's license.

—¿Qué te **dijeron** en la agencia Avis?
What did they tell you at the Avis (car rental) agency?

	ir	ser
yo	fui	fui
tú	fuiste	fuiste
Ud.	fue	fue
él/ella	fue	fue
nosotros/as	fuimos	fuimos
vosotros/as	fuisteis	fuisteis
Uds.	fueron	fueron
ellos/as	fueron	fueron

A25

—¿Cómo **fue** el viaje a Chile?   *How was the trip to Chile?*

—¡Fue increíble! Después   *It was incredible! After*
de Valparaiso **fuimos** a   *Valparaiso, we went to*
Patagonia.   *Patagonia.*

—Mi madre **vino** con   *My mother came with us and*
nosotros y ella misma   *she was able to give them*
pudo darles los regalos.   *the gifts herself.*

—¿Qué **hiciste** después   *What did you do after visiting*
de visitar a la familia de   *Carlos's family?*
Carlos?

	dar	ver	venir
yo	di	vi	vine
tú	diste	viste	viniste
Ud.	dio	vio	vino
él/ella	dio	vio	vino
nosotros/as	dimos	vimos	vinimos
vosotros/as	disteis	visteis	vinisteis
Uds.	dieron	vieron	vinieron
ellos/as	dieron	vieron	vinieron

	hacer	querer
yo	hice	quise
tú	hiciste	quisiste
Ud.	hizo	quiso
él/ella	hizo	quiso
nosotros/as	hicimos	quisimos
vosotros/as	hicisteis	quisisteis
Uds.	hicieron	quisieron
ellos/as	hicieron	quisieron

	poder	poner	saber
yo	pude	puse	supe
tú	pudiste	pusiste	supiste
Ud.	pudo	puso	supo
él/ella	pudo	puso	supo
nosotros/as	pudimos	pusimos	supimos
vosotros/as	pudisteis	pusisteis	supisteis
Uds.	pudieron	pusieron	supieron
ellos/as	pudieron	pusieron	supieron

Verbos con cambio de raíz

The next group of verbs also follows its own pattern.
In these stem-changing verbs, the first letters next to
the infinitives, listed in parentheses, represent the present-
tense spelling changes; the last letters indicate the spelling
changes in the **él** and **ellos** forms of the **pretérito.**

	dormir (o → ue → u)	pedir (e → i → i)	preferir (e → ie → i)
yo	dormí	pedí	preferí
tú	dormiste	pediste	preferiste
Ud.	durmió	pidió	prefirió
él/ella	durmió	pidió	prefirió
nosotros/as	dormimos	pedimos	preferimos
vosotros/as	dormisteis	pedisteis	preferisteis
Uds.	durmieron	pidieron	prefirieron
ellos/as	durmieron	pidieron	prefirieron

—Cuando fuiste al   *What did you order when you*
restaurante en Valparaíso,   *went to the restaurant in*
¿qué **pediste**?   *Valparaíso?*

—**Pedí** carne de res, pero   *I ordered beef, but my mother*
mi madre **prefirió**   *preferred fish. And after*
pescado. Y después de   *eating, my mother took a*
comer mi madre **durmió**   *nap.*
la siesta.

—En Santiago **vimos**   *In Santiago we saw a lot of*
a mucha gente de la   *people in Carlos's family.*
familia de Carlos.

—Sí, ¿y les **diste** los   *Yes, and did you give them the*
regalos que tu familia   *gifts your family sent?*
mandó?

Los pronombres de complemento indirecto

The **indirect object** indicates *to whom* or *for whom* an
action is done. Note these examples:

A: My mom bought this dress *for whom*?

B: She bought this dress *for you.*

A: Yes, she bought *me* this dress.

Review the chart of the indirect object pronouns and their
English equivalents:

Los pronombres de complemento indirecto

me	*to / for me*
te	*to / for you*
le	*to / for you* (Ud.)
le	*to / for him, her*
nos	*to / for us*
os	*to / for you all* (vosotros)
les	*to / for you all* (Uds.)
les	*to / for them*

A26

Some things to remember:

1. Like direct object pronouns, indirect object pronouns *precede* verb forms and can also be *attached to infinitives and present participles* (-ando, -iendo).

¿**Me** quieres dar la chaqueta?	*Do you want to give me the jacket?*
¿Quieres dar**me** la chaqueta?	
¿**Me** vas a dar la chaqueta?	*Are you going to give me the jacket?*
¿Vas a dar**me** la chaqueta?	
¿**Me** estás dando la chaqueta?	*Are you giving me the jacket?*
¿Estás dándo**me** la chaqueta?	
Manolo **te** puede comprar la gorra en la tienda.	*Manolo can buy you the hat at the store.*
Manolo puede comprar**te** la gorra en la tienda.	
Su hermano **le** va a regalar una camiseta.	*Her brother is going to give her a T-shirt.*
Su hermano va a regalar**le** una camiseta.	

2. To clarify or emphasize the indirect object, a prepositional phrase (a + *prepositional pronoun*) can be added, as in the following sentences. Clarification of **le** and **les** is especially important since they can refer to different people (*him, her, you, them, you all*).

Le presto el abrigo **a él** pero no **le** presto nada **a ella.**	*I'm loaning him my coat, but I'm not loaning her anything.* (clarification)
¿**Me** preguntas **a mí**?	*Are you asking me?* (emphasis)

3. It is common for Spanish speakers to include both an indirect object noun and pronoun in the same sentence, especially when the third person form is used. This is most often done to clarify or emphasize something.

Gustar y verbos como gustar

As you already know, the verb **gustar** is used to express likes and dislikes. **Gustar** functions differently from other verbs you have studied so far.

■ The person, thing, or idea that is liked is the *subject* (S) of the sentence.

■ The person who likes the other person, thing, or idea is the *indirect object* (IO).

(A mí)	**me**	gusta el traje.	*I like the suit.*
(A ti)	**te**	gusta el traje.	*You like the suit.*
(A Ud.)	**le**	gusta el traje.	*You like the suit.*
(A él)	**le**	gusta el traje.	*He likes the suit.*
(A ella)	**le**	gusta el traje.	*She likes the suit.*
(A nosotros/as)	**nos**	gusta el traje.	*We like the suit.*
(A vosotros/as)	**os**	gusta el traje.	*You (all) like the suit.*
(A Uds.)	**les**	gusta el traje.	*You (all) like the suit.*
(A ellos/as)	**les**	gusta el traje.	*They like the suit.*

Note the following:

1. The construction a + *pronoun* (**a mí, a ti, a él,** etc.) or **a** + *noun* is optional most of the time. It is used for clarification or emphasis. Clarification of **le gusta** and **les gusta** is especially important since the indirect object pronouns **le** and **les** can refer to different people (*him, her, you, them, you all*).

A él le gusta llevar ropa cómoda. (clarification)	*He likes to wear comfortable clothes.*
A Ana le gusta llevar pantalones cortos. (clarification)	*Ana likes to wear shorts.*
Me gustan esos pantalones largos.	*I like those long pants.*
A mí me gustan más esos cortos (emphasis).	*I like those short ones even more.*

2. Use the plural form **gustan** when what is liked (the subject of the sentence) is plural.

Me gusta **el traje.**	→	Me gusta**n los trajes.**
I like the suit.		*I like the suits.*

3. To express the idea that one likes *to do* something, **gustar** is followed by an infinitive. In that case you always use the singular **gusta**, even when you use more than one infinitive in the sentence:

Me gusta ir de compras por la mañana.	*I like to go shopping in the morning.*
A Pepe **le gusta leer** revistas de moda y **llevar** ropa atrevida.	*Pepe likes to read fashion magazines and wear daring clothing.*
Nos gusta llevar zapatos cómodos cuando hacemos ejercicio.	*We like to wear comfortable shoes when we exercise.*

The verbs listed below function like **gustar**:

encantar	*to love; to like very much*
fascinar	*to fascinate*
hacer falta	*to need; to be lacking*
importar	*to matter; to be important*
molestar	*to bother*

Me encanta ir de compras.	*I love to go shopping. (I like shopping very much.)*
A Doug y a David **les fascina** la tienda de ropa Rugby.	*The Rugby clothing store fascinates (is fascinating to) Doug and David.*

A27

¿**Te hace falta** dinero para comprar el vestido?	*Do you need (are you lacking) money to buy the dress?*
A Juan **le importa** el precio de la ropa, no la moda.	*The price of the clothing, not the style, matters (is important) to Juan.*
Nos molestan las personas que llevan sandalias en invierno.	*People who wear sandals in the winter bother us.*

Los pronombres de complemento directo e indirecto usados juntos

You have worked with two types of object pronouns, direct and indirect. Now, note how they are used together in the same sentence.

Paula **nos** está devolviendo **las botas.**	→	Paula **nos las** está devolviendo.
Paula is giving us back the boots.		*Paula is giving them back to us.*
Ella nunca **nos** presta **sus zapatos.**	→	Ella nunca **nos los** presta.
She never loans us her shoes.		*She never loans them to us.*
Paula **me** pide **el bolso** ahora.	→	Paula **me lo** pide ahora.
Paula is asking me for my purse now.		*Paula is asking me for it now.*
Mi novio **me** compró **una blusa blanca.**	→	Mi novio **me la** compró.
My boyfriend bought me a white blouse.		*My boyfriend bought it for me.*

¡OJO! A change occurs when you use **le** or **les** along with a direct object pronoun that begins with **l**: (**lo, la, los, las**): **le** or **les** changes to **se**.

le → se

Paula **le** pide **el bolso** a **mi hermana.**	→	Paula **se lo** pide.
Paula is asking my sister for her purse.		*Paula is asking her for it.*
Su novio no **le** compró **una chaqueta.**	→	Su novio no **se la** compró.
Her boyfriend did not buy her a jacket.		*Her boyfriend did not buy it for her.*
Su novio **le** va a comprar **un traje.**	→	Su novio **se lo** va a comprar.
Her boyfriend is going to buy her a suit.		*Her boyfriend is going to buy it for her.*

les → se

Paula **les** devuelve **las botas** a ellas.	→	Paula **se las** devuelve.
Paula is returning the boots to her.		*Paula is returning them to her.*
Yo **le** presto **mis zapatos** a mi hermana.	→	Yo **se los** presto.
I am loaning my shoes to my sister.		*I am loaning them to her.*
Paula nunca **les** presta **sus cosas.**	→	Paula nunca **se las** presta.
Paula never loans her things to them.		*Paula never loans them to them.*

Direct and indirect object pronouns may also be attached to infinitives and present participles. Note that when one is attached, an accent is placed over the final vowel of the infinitive and the next-to-last vowel of the participle.

¿Aquel abrigo? Mi madre **me lo** va a comprar.	*That coat over there? My mother is going to buy it for me.*
¿Aquel abrigo? Mi madre va a comprár**melo.**	
Me lo está comprando ahora.	*She is buying it for me now.*
Está comprándo**melo** ahora.	

Las construcciones reflexivas

Los verbos reflexivos
When the subject both performs and receives the action of the verb, a reflexive verb and pronoun are used.

Reflexive pronouns			
Yo	me	divierto	en las fiestas.
Tú	te	diviertes	en las fiestas.
Usted	se	divierte	en las fiestas.
Él / Ella	se	divierte	en las fiestas.
Nosotros	nos	divertimos	en las fiestas.
Vosotros	os	divertís	en las fiestas.
Ustedes	se	divierten	en las fiestas.
Ellos / Ellas	se	divierten	en las fiestas.

Reflexive pronouns follow the same rules for position as other object pronouns. Reflexive pronouns:

1. precede conjugated verbs.

2. can be attached to *infinitives* and *present participles* (**-ando, -iendo**).

Te vas a dormir.	*You are falling asleep.*
Vas a dormir**te**.	
¿**Se** van a dormir esta noche?	*Are they going to fall asleep tonight?*
¿Van a dormir**se** esta noche?	
¿**Se** están durmiendo?	*Are you all falling asleep?*
¿Están durmiéndo**se**?	

A28

Algunos verbos reflexivos	
acordarse de (o → ue)	to remember
arreglarse	to get ready
callarse	to get / keep quiet
divertirse (e → ie → i)	to enjoy oneself; to have fun
irse	to go away; to leave
lavarse	to wash oneself
levantarse	to get up; to stand up
llamarse	to be called
ponerse (la ropa)	to put on (one's clothes)
ponerse (nervioso/ a)	to get (nervous)
probarse (o → ue) la ropa	to try on clothing
quedarse	to stay; to remain
quitarse (la ropa)	to take off (one's clothes)
reunirse	to get together; to meet
secarse	to dry off
sentarse (e → ie)	to sit down
sentirse (e → ie → i)	to feel

Note: To identify all of the previous verbs as *reflexive*, the infinitives end in **-se**.

El imperfecto

In **Capítulo 7** you learned how to express certain ideas and notions that happened in the past with the preterit. Spanish has another past tense, **el imperfecto,** that *expresses habitual or ongoing past actions, provides descriptions,* or *describes conditions.*

	-ar: hablar	-er: comer	-ir: vivir
yo	hablaba	comía	vivía
tú	hablabas	comías	vivías
Ud.	hablaba	comía	vivía
él/ella	hablaba	comía	vivía
nosotros/as	hablábamos	comíamos	vivíamos
vosotros/as	hablabais	comíais	vivíais
Uds.	hablaban	comían	vivían
ellos/as	hablaban	comían	vivían

There are only *three irregular verbs* in the imperfect: **ir, ser,** and **ver.**

	ir	ser	ver
yo	iba	era	veía
tú	ibas	eras	veías
Ud.	iba	era	veía
él/ella	iba	era	veía
nosotros/as	íbamos	éramos	veíamos
vosotros/as	ibais	erais	veíais
Uds.	iban	eran	veían
ellos/as	iban	eran	veían

The imperfect is used to:

1. **provide background information, set the stage, or express a condition that existed**

Llovía mucho.	*It was raining a lot.*
Era una noche oscura y nublada.	*It was a dark and cloudy night.*
La mujer **llevaba** un vestido largo y elegante.	*The woman was wearing a long, elegant dress.*
Estábamos en el segundo año de la universidad.	*We were in our second year of college.*
Adriana **estaba** enferma y no **quería** levantarse.	*Adriana was ill and didn't want to get up / get out of bed.*

2. **describe habitual or often repeated actions**

Íbamos al centro comercial todos los viernes. Nos **divertíamos** mucho.	*We went (used to go) to the mall / shopping district every Friday. We had a lot of fun.*
Cuando **era** pequeño, LeBron **jugaba** al básquetbol por lo menos dos horas al día.	*When he was little, LeBron played (used to play) basketball for at least two hours a day.*
Mis padres siempre **se vestían muy bien** los domingos para ir a la iglesia.	*My parents always dressed very well on Sundays to go to church.*

Some words or expressions for describing habitual and repeated actions are:

a menudo	*often*
casi siempre	*almost always*
frecuentemente	*frequently*
generalmente	*generally*
mientras	*while*
muchas veces	*many times*
mucho	*a lot*
normalmente	*normally*
siempre	*always*
todos los días	*every day*

3. **express** *was or were + -ing*

¿**Dormías**?	*Were you sleeping?*
Me duchaba cuando Juan llamó.	*I was showering when Juan called.*
Alberto **leía** mientras Alicia **escuchaba** música.	*Alberto was reading while Alicia was listening to music.*

4. **tell time in the past**

Era la una y yo todavía **estudiaba.**	*It was 1:00 and I was still studying.*
Eran las siete y media y los niños **se dormían.**	*It was 7:30 and the children were falling asleep.*

A29

Un resumen de los pronombres de complemento directo e indirecto y reflexivos

You have already learned the forms, functions, and positioning of the *direct* and *indirect object pronouns*, as well as the *reflexive pronouns*. The following is a review:

LOS PRONOMBRES DE COMPLEMENTO DIRECTO		LOS PRONOMBRES DE COMPLEMENTO INDIRECTO		LOS PRONOMBRES REFLEXIVOS	
Direct object pronouns tell *what* or *who* receives the action of the verb. They replace direct object nouns and are used to avoid repetition.		Indirect object pronouns tell *to whom* or *for whom* something is done or given.		Reflexive pronouns indicate that the *subject* of a sentence or clause *receives the action of the verb.*	
me	*me*	me	*to / for me*	me	*myself*
te	*you*	te	*to / for you*	te	*yourself*
lo, la	*you*	le (se)	*to / for you*	se	*yourself*
lo, la	*him/her/it*	le (se)	*to / for him/ her*	se	*himself/herself*
nos	*us*	nos	*to / for us*	nos	*ourselves*
os	*you (all)*	os	*to / for you (all)*	os	*yourselves*
los, las	*you (all)*	les (se)	*to / for you (all)*	se	*yourselves*
los, las	*them/you*	les (se)	*to / for them/ you*	se	*themselves/ yourselves*
Compré la medicina ayer. **La** compré en la Farmacia Fénix. Tengo que dár**sela** a mi hijo.		**Le** compré la medicina ayer. **Le** voy a dar la medicina esta noche.		**Me** cepillo los dientes tres veces al día.	
I bought the medicine yesterday. I bought it it at Fénix Pharmacy. I have to give it to my son.		*I bought him the medicine yesterday. I am going to give him the medicine tonight.*		*I brush my teeth three times a day.*	

Remember the following guidelines on position and sequence:

Position

■ Object pronouns and reflexive pronouns come **before** the verb.

El doctor Sánchez **le** dio una inyección a David. *Dr. Sánchez gave David a shot.*

Después **se** sintió aliviado. *Then he felt relieved.*

■ Object pronouns and reflexive pronouns can also be placed before or be attached to the end of:

  a. **infinitives**

La enfermera **me** va a llamar.
La enfermera va a llamar**me**. *The nurse is going to call me.*

Después **se** va a ir a su casa.
Después va a ir**se** a su casa. *Then she is going to go home.*

  b. **present participles (-ando, -endo, and -iendo)**

La está tomando ahora.
Está tomándo**la** ahora. *He is taking it now.*

Se está poniendo nervioso.
Está poniéndo**se** nervioso. *He is getting nervous.*

Sequence

■ When a direct (DO) and indirect object (IO) pronoun are used together, ***the indirect object precedes the direct object.***

■ If both the direct and the indirect object pronoun begin with the letter "*l*" the indirect object pronoun changes from **le** or **les** to **se**, as in the following example.

Quiero mandar la carta al director ahora.

	↓	↓
	DO	**IO**
	la	le (se)
	IO	**DO**
	se	la

I want to send the letter to the director now.

	↓	↓
	DO	**IO**

Se la quiero mandar ahora mismo. ⎫ *I want to send it to*
Quiero mandár**sela** ahora mismo. ⎭ *him right now.*

¡Qué! y ¡cuánto!

So far you have used **qué** and **cuánto** as interrogative words, but these words can also be used in exclamatory sentences.

—Felipe, ¡**qué** fiebre tienes! *Felipe, what a fever you have!*

—María, ¡**cuánto** estornudas! *María, you are sneezing so much!*

—Mi cabeza, ¡**qué** dolor! *My head—what pain!*

—**Cuánto** lo siento. *I'm so sorry. (How sorry I am.)*

—¡**Qué** susto! ¡Se cortó el dedo! *What a scare! He cut his finger!*

—Se ve muy mal. ¡**Qué** feo! *It looks really bad. How awful! (It looks awful/ugly.)*

—¡**Qué** doctor! Le salvó la vida. *What a doctor! He saved his life.*

—**Cuánto** se lo agradezco. *I'm so thankful. (How grateful I am.)*

Note that in the examples above, **cuánto** accompanies *verbs* and is masculine and singular. When **cuánto** accompanies *nouns* it must agree with them in gender and number:

—¡**Cuántas** recetas y todavía estoy tosiendo! *So many prescriptions and I am still coughing!*

—Sí, y ¡**cuántos** estudiantes con la misma cosa! *Yes, and so many students with the same thing!*

A30

El pretérito y el imperfecto

In **Capítulos 7** and **8** you learned about two aspects of the past tense in Spanish, **el pretérito** and **el imperfecto,** which are not interchangeable. Their uses are contrasted below.

The preterit is used:	The imperfect is used:
1. To relate an event or occurrence that refers to *one specific time in the past* ■ **Fuimos** a Cuzco el año pasado. *We went to Cuzco last year.* ■ **Comimos** en el restaurante El Sol y **nos gustó** mucho. *We ate at El Sol restaurant and liked it a lot.*	**1.** To express *habitual* or often *repeated actions* ■ **Íbamos** a Cuzco todos los veranos. *We used to go to Cuzco every summer.* ■ **Comíamos** en el restaurante El Sol todos los lunes. *We used to eat at El Sol Restaurant every Monday.*
2. To relate an act *begun or completed in the past* ■ **Empezó** a llover. *It started to rain.* ■ **Comenzaron** los juegos. *The games began.* ■ La gira **terminó.** *The tour ended.*	**2.** To express *was / were + -ing* ■ **Llovía** sin parar. *It rained without stopping.* ■ **Comenzaban** los juegos cuando llegamos. *The games were beginning when we arrived.* ■ La gira **transcurría** sin ningún problema. *The tour continued without any problems.*
3. To relate a *sequence of events or actions*, each completed and moving the narrative along toward its conclusion ■ **Llegamos** en avión, **recogimos** las maletas y **fuimos** al hotel. *We arrived by plane, picked up our luggage, and went to the hotel.* ■ Al día siguiente **decidimos** ir a Machu Picchu. *The next day we decided to go to Machu Picchu.* ■ **Vimos** muchos ejemplos de la magnífica arquitectura incaica. Después **anduvimos** un poco por el camino de los incas. **Nos divertimos** mucho. *We saw many examples of the magnificent Incan architecture. Afterward we walked a bit on the Incan road. We had a great time.*	**3.** To provide *background* information, set the stage, or express a pre-existing condition ■ **Era** un día oscuro. **Llovía** de vez en cuando. *It was a dark day and it rained once in a while.* ■ Los turistas **llevaban** pantalones cortos y lentes de sol. *The tourists were wearing shorts and sunglasses.* ■ El camino **era** estrecho y **había** muchos turistas. *The path was narrow and there were many tourists.*
4. To relate an action that took place within a specified or *specific amount* (segment*) of time* **Caminé** (por) dos horas. *I walked for two hours.* **Hablamos** (por) cinco minutos. *We talked for five minutes.* **Contemplaron** el templo un rato. *They contemplated the temple for a while.* **Viví** en Ecuador (por) seis años. *I lived in Ecuador for six years.*	**4.** To *tell time* in the past **Era** la una. *It was 1:00.* **Eran** las tres y media. *It was 3:30.* **Era** muy tarde. *It was very late.* **Era** la medianoche. *It was midnight.*
	5. To describe physical and emotional states or characteristics Después del viaje **queríamos** descansar. Yo **tenía** dolor de cabeza y no **me sentía** muy bien. *After the trip we wanted to rest. I had a headache and did not feel well.*

A31

WORDS AND EXPRESSIONS THAT COMMONLY SIGNAL:

Preterit	Imperfect
anoche	a menudo
anteayer	cada semana / mes / año
ayer	con frecuencia
de repente (*suddenly*)	de vez en cuando (*once in a while*)
el fin de semana pasado	mientras
el mes pasado	muchas veces
el lunes pasado / el martes pasado, etc.	frecuentemente
esta mañana	todos los lunes / martes, etc.
una vez, dos veces, etc.	todas las semanas
	todos los días / meses / años
	siempre

Note: The **pretérito** and the **imperfecto** can be used in the same sentence.

Veían la televisión cuando **sonó** el teléfono.   *They were watching television when the phone rang.*

In the preceding sentence, an action was going on (**veían**) when it was interrupted by another action (**sonó el teléfono**).

Expresiones con *hacer*

The verb **hacer** means *to do* or *to make.* You have also used **hacer** in idiomatic expressions dealing with weather.

There are some additional special constructions with **hacer** that deal with time. **Hace** is used:

1. **to discuss an action that began in the past but is still going on in the present.**

> **hace** + *period of time* + **que** + *verb in present tense*

Hace cuatro días **que** tengo la gripe.	*I've had the flu for four days (and still have it).*
Hace dos años **que** soy enfermera.	*I've been a nurse for two years.*

2. **to ask how long something has been going on.**

> **cuánto (tiempo)** + **hace** + **que** + *verb in present tense*

¿Cuántos años **hace que** estudias medicina?	*How many years have you been studying medicine?*
¿Cuánto tiempo **hace que** estudias medicina?	*How long have you been studying medicine?*
¿Cuántos meses **hace que** tu abuela guarda cama?	*How many months has your grandmother been staying in bed?*
¿Cuánto tiempo **hace que** tu abuela guarda cama?	*How long has your grandmother been staying in bed?*

3. **in the preterit to tell how long ago something happened.**

> **hace** + *period of time* + **que** + *verb in preterit*

Hace cuatro años **que** empecé a estudiar medicina.	*I began to study medicine four years ago.*
Hace seis años **que** me mudé aquí para estudiar.	*I moved here six years ago to study.*

or

> *verb in the preterit* + **hace** + *period of time*

Empecé a estudiar medicina **hace** cuatro años.	*I began to study medicine four years ago.*
Me mudé aquí **hace** seis años.	*I moved here six years ago.*

Note that in this construction **hace** can either precede or follow the rest of the sentence. When it follows, **que** is not used.

4. **to ask how long ago something happened.**

> **cuánto (tiempo)** + **hace** + **que** + *verb in preterit*

¿Cuánto tiempo **hace que** empezaste a estudiar medicina?	*How long ago did you begin to study medicine?*
¿Cuánto tiempo **hace que** te enfermaste?	*How long ago did you get sick?*

A32

Los mandatos informales

When you need to give orders, advise, or ask people to do something, you use commands. If you are addressing a friend or someone you normally address as **tú**, you use informal commands. You have been responding to **tú** commands since the beginning of *¡Anda! Curso elemental*: **escucha, escribe, abre tu libro en la página…**, etc.

1. The affirmative *tú* command form is the same as the *él, ella, Ud.* form of the present tense of the verb:

Infinitive		Present tense	Affirmative *tú* command
llen**ar**	él, ella, Ud.	llen**a**	llen**a**
le**er**	él, ella, Ud.	le**e**	le**e**
ped**ir**	él, ella, Ud.	pid**e**	pid**e**

Llen**a** el tanque.	*Fill the tank.*
Dobl**a** a la derecha.	*Turn to the right.*
Conduc**e** con cuidado.	*Drive carefully.*
Pid**e** permiso.	*Ask permission.*

There are eight common verbs that have irregular affirmative *tú* commands:

decir	→	**di**	ir	→	**ve**
hacer	→	**haz**	poner	→	**pon**
salir	→	**sal**	tener	→	**ten**
ser	→	**sé**	venir	→	**ven**

Sé respetuoso con los peatones.	*Be respectful of pedestrians.*
Ten cuidado al conducir.	*Be careful when driving.*
Ven al aeropuerto con tu pasaporte.	*Come to the airport with your passport.*
Pon las llaves en la mesa.	*Put the keys on the table.*

2. **To form the negative *tú* (informal) commands:**

   1. Take the **yo** form of the present tense of the verb.
   2. Drop the **-o** ending.
   3. Add *-es* for **-ar** verbs, and add *-as* for **-er** and **-ir** verbs.

Infinitive	Present tense		Negative *tú* command
llenar	yo llen**ø**	+ es	no llen**es**
leer	yo le**ø**	+ as	no le**as**
pedir	yo pid**ø**	+ as	no pid**as**

No llen**es** el tanque.	*Don't fill the tank.*
No dobl**es** a la derecha.	*Don't turn to the right.*

No conduzc**as** muy rápido.	*Don't drive very fast.*
No pid**as** permiso.	*Don't ask permission.*

Verbs ending in **-car, -gar,** and **-zar** have spelling changes in the negative **tú** command. These spelling changes are needed to preserve the sounds of the infinitive endings.

Infinitive	Present tense		Negative *tú* command
sa**car**	yo sa**cø**	**c → qu**	no sa**ques**
lle**gar**	yo lle**gø**	**g → gu**	no lle**gues**
empe**zar**	yo empie**zø**	**z → c**	no empie**ces**

3. **Object and reflexive pronouns are used with *tú* commands in the following ways:**

   a. They are *attached* to the ends of *affirmative* commands. When a command is made up of more than two syllables after the pronoun(s) is / are attached, a written accent mark is placed over the stressed vowel.

Se pinchó una llanta. **¡Cámbiamela!**	*I've got a flat tire. Change it for me!*
Tu bicicleta no funciona. **Revísala.**	*Your bike does not work. Check it.*
Me gusta tu coche. **Préstamelo.**	*I like your car. Loan it to me.*
Llegamos tarde. **¡Estaciónate, por favor!**	*We are late. Park, please!*

   b. They are placed *before* negative **tú** commands.

No se nos pinchó una llanta.	*We don't have a flat tire.*
¡No **me la** cambies!	*Don't change it for me!*
Tu bicicleta funciona.	*Your bicycle works.*
No **la** revises.	*Don't check it.*
No me gusta tu coche.	*I don't like your car.*
No **me lo** prestes.	*Don't loan it to me.*
Llegamos tarde.	*We are late.*
No **te** estaciones aquí, por favor.	*Do not park here, please.*

Los mandatos formales

When you need to influence others by making a request, giving advice, giving instructions, or giving orders to people you normally treat as **Ud.** or **Uds.,** you are going to use a different set of commands: **formal** commands. The forms of these commands are similar to the negative **tú** command forms.

A33

1. **To form the *Ud.* and *Uds.* commands:**

   1. Take the **yo** form of the present tense of the verb.
   2. Drop the **-o** ending.
   3. Add *-e(n)* for **-ar** verbs, and add *-a(n)* for **-er** and **-ir** verbs.

Infinitive	Present tense		Ud. commands	Uds. commands
limpiar	yo limpiø	+ e(n)	(no) limpie	(no) limpien
leer	yo leø	+ a(n)	(no) lea	(no) lean
pedir	yo pidø	+ a(n)	(no) pida	(no) pidan

Llene el tanque. **Llénelo.** — *Fill up the tank. Fill it.*

No limpie el parabrisas. **No lo limpie.** — *Don't clean the windshield. Don't clean it.*

Conduzca el camión para su tío. **Condúzcalo.** — *Drive the truck for your uncle. Drive it.*

No ponga esa gasolina cara en el coche. — *Don't put that expensive gasoline in the car.*

No la ponga en el coche. — *Don't put it in the car.*

Traiga su licencia. **Tráigala.** — *Bring your license. Bring it.*

No busquen sus llaves. **No las busquen.** — *Don't look for your keys. Don't look for them.*

2. **Verbs ending in *-car*, *-gar*, and *-zar* have spelling changes in the *Ud.* and *Uds.* commands. These spelling changes are needed to preserve the sounds of the infinitive endings.**

Infinitive	Present tense		Ud/Uds. commands
sacar	yo sacø	c → qu	saque(n)
llegar	yo llegø	g → gu	llegue(n)
empezar	yo empiezø	z → c	empiece(n)

3. **These verbs also have irregular forms for the *Ud.* / *Uds.* commands:**

dar	dé(n)	ir	vaya(n)	ser	sea(n)
estar	esté(n)	saber	sepa(n)		

Finally, compare the forms of the *tú* and *Ud.* / *Uds.* commands:

	Tú commands		Ud. / Uds. commands	
	Affirmative	**Negative**	**Affirmative**	**Negative**
hablar	habla	no hables	hable(n)	no hable(n)
comer	come	no comas	coma(n)	no coma(n)
pedir	pide	no pidas	pida(n)	no pida(n)

Otras formas del posesivo

In **Capítulo 1,** you learned how to say *my, your, his, ours,* etc. (**mi/s, tu/s, su/s, nuestro/a/os/as, vuestro/a/os/as, su/s**). In Spanish you can also show possession with the long (or stressed) forms, the equivalents of the English *of mine, of yours, of his, of hers, of ours,* and *of theirs.*

Singular		Plural		
Masculine	**Feminine**	**Masculine**	**Feminine**	
mío	mía	míos	mías	*mine*
tuyo	tuya	tuyos	tuyas	*yours (fam.)*
suyo	suya	suyos	suyas	*his, hers, yours (for.), theirs (form.)*
nuestro	nuestra	nuestros	nuestras	*ours*
vuestro	vuestra	vuestros	vuestras	*yours (fam.)*

Mi coche funciona bien. — **El coche mío** funciona bien. — **El mío** funciona bien.

Nuestros boletos cuestan mucho. — **Los boletos nuestros** cuestan mucho. — **Los nuestros** cuestan mucho.

¿Dónde están **tus** llaves? — ¿Dónde están **las llaves tuyas**? — ¿Dónde están **las tuyas**?

Su multa es de $100. — **La multa suya** es de $100. — **La suya** es de $100.

Note that the third-person forms (**suyo/a/os/as**) can have more than one meaning. To avoid confusion, you can use:

article + noun + de + subject pronoun:

el coche suyo
- el coche de él/ella
- el coche de Ud.
- el coche de ellos/ellas
- el coche de Uds.

El comparativo y el superlativo

El comparativo

Just as English does, Spanish uses comparisons to specify which of two people, places, or things has a lesser, equal, or greater degree of a particular quality.

1. **The formula for comparing unequal things follows the same pattern as in English:**

   más + *adjective / adverb / noun* + **que** — *more . . . than*

   menos + *adjective / adverb / noun* + **que** — *less . . . than*

El Hotel Hilton es **más** caro **que** el Motel 6. — *The Hilton is **more** expensive **than** Motel 6.*

El Motel 6 hace reservas **más** rápidamente **que** el Hotel Hilton. — *Motel 6 makes reservations **faster than** the Hilton.*

En esta ciudad hay **menos** hoteles **que** moteles. — *In this city there are **fewer** hotels **than** motels.*

■ When comparing numbers, **de** is used instead of **que:**

El Hilton de Bogotá tiene **más de** doscientos cuartos. — *The Bogotá Hilton has **more than** two hundred rooms.*

A34

2. The formula for comparing two or more *equal* things also follows the same pattern as in English:

tan + *adjective / adverb* + **como**　　*as . . . as*

tanto(a/os/as) + *noun* + **como**　　*as much / many . . . as*

La agencia de viajes Mundotur es **tan** conocida **como** Meliá.	*The Mundotur travel agency is **as** well known **as** Meliá.*
Estos vuelos son **tan** caros **como** esos.	*These flights are **as** expensive **as** those.*
Mi coche va **tan** rápido **como** un Ferrari.	*My car is **as** fast **as** a Ferrari.*
No tengo **tantas** maletas **como** tú.	*I don't have **as many** suitcases **as** you (do).*
No hay **tanto** tráfico **como** ayer.	*There isn't **as much** traffic **as** yesterday.*

El superlativo

1. To compare three or more people or things, use the superlative. The formula for expressing the superlative is:

el, la, los, las (*noun*) + **más / menos** + *adjective* (+ **de**)

La agencia de viajes Viking es **la** agencia **más** popular **de** nuestro pueblo.	*The Viking Travel Agency is the most popular (travel) agency in our town.*

—¿Es el aeropuerto Hartsfield de Atlanta **el** aeropuerto **más** concurrido **de** los Estados Unidos?	*Is Atlanta's Hartsfield Airport the busiest airport in the United States?*
—Sí, ¡y el aeropuerto de mi ciudad es **el menos** concurrido!	*Yes, and my city's airport is the least busy!*

2. The following adjectives have irregular comparative and superlative forms.

	Comparative			Superlative	
bueno/a	*good*	**mejor**	*better*	**el/la mejor**	*the best*
malo/a	*bad*	**peor**	*worse*	**el/la peor**	*the worst*
grande	*big*	**mayor**	*bigger*	**el/la mayor**	*the biggest*
pequeño/a	*small*	**menor**	*smaller*	**el/la menor**	*the smallest*
joven	*young*	**menor**	*younger*	**el/la menor**	*the youngest*
viejo/a	*old*	**mayor**	*older*	**el/la mayor**	*the eldest*

Comparative:

Mi clase de español es **mejor que** mis otras clases.	*My Spanish class is better than my other classes.*

Superlative:

Mi clase de español es **la mejor de** mis clases.	*My Spanish class is the best (one) of my classes.*

Capítulo 11 de *¡Anda! Curso elemental*

In Spanish, *tenses* such as the present, past, and future are grouped under two different moods, the **indicative** mood and the **subjunctive** mood.

Up to this point you have studied tenses grouped under the *indicative* mood (with the exception of commands) to report what happened, is happening, or will happen. The *subjunctive* mood, on the other hand, is used to express doubt, insecurity, influence, opinion, feelings, hope, wishes, or desires that can be happening now, have happened in the past, or will happen in the future. In this chapter you will learn the present tense of the *subjunctive mood*.

Present subjunctive

To form the subjunctive, take the **yo** form of the present indicative, drop the final **-o,** and add the following endings.

Present indicative	*yo* form		Present subjunctive
estudiar	estudiø	+ e	**estudie**
comer	comø	+ a	**coma**
vivir	vivø	+ a	**viva**

	estudiar	comer	vivir
yo	estudie	coma	viva
tú	estudies	comas	vivas
Ud.	estudie	coma	viva
él, ella	estudie	coma	viva
nosotros/as	estudiemos	comamos	vivamos
vosotros/as	estudiéis	comáis	viváis
Uds.	estudien	coman	vivan
ellos/as	estudien	coman	vivan

Irregular forms

- Verbs with irregular **yo** forms maintain this irregularity in all forms of the present subjunctive. Note the following examples.

	conocer	hacer	poner	venir
yo	conozca	haga	ponga	venga
tú	conozcas	hagas	pongas	vengas
Ud.	conozca	haga	ponga	venga
él, ella	conozca	haga	ponga	venga

A35

	conocer	hacer	poner	venir
nosotros/as	cono**zcamos**	ha**gamos**	pon**gamos**	ven**gamos**
vosotros/as	cono**zcáis**	ha**gáis**	pon**gáis**	ven**gáis**
Uds.	cono**zcan**	ha**gan**	pon**gan**	ven**gan**
ellos/as	cono**zcan**	ha**gan**	pon**gan**	ven**gan**

■ Verbs ending in **-car, -gar,** and **-zar** have spelling changes in all present subjunctive forms, in order to maintain the sounds of the infinitives.

		Present indicative	Present subjunctive
buscar	c → qu	yo busc∅	bus**que**
pagar	g → gu	yo pag∅	pa**gue**
empezar	z → c	yo empiez∅	empie**ce**

	buscar	pagar	empezar
yo	bus**que**	pa**gue**	empie**ce**
tú	bus**ques**	pa**gues**	empie**ces**
Ud.	bus**que**	pa**gue**	empie**ce**
él, ella	bus**que**	pa**gue**	empie**ce**
nosotros/as	bus**quemos**	pa**guemos**	empe**cemos**
vosotros/as	bus**quéis**	pa**guéis**	empe**céis**
Uds.	bus**quen**	pa**guen**	empie**cen**
ellos/as	bus**quen**	pa**guen**	empie**cen**

Stem-changing verbs

In the present subjunctive, stem-changing **-ar** and **-er** verbs make the same vowel changes that they do in the present indicative: **e → ie** and **o → ue.**

	pensar (e → ie)	poder (o → ue)
yo	p**ie**nse	p**ue**da
tú	p**ie**nses	p**ue**das
Ud.	p**ie**nse	p**ue**da
él, ella	p**ie**nse	p**ue**da
nosotros/as	pensemos	podamos
vosotros/as	penséis	podáis
Uds.	p**ie**nsen	p**ue**dan
ellos/as	p**ie**nsen	p**ue**dan

The pattern is different with the **-ir** stem-changing verbs. In addition to their usual changes of **e → ie, e → i,** and **o → ue,** in the **nosotros** and **vosotros** forms the stem vowels change **ie → i** and **ue → u.**

	sentir (e → ie, i)	dormir (o → ue, u)
yo	s**ie**nta	d**ue**rma
tú	s**ie**ntas	d**ue**rmas
Ud.	s**ie**nta	d**ue**rma
él, ella	s**ie**nta	d**ue**rma
nosotros/as	s**i**ntamos	d**u**rmamos
vosotros/as	s**i**ntáis	d**u**rmáis
Uds.	s**ie**ntan	d**ue**rman
ellos/as	s**ie**ntan	d**ue**rman

The **e → i** stem-changing verbs keep the change in all forms.

pedir (e → i, i)	
yo	p**i**da
tú	p**i**das
Ud.	p**i**da
él, ella	p**i**da
nosotros/as	p**i**damos
vosotros/as	p**i**dáis
Uds.	p**i**dan
ellos/as	p**i**dan

Irregular verbs in the present subjunctive

■ The following verbs are irregular in the subjunctive.

	dar	estar	saber	ser	ir
yo	dé	esté	sepa	sea	vaya
tú	des	estés	sepas	seas	vayas
Ud.	dé	esté	sepa	sea	vaya
él, ella	dé	esté	sepa	sea	vaya
nosotros/as	demos	estemos	sepamos	seamos	vayamos
vosotros/as	deis	estéis	sepáis	seáis	vayáis
Uds.	den	estén	sepan	sean	vayan
ellos/as	den	estén	sepan	sean	vayan

Dar has written accents on the first- and third-person singular forms (**dé**) to distinguish them from the preposition **de.** All forms of **estar,** except the **nosotros** form, have written accents in the present subjunctive.

Using the subjunctive

One of the uses of the subjunctive is with fixed expressions that communicate opinion, doubt, probability, and wishes. They are always followed by the subjunctive.

Opinion

Es bueno / malo / mejor que…	*It's good / bad / better that . . .*
Es importante que…	*It's important that . . .*
Es increíble que…	*It's incredible that . . .*
Es una lástima que…	*It's a pity that . . .*
Es necesario que…	*It's necessary that . . .*
Es preferible que…	*It's preferable that . . .*
Es raro que…	*It's rare that . . .*

Doubt and probability

Es dudoso que…	*It's doubtful that . . .*
Es imposible que…	*It's impossible that . . .*
Es improbable que…	*It's unlikely that . . .*
Es posible que…	*It's possible that . . .*
Es probable que…	*It's likely that . . .*

A36

Wishes and hopes

Ojalá (que)...

*Let's hope that ... / Hopefully
...*

Es necesario que
protejamos los animales
en peligro de extinción.

*It's necessary that we protect
endangered species.*

Es una lástima que
algunas personas no
quieran reciclar el
plástico, el vidrio, el
aluminio y el papel.

*It's a shame that some people
don't want to recycle plastic,
glass, aluminum, and
paper.*

Ojalá (que) haya menos
destrucción del medio
ambiente en el futuro.

*Let's hope that there is
less destruction of the
environment in the future.*

Por y para

As you have seen, Spanish has two main words to express *for*: **por** and **para**. They have distinct uses and are not interchangeable.

POR is used to express:	PARA is used to express:
1. Duration of time (*during, for*)	**1. Point in time or a deadline (*for, by*)**
El presidente ocupa la presidencia (**por**) cuatro años consecutivos. *The president holds the presidency for four consecutive years.*	Es dudoso que todos los problemas se solucionen **para** el final de su presidencia. *It is doubtful that all the problems will be solved by the end of her presidency.*
El alcalde habló (**por**) más de media hora. *The mayor spoke for more than a half hour.*	Es importante que bajemos los impuestos **para** el próximo año. *It is important that we lower taxes by next year.*
2. Movement or location (*through, along, past, around*)	**2. Destination (*for*)**
Los candidatos van **por** la calle hablando con la gente. *The candidates are going through the streets talking with the people.*	La reina sale hoy **para** Puerto Rico. *The queen leaves for Puerto Rico today.*
El rey saluda **por** la ventana. *The king is waving through the window.*	Los diputados se fueron **para** el Capitolio. *The representatives left for the Capitol.*
3. Motive (*on account of, because of, for*)	**3. Recipients or intended person or persons (*for*)**
Decidimos meternos en política **por** nuestros hijos. Queremos asegurarles un futuro mejor. *We decided to get involved in politics because of our children. We want to assure them a better future.*	Mi hermano escribe discursos **para** la gobernadora. *My brother writes speeches for the governor.*
En resumen, nos dijeron que hay que reciclar **por** el futuro de nuestro planeta. *In short, they told us that we must recycle for the future of our planet.*	Necesitamos un avión **para** el dictador. *We need a plane for the dictator.*
4. Exchange (*in exchange for*)	**4. Comparison (*for*)**
Gracias **por** su ayuda, señora Presidenta. *Thank you for your help, Madam President.*	**Para** un hombre que sabe tanto de la política, no tiene ni idea sobre la delincuencia de nuestras calles. *For a man who knows so much about politics, he has no idea about the crime on our streets.*
Limpiaron el vertedero **por** diez mil dólares. *They cleaned the dump for ten thousand dollars.*	La tasa de desempleo es bastante baja **para** un país en desarrollo. *The unemployment rate is quite low for a developing country.*

A37

POR is used to express:	PARA is used to express:
5. Means (*by*)	**5. Purpose or goal (*to, in order to*)**
Los diputados discutieron los resultados de las elecciones **por** teléfono.	**Para** recibir más votos, la candidata necesita proponer soluciones **para** los problemas con la deuda externa.
The representatives argued about the election results over the phone.	*(In order) To receive more votes, the candidate needs to propose solutions to the problems with foreign debt.*
¿Los reyes van a viajar **por** barco o **por** avión?	Hay que luchar contra la contaminacón **para** proteger el medio ambiente.
Are the king and queen going to travel by ship or by plane?	*One needs to fight pollution to protect the environment.*

Las preposiciones y los pronombres preposicionales

Besides the prepositions **por** and **para,** there is a variety of useful prepositions and prepositional phrases, many of which you have already been using throughout *¡Anda! Curso elemental.* Study the following list to review the ones you already know and to acquaint yourself with those that may be new to you.

a	*to; at*
a la derecha de	*to the right of*
a la izquierda de	*to the left of*
acerca de	*about*
(a)fuera de	*outside of*
al lado de	*next to*
antes de	*before (time / space)*
cerca de	*near*
con	*with*
de	*of; from; about*
debajo de	*under; underneath*
delante de	*in front of*
dentro de	*inside of*
desde	*from*
después de	*after*
detrás de	*behind*
en	*in*
encima de	*on top of*
enfrente de	*across from; facing*
entre	*among; between*
hasta	*until*
lejos de	*far from*
para	*for; in order to*
por	*for; through; by; because of*
según	*according to*
sin	*without*
sobre	*over; about*

El centro de reciclaje está **a la derecha del** supermercado.
The recycling center is to the right of the supermarket.

La alcadesa va a hablar **acerca de** los problemas que tenemos con la protección del cocodrilo cubano.
The mayor is going to speak about the problems we are having with the protection of the Cuban crocodile.

Vimos un montón de plástico **encima del** papel.
We saw a mountain of plastic on top of the paper.

Quieren sembrar flores **enfrente del** vertedero.
They want to plant flowers in front of the dump.

El proyecto no puede tener éxito **sin** el apoyo del gobierno local.
The project cannot be successful without the support of the local government.

Los pronombres preposicionales

Study the list of pronouns that are used following prepositions.

mí	*me*	**nosotros/as**	*us*
ti	*you*	**vosotros/as**	*you*
usted	*you*	**ustedes**	*you*
él	*him*	**ellos**	*them*
ella	*her*	**ellas**	*them*

Para mí, es muy importante resolver el problema de la lluvia ácida.
For me, it's really important to solve the problem of acid rain.

¿Qué candidato está sentado **enfrente de ti**?
Which candidate is seated in front of you?

Se fueron de la huelga **sin nosotros.**
They left the strike without us.

Trabajamos **con ellos** para proteger el medio ambiente.
We work with them to protect the environment.

A38

*Note that **con** has two special forms:

1. con + mí = **conmigo**

—¿Vienes **conmigo** al discurso?

Are you coming with me to listen to the speech?

2. con + ti = **contigo** *with you*

—Sí, voy **contigo.**

Yes, I'm going with you.

El infinitivo después de preposiciones

In Spanish, if you need to use a verb immediately after a preposition, it must always be in the **infinitive** form. Study the following examples:

Antes de reciclar las latas debes limpiarlas.

Before recycling the cans, you should clean them.

Después de pisar la hormiga la niña empezó a llorar.

After stepping on the ant, the little girl began to cry.

Es fácil decidir **entre reciclar** y **botar.**

It is easy to decide between recycling and throwing away.

Necesitamos trabajar con personas de todos los países **para proteger** mejor la Tierra.

We need to work with people from all countries in order to better protect the Earth.

Ganaste el premio **por estar** tan interesado en el medio ambiente.

You won the prize for being so interested in the environment.

No podemos vivir **sin trabajar** juntos.

We cannot live without working together.

Verb Charts

Appendix 4

Verb Charts

Regular Verbs: Simple Tenses

Infinitive / Present Participle / Past Participle	Indicative					Subjunctive		Imperative
	Present	Imperfect	Preterit	Future	Conditional	Present	Imperfect	Commands
hablar hablando hablado	hablo hablas habla hablamos habláis hablan	hablaba hablabas hablaba hablábamos hablabais hablaban	hablé hablaste habló hablamos hablasteis hablaron	hablaré hablarás hablará hablaremos hablaréis hablarán	hablaría hablarías hablaría hablaríamos hablaríais hablarían	hable hables hable hablemos habléis hablen	hablara hablaras hablara habláramos hablarais hablaran	habla (tú), no hables hable (usted) hablemos hablad (vosotros), no habléis hablen (Uds.)
comer comiendo comido	como comes come comemos coméis comen	comía comías comía comíamos comíais comían	comí comiste comió comimos comisteis comieron	comeré comerás comerá comeremos comeréis comerán	comería comerías comería comeríamos comeríais comerían	coma comas coma comamos comáis coman	comiera comieras comiera comiéramos comierais comieran	come (tú), no comas coma (usted) comamos comed (vosotros), no comáis coman (Uds.)
vivir viviendo vivido	vivo vives vive vivimos vivís viven	vivía vivías vivía vivíamos vivíais vivían	viví viviste vivió vivimos vivisteis vivieron	viviré vivirás vivirá viviremos viviréis vivirán	viviría vivirías viviría viviríamos viviríais vivirían	viva vivas viva vivamos viváis vivan	viviera vivieras viviera viviéramos vivierais vivieran	vive (tú), no vivas viva (usted) vivamos vivid (vosotros), no viváis vivan (Uds.)

Regular Verbs: Perfect Tenses

	Indicative					Subjunctive	
	Present Perfect	Past Perfect	Preterit Perfect	Future Perfect	Conditional Perfect	Present Perfect	Past Perfect
he	hablado						
has	comido						
ha	vivido						
hemos							
habéis							
han							

Present Perfect	Past Perfect	Preterit Perfect	Future Perfect	Conditional Perfect	Present Perfect	Past Perfect
he	había	hube	habré	habría	haya	hubiera
has	habías	hubiste	habrás	habrías	hayas	hubieras
ha	había	hubo	habrá	habría	haya	hubiera
hemos	habíamos	hubimos	habremos	habríamos	hayamos	hubiéramos
habéis	habíais	hubisteis	habréis	habríais	hayáis	hubierais
han	habían	hubieron	habrán	habrían	hayan	hubieran
hablado comido vivido	hablado comido vivido	hablado comido vivido	hablado comido vivido	hablado comido vivido	hablado comido vivido	hablado comido vivido

Irregular Verbs

Infinitive / Present Participle / Past Participle	Indicative					Subjunctive		Imperative
	Present	Imperfect	Preterit	Future	Conditional	Present	Imperfect	Commands
andar andando andado	ando andas anda andamos andáis andan	andaba andabas andaba andábamos andabais andaban	anduve anduviste anduvo anduvimos anduvisteis anduvieron	andaré andarás andará andaremos andaréis andarán	andaría andarías andaría andaríamos andaríais andarían	ande andes ande andemos andéis anden	anduviera anduvieras anduviera anduviéramos anduvierais anduvieran	anda (tú), no andes ande (usted) andemos andad (vosotros), no andéis anden (Uds.)
caer cayendo caído	caigo caes cae caemos caéis caen	caía caías caía caíamos caíais caían	caí caíste cayó caímos caísteis cayeron	caeré caerás caerá caeremos caeréis caerán	caería caerías caería caeríamos caeríais caerían	caiga caigas caiga caigamos caigáis caigan	cayera cayeras cayera cayéramos cayerais cayeran	cae (tú), no caigas caiga (usted) caigamos caed (vosotros), no caigáis caigan (Uds.)
dar dando dado	doy das da damos dais dan	daba dabas daba dábamos dabais daban	di diste dio dimos disteis dieron	daré darás dará daremos daréis darán	daría darías daría daríamos daríais darían	dé des dé demos deis den	diera dieras diera diéramos dierais dieran	da (tú), no des dé (usted) demos dad (vosotros), no deis den (Uds.)
decir diciendo dicho	digo dices dice decimos decís dicen	decía decías decía decíamos decíais decían	dije dijiste dijo dijimos dijisteis dijeron	diré dirás dirá diremos diréis dirán	diría dirías diría diríamos diríais dirían	diga digas diga digamos digáis digan	dijera dijeras dijera dijéramos dijerais dijeran	di (tú), no digas diga (usted) digamos decid (vosotros), no digáis digan (Uds.)

A41

Irregular Verbs (continued)

Infinitive / Present Participle / Past Participle	Indicative					Subjunctive		Imperative
	Present	Imperfect	Preterit	Future	Conditional	Present	Imperfect	Commands
estar estando estado	estoy estás está estamos estáis están	estaba estabas estaba estábamos estabais estaban	estuve estuviste estuvo estuvimos estuvisteis estuvieron	estaré estarás estará estaremos estaréis estarán	estaría estarías estaría estaríamos estaríais estarían	esté estés esté estemos estéis estén	estuviera estuvieras estuviera estuviéramos estuvierais estuvieran	está (tú), no estés esté (usted) estemos estad (vosotros), no estéis estén (Uds.)
haber habiendo habido	he has ha hemos habéis han	había habías había habíamos habíais habían	hube hubiste hubo hubimos hubisteis hubieron	habré habrás habrá habremos habréis habrán	habría habrías habría habríamos habríais habrían	haya hayas haya hayamos hayáis hayan	hubiera hubieras hubiera hubiéramos hubierais hubieran	
hacer haciendo hecho	hago haces hace hacemos hacéis hacen	hacía hacías hacía hacíamos hacíais hacían	hice hiciste hizo hicimos hicisteis hicieron	haré harás hará haremos haréis harán	haría harías haría haríamos haríais harían	haga hagas haga hagamos hagáis hagan	hiciera hicieras hiciera hiciéramos hicierais hicieran	haz (tú), no hagas haga (usted) hagamos haced (vosotros), no hagáis hagan (Uds.)
ir yendo ido	voy vas va vamos vais van	iba ibas iba íbamos ibais iban	fui fuiste fue fuimos fuisteis fueron	iré irás irá iremos iréis irán	iría irías iría iríamos iríais irían	vaya vayas vaya vayamos vayáis vayan	fuera fueras fuera fuéramos fuerais fueran	ve (tú), no vayas vaya (usted) vamos, no vayamos id (vosotros), no vayáis vayan (Uds.)
oír oyendo oído	oigo oyes oye oímos oís oyen	oía oías oía oíamos oíais oían	oí oíste oyó oímos oísteis oyeron	oiré oirás oirá oiremos oiréis oirán	oiría oirías oiría oiríamos oiríais oirían	oiga oigas oiga oigamos oigáis oigan	oyera oyeras oyera oyéramos oyerais oyeran	oye (tú), no oigas oiga (usted) oigamos oíd (vosotros), no oigáis oigan (Uds.)

Irregular Verbs (continued)

Infinitive Present Participle Past Participle	Indicative					Subjunctive		Imperative
	Present	Imperfect	Preterit	Future	Conditional	Present	Imperfect	Commands
poder pudiendo podido	puedo puedes puede podemos podéis pueden	podía podías podía podíamos podíais podían	pude pudiste pudo pudimos pudisteis pudieron	podré podrás podrá podremos podréis podrán	podría podrías podría podríamos podríais podrían	pueda puedas pueda podamos podáis puedan	pudiera pudieras pudiera pudiéramos pudierais pudieran	
poner poniendo puesto	pongo pones pone ponemos ponéis ponen	ponía ponías ponía poníamos poníais ponían	puse pusiste puso pusimos pusisteis pusieron	pondré pondrás pondrá pondremos pondréis pondrán	pondría pondrías pondría pondríamos pondríais pondrían	ponga pongas ponga pongamos pongáis pongan	pusiera pusieras pusiera pusiéramos pusierais pusieran	pon (tú), no pongas ponga (usted) pongamos poned (vosotros), no pongáis pongan (Uds.)
querer queriendo querido	quiero quieres quiere queremos queréis quieren	quería querías quería queríamos queríais querían	quise quisiste quiso quisimos quisisteis quisieron	querré querrás querrá querremos querréis querrán	querría querrías querría querríamos querríais querrían	quiera quieras quiera queramos queráis quieran	quisiera quisieras quisiera quisiéramos quisierais quisieran	quiere (tú), no quieras quiera (usted) queramos quered (vosotros), no queráis quieran (Uds.)
saber sabiendo sabido	sé sabes sabe sabemos sabéis saben	sabía sabías sabía sabíamos sabíais sabían	supe supiste supo supimos supisteis supieron	sabré sabrás sabrá sabremos sabréis sabrán	sabría sabrías sabría sabríamos sabríais sabrían	sepa sepas sepa sepamos sepáis sepan	supiera supieras supiera supiéramos supierais supieran	sabe (tú), no sepas sepa (usted) sepamos sabed (vosotros), no sepáis sepan (Uds.)
salir saliendo salido	salgo sales sale salimos salís salen	salía salías salía salíamos salíais salían	salí saliste salió salimos salisteis salieron	saldré saldrás saldrá saldremos saldréis saldrán	saldría saldrías saldría saldríamos saldríais saldrían	salga salgas salga salgamos salgáis salgan	saliera salieras saliera saliéramos salierais salieran	sal (tú), no salgas salga (usted) salgamos salid (vosotros), no salgáis salgan (Uds.)

A43

Irregular Verbs (continued)

Infinitive / Present Participle / Past Participle	Indicative						Subjunctive		Imperative
	Present	Imperfect	Preterit	Future	Conditional		Present	Imperfect	Commands
ser siendo sido	soy eres es somos sois son	era eras era éramos erais eran	fui fuiste fue fuimos fuisteis fueron	seré serás será seremos seréis serán	sería serías sería seríamos seríais serían		sea seas sea seamos seáis sean	fuera fueras fuera fuéramos fuerais fueran	sé (tú), no seas sea (usted) seamos sed (vosotros), no seáis sean (Uds.)
tener teniendo tenido	tengo tienes tiene tenemos tenéis tienen	tenía tenías tenía teníamos teníais tenían	tuve tuviste tuvo tuvimos tuvisteis tuvieron	tendré tendrás tendrá tendremos tendréis tendrán	tendría tendrías tendría tendríamos tendríais tendrían		tenga tengas tenga tengamos tengáis tengan	tuviera tuvieras tuviera tuviéramos tuvierais tuvieran	ten (tú), no tengas tenga (usted) tengamos tened (vosotros), no tengáis tengan (Uds.)
traer trayendo traído	traigo traes trae traemos traéis traen	traía traías traía traíamos traíais traían	traje trajiste trajo trajimos trajisteis trajeron	traeré traerás traerá traeremos traeréis traerán	traería traerías traería traeríamos traeríais traerían		traiga traigas traiga traigamos traigáis traigan	trajera trajeras trajera trajéramos trajerais trajeran	trae (tú), no traigas traiga (usted) traigamos traed (vosotros), no traigáis traigan (Uds.)
venir viniendo venido	vengo vienes viene venimos venís vienen	venía venías venía veníamos veníais venían	vine viniste vino vinimos vinisteis vinieron	vendré vendrás vendrá vendremos vendréis vendrán	vendría vendrías vendría vendríamos vendríais vendrían		venga vengas venga vengamos vengáis vengan	viniera vinieras viniera viniéramos vinierais vinieran	ven (tú), no vengas venga (usted) vengamos venid (vosotros), no vengáis vengan (Uds.)
ver viendo visto	veo ves ve vemos veis ven	veía veías veía veíamos veíais veían	vi viste vio vimos visteis vieron	veré verás verá veremos veréis verán	vería verías vería veríamos veríais verían		vea veas vea veamos veáis vean	viera vieras viera viéramos vierais vieran	ve (tú), no veas vea (usted) veamos ved (vosotros), no veáis vean (Uds.)

A44

Stem-Changing and Orthographic-Changing Verbs

Infinitive / Present Participle / Past Participle	Indicative					Subjunctive		Imperative
	Present	Imperfect	Preterit	Future	Conditional	Present	Imperfect	Commands
almorzar (ue) (c) almorzando almorzado	almuerzo almuerzas almuerza almorzamos almorzáis almuerzan	almorzaba almorzabas almorzaba almorzábamos almorzabais almorzaban	almorcé almorzaste almorzó almorzamos almorzasteis almorzaron	almorzaré almorzarás almorzará almorzaremos almorzaréis almorzarán	almorzaría almorzarías almorzaría almorzaríamos almorzaríais almorzarían	almuerce almuerces almuerce almorcemos almorcéis almuercen	almorzara almorzaras almorzara almorzáramos almorzarais almorzaran	almuerza (tú), no almuerces almuerce (usted) almorcemos almorzad (vosotros), no almorcéis almuercen (Uds.)
buscar (qu) buscando buscado	busco buscas busca buscamos buscáis buscan	buscaba buscabas buscaba buscábamos buscabais buscaban	busqué buscaste buscó buscamos buscasteis buscaron	buscaré buscarás buscará buscaremos buscaréis buscarán	buscaría buscarías buscaría buscaríamos buscaríais buscarían	busque busques busque busquemos busquéis busquen	buscara buscaras buscara buscáramos buscarais buscaran	busca (tú), no busques busque (usted) busquemos buscad (vosotros), no busquéis busquen (Uds.)
corregir (i, i) (j) corrigiendo corregido	corrijo corriges corrige corregimos corregís corrigen	corregía corregías corregía corregíamos corregíais corregían	corregí corregiste corrigió corregimos corregisteis corrigieron	corregiré corregirás corregirá corregiremos corregiréis corregirán	corregiría corregirías corregiría corregiríamos corregiríais corregirían	corrija corrijas corrija corrijamos corrijáis corrijan	corrigiera corrigieras corrigiera corrigiéramos corrigierais corrigieran	corrige (tú), no corrijas corrija (usted) corrijamos corregid (vosotros), no corrijáis corrijan (Uds.)
dormir (ue, u) durmiendo dormido	duermo duermes duerme dormimos dormís duermen	dormía dormías dormía dormíamos dormíais dormían	dormí dormiste durmió dormimos dormisteis durmieron	dormiré dormirás dormirá dormiremos dormiréis dormirán	dormiría dormirías dormiría dormiríamos dormiríais dormirían	duerma duermas duerma durmamos durmáis duerman	durmiera durmieras durmiera durmiéramos durmierais durmieran	duerme (tú), no duermas duerma (usted) durmamos dormid (vosotros), no durmáis duerman (Uds.)
incluir (y) incluyendo incluido	incluyo incluyes incluye incluimos incluís incluyen	incluía incluías incluía incluíamos incluíais incluían	incluí incluiste incluyó incluimos incluisteis incluyeron	incluiré incluirás incluirá incluiremos incluiréis incluirán	incluiría incluirías incluiría incluiríamos incluiríais incluirían	incluya incluyas incluya incluyamos incluyáis incluyan	incluyera incluyeras incluyera incluyéramos incluyerais incluyeran	incluye (tú), no incluyas incluya (usted) incluyamos incluid (vosotros), no incluyáis incluyan (Uds.)

A45

Stem-Changing and Orthographic-Changing Verbs (continued)

Infinitive Present Participle Past Participle	Indicative					Subjunctive		Imperative
	Present	Imperfect	Preterit	Future	Conditional	Present	Imperfect	Commands
llegar (gu) llegando llegado	llego llegas llega llegamos llegáis llegan	llegaba llegabas llegaba llegábamos llegabais llegaban	llegué llegaste llegó llegamos llegasteis llegaron	llegaré llegarás llegará llegaremos llegaréis llegarán	llegaría llegarías llegaría llegaríamos llegaríais llegarían	llegue llegues llegue lleguemos lleguéis lleguen	llegara llegaras llegara llegáramos llegarais llegaran	llega (tú), no llegues llegue (usted) lleguemos llegad (vosotros), no lleguéis lleguen (Uds.)
pedir (i, i) pidiendo pedido	pido pides pide pedimos pedís piden	pedía pedías pedía pedíamos pedíais pedían	pedí pediste pidió pedimos pedisteis pidieron	pediré pedirás pedirá pediremos pediréis pedirán	pediría pedirías pediría pediríamos pediríais pedirían	pida pidas pida pidamos pidáis pidan	pidiera pidieras pidiera pidiéramos pidierais pidieran	pide (tú), no pidas pida (usted) pidamos pedid (vosotros), no pidáis pidan (Uds.)
pensar (ie) pensando pensado	pienso piensas piensa pensamos pensáis piensan	pensaba pensabas pensaba pensábamos pensabais pensaban	pensé pensaste pensó pensamos pensasteis pensaron	pensaré pensarás pensará pensaremos pensaréis pensarán	pensaría pensarías pensaría pensaríamos pensaríais pensarían	piense pienses piense pensemos penséis piensen	pensara pensaras pensara pensáramos pensarais pensaran	piensa (tú), no pienses piense (usted) pensemos pensad (vosotros), no penséis piensen (Uds.)
producir (zc) (j) produciendo producido	produzco produces produce producimos producís producen	producía producías producía producíamos producíais producían	produje produjiste produjo produjimos produjisteis produjeron	produciré producirás producirá produciremos produciréis producirán	produciría producirías produciría produciríamos produciríais producirían	produzca produzcas produzca produzcamos produzcáis produzcan	produjera produjeras produjera produjéramos produjerais produjeran	produce (tú), no produzcas produzca (usted) produzcamos producid (vosotros), no produzcáis produzcan (Uds.)
reír (i, i) riendo reído	río ríes ríe reímos reís ríen	reía reías reía reíamos reíais reían	reí reíste rio reímos reísteis rieron	reiré reirás reirá reiremos reiréis reirán	reiría reirías reiría reiríamos reiríais reirían	ría rías ría riamos riáis rían	riera rieras riera riéramos rierais rieran	ríe (tú), no rías ría (usted) riamos reíd (vosotros), no riáis rían (Uds.)

A46

Stem-Changing and Orthographic-Changing Verbs (continued)

Infinitive Present Participle Past Participle	Indicative					Subjunctive		Imperative
	Present	Imperfect	Preterit	Future	Conditional	Present	Imperfect	Commands
seguir (i, i) (ga) siguiendo seguido	sigo sigues sigue seguimos seguís siguen	seguía seguías seguía seguíamos seguíais seguían	seguí seguiste siguió seguimos seguisteis siguieron	seguiré seguirás seguirá seguiremos seguiréis seguirán	seguiría seguirías seguiría seguiríamos seguiríais seguirían	siga sigas siga sigamos sigáis sigan	siguiera siguieras siguiera siguiéramos siguierais siguieran	sigue (tú), no sigas siga (usted) sigamos seguid (vosotros), no sigáis sigan (Uds.)
sentir (ie, i) sintiendo sentido	siento sientes siente sentimos sentís sienten	sentía sentías sentía sentíamos sentíais sentían	sentí sentiste sintió sentimos sentisteis sintieron	sentiré sentirás sentirá sentiremos sentiréis sentirán	sentiría sentirías sentiría sentiríamos sentiríais sentirían	sienta sientas sienta sintamos sintáis sientan	sintiera sintieras sintiera sintiéramos sintierais sintieran	siente (tú), no sientas sienta (usted) sintamos sentid (vosotros), no sintáis sientan (Uds.)
volver (ue) volviendo vuelto	vuelvo vuelves vuelve volvemos volvéis vuelven	volvía volvías volvía volvíamos volvíais volvían	volví volviste volvió volvimos volvisteis volvieron	volveré volverás volverá volveremos volveréis volverán	volvería volverías volvería volveríamos volveríais volverían	vuelva vuelvas vuelva volvamos volváis vuelvan	volviera volvieras volviera volviéramos volvierais volvieran	vuelve (tú), no vuelvas vuelva (usted) volvamos volved (vosotros), no volváis vuelvan (Uds.)

A47

Spanish–English Glossary

Spanish–English Glossary

A

a bordo on board (5)
a causa de because of (5)
a continuación following (2)
a la derecha de to the right of (7)
a la izquierda de to the left of (7)
a la parrilla grilled; barbecued (4, PB)
a menos que unless (7)
a menudo often (PA)
a pesar de que in spite of (7)
a propósito by the way (4)
A quién corresponda To whom it may concern (8)
a veces sometimes (11)
A ver... Let's see . . . (11)
abeja, la bee (10)
abogado/a, el/la lawyer (8)
abrazar to hug (2, 11)
Abrazos Hugs (8)
abrir to open (PA, 1)
Absolutamente. Absolutely. (10)
abuelo/a, el/la grandfather / grandmother (PA)
acá here (1)
aceituna, la olive (4)
acelerador, el accelerator; gas pedal (5)
aceptar una invitación to accept an invitation (3)
acera, la sidewalk (3)
aclarar to clarify (5)
acogedor/a cozy (4)
aconsejar to recommend; to advise; to counsel (1, 2, 4, 9)
acordarse (o → ue) de to remember (PA)
actual current; present (8)
actualizar to update (5)
actuar to act (8, 9)
acuarela, la watercolor (4, 9)
acuerdo, el compromise; agreement (2, 8, 10)
además besides (10)
adentro inside (3)
adivinar to guess (PA, 1, 8)
adjunto/a attached (PB)
administración de hoteles, la hotel management (8)
administrativo/a administrative (8)
adobe, el adobe (3)
adolescencia, la adolescence (1)
adquisición, la acquisition (8)
aduana, la customs (5)
afeitarse to shave (11)
aficionado/a, el/la fan (1, 2, 4)
afirmativamente affirmatively (1)
afueras, las outskirts (7)
agencia de viajes, la travel agency (6)
agencia, la agency (8)

agente, el/la agent (8)
agobiado/a weighed down; feeling down; overwhelmed (7, 10)
agotado/a exhausted (1)
agotamiento, el depletion (10)
agradable agreeable; pleasant (1)
agradecido/a grateful (3)
agua corriente, el running water (3)
agua dulce, el fresh water (5)
aguacate, el avocado (4)
aguantar to tolerate (9)
ahijado/a, el/la godson / daughter (1)
ahora que now that (7)
ahorrar to save (8)
ahorro, el savings (8)
aire acondicionado, el air conditioning (3)
aislado/a isolated (11)
aislamiento, el isolation (10)
ajo, el garlic (4)
ajustarse to fit (3)
al aire libre in the open air (2)
Al contrario. On / To the contrary. (10)
al final at the end (4)
Al llegar a..., doble/n... When you get to . . . , turn . . . (4)
al principio at first; first; in the beginning (3, 4)
alacena, la cupboard (3)
alcoba, la room (3)
alcoholismo, el alcoholism (11)
alegrarse (de) to be happy (about) (3, 9)
alegre happy; cheerful (1)
alergia, la allergy (11)
alfarería, la pottery; pottery making (9)
alfarero/a, el/la potter (9)
alfombra, la rug (4)
algodón, el cotton (7)
alma, el soul (2)
almohada, la pillow (3)
almorzar (ue) to have lunch (PA)
Aló. Hello. (7)
alquilar to rent (3)
alquilar un coche to rent a car (5)
alquiler, el rent (3)
alrededores, los surroundings (3)
altar, el altar (4)
altura, la height (5)
aludir to allude (4, 7)
amo/a de casa, el homemaker (8)
amable nice (1)
ámbito, el space (7)
ambos/as both (PB)
amenaza, la threat (10)
amenazar to threaten (10)
amortiguar to absorb shock (11)
amplio/a ample (3)
anaranjado/a orange (4)
ancho/a wide (11)
anciano/a elderly (1)

andar to walk (1)
anfitrión / anfitriona, el/la host / hostess (7, 12)
anillo, el ring (7)
animal, el animal (10)
animales en peligro de extinción, los endangered species (10)
animar to encourage (2)
¡Ánimo! Cheer up!; Hang in there! (8)
aniversario de boda, el wedding anniversary (4)
antes (de) que before (time / space) (4, 7)
antihistamínico, el antihistamine (11)
antorcha, la torch (4)
anuncio, el advertisement (PA)
añadir to add (PA, 3, 4, 8)
aparato, el apparatus (5)
apariencia, la appearance (1)
apendicitis, la appendicitis (11)
apio, el celery (4)
aplaudir to applaud (9)
aplicado/a applied (5)
apoyo, el support (1)
apreciar to appreciate (5)
aprender to learn (PA)
apretado/a tight (7)
apropiado/a appropriate (2)
apropiarse to take over; to appropriate (8)
apuntar jot down (11)
aquel entonces back then (10)
árbitro/a, el/la referee; umpire (2)
archivo, el file (5)
archivo adjunto, el attachment (5)
ardilla, la squirrel (10)
arena, la sand (5)
aretes, los earrings (7)
árido/a arid; dry (10)
arpa, el harp (7)
arquitecto/a, el/la architect (3)
arrancar to boot up; to start up (5)
arrecife, el coral reef (10)
arreglar to straighten up; to fix (1, 8)
arreglo, el arrangement (5)
arrepentirse de (ie, i) to regret (4, PB)
arriba above; up (5)
arroba, la at (in an e-mail address / message); @ (5)
arroyo, el stream (10)
arruinar to ruin (8)
arte dramático, el performance art (9)
arte visual, el visual arts (9)
artes aplicadas, las applied arts (9)
artes decorativas, las decorative arts (9)
artes marciales, las martial arts (2)
artesanía, la arts and crafts (9)
artesano/a, el/la artisan (9)
articulación, la joint (11)
artículo, el item; article (7)
artista, el/la artist (9)

A48

artritis, la arthritis (**11**)
asado/a grilled (**4, PB**)
asar to roast; to broil (**4**)
ascender (e → ie) to advance; to be promoted; to promote (**8**)
aserrín, el sawdust (**4**)
Así es. That's it. (**7, 10**)
así thus (**2**)
asistente de vuelo, el/la flight attendant (**8**)
asistir a to attend (**5**)
aspecto físico, el physical appearance (**1**)
aspirante, el/la applicant (**8**)
asqueado/a disgusted (**1**)
asustado/a frightened (**1**)
atado/a tied (**8**)
ataque al corazón, el heart attack (**11**)
atasco, el traffic jam (**5**)
atención médica, la medical attention (**11**)
Atentamente Sincerely (**8**)
atleta, el/la athlete (**2**)
atlético/a athletic (**2**)
atletismo, el track and field (**2**)
atraer to attract (**10**)
aun cuando even when (**7**)
aunque although; even if (**7**)
austral southern (**5**)
autopista, la turnpike; highway; freeway (**5**)
autorretrato, el self-portrait (**9**)
ave, el (*f.*) bird (**5**)
avergonzado/a embarrassed; ashamed (**1**)
avergonzarse (o → ue) de to feel / be ashamed of (**3, 9**)
averiguar to find out (**PA**)
aves, las poultry; birds (**4**)
ayuda, la help (**3**)
ayudar to help (**5**)
azulejos, los ceramic tiles (**3**)

B

bahía, la bay (**10**)
bailar to dance (**PA**)
baile, el dance (**4**)
bajar de to get off (**2**)
ballena, la whale (**10**)
ballet, el ballet (**9**)
banca, la banking (**8**)
bancarrota, la bankruptcy (**8**)
bandeja, la tray (**11**)
banquero/a, el/la banker (**8**)
banquito, el little stool (**4**)
barba, la beard (**1**)
barbacoa, la barbecue (**3**)
barra, la slash (*in a URL*); / (**5**)
barrer to sweep (**3**)
barrio, el neighborhood (**2, 3**)
barro, el clay (**9**)
bastón de esquí, el ski pole (**2**)
bate, el bat (**2**)
batido, el milkshake (**4**)
batidora, la handheld beater; mixer; blender (**3**)
batir to beat (**4**)
bautizo, el baptism (**4**)
bebé, el baby (**4**)
beber to drink (**PA**)
beneficios, los benefits (**8**, 11)
beneficioso/a beneficial (**5**)
besar to kiss (**11**)

besito, el little kiss (**2**)
beso, el kiss (**4**)
bibliotecario/a, el/la librarian (**5**)
bien hecho/a well done (**5**)
bienes, los goods (**7**)
bienes raíces, los real estate (**3**)
bigote, el moustache (**1**)
billetera, la wallet (**7**)
biodegradable biodegradable (**10**)
bisabuelo/a, el/la great-grandfather / great-grandmother (**1**)
bocina, la (car) horn (**5**)
boda, la wedding (**3, 4**)
bolsa, la stock market (**8**)
bolsillo, el pocket (**7**)
bolso, el handbag (**7**)
bombero/a, el/la firefighter (**8**)
bombilla, la lightbulb (**7**)
bombón, el sweet; candy (**4**)
bono, el bonus (**8**)
bordado a mano, el hand embroidered (**7**)
borrar to delete; to erase (**5**)
botana, la snack (**4**)
boxear to box (**2**)
brisa, la breeze (**4**)
broma, la joke (**3, 4**)
bromear to joke around (**5**)
bronquitis, la bronchitis (**11**)
bruscamente brusquely (**4**)
bucear to scuba dive (**2**)
buceo, el diving (**2**)
¡Bueno! Good! (**8**)
Bueno. Hello? (**7**)
Bueno... Well . . . ; OK . . . (11)
Buenas. Hello. (**1**)
bufanda, la scarf (**7**)
búsqueda, la search (**2**)
buzón, el mailbox (**8**)

C

cabestrillo, el sling (**11**)
cabeza, la head (**1**)
cabra, la goat (**10**)
cacerola, la saucepan (**3**)
cada each (**PA**)
cadáver, el corpse (**9**)
cadena (de televisión), la (television) network (**PA**)
cadera, la hip (**11**)
caer bien / mal to like / dislike someone (**1**)
cafetera, la coffeemaker (**3**)
caída, la fall (**3**)
caimán, el alligator (**5**)
cajero/a, el/la cashier (**8**)
calabaza, la squash; pumpkin (**4**)
calavera, la skull (**4**)
calentar (e → ie) to heat (**3, 4**)
calidad, la quality (**5**)
calificación, la qualification; score (**8, 11**)
callado/a quiet (**3**)
callarse to become quiet; to keep quiet (**PA**)
caluroso/a hot (**7**)
calvo/a bald (**1**)
cámara, la camera (**5**)
cámara digital, la digital camera (**5**)
cámara web, la web camera (**5**)
camarero/a, el/la maid (**5**)

camarones, los shrimp (**4**)
camello, el camel (**10**)
camilla, la stretcher (**11**)
caminata, la long walk (**1**)
camino, el route; path; dirt road (**5**)
camioneta, la van; station wagon; small truck (**5**)
campeón, el champion (male) (**2**)
campeona, la champion (female) (**2**)
campeonato, el championship (**2**)
campo, el field (**2**)
campo de golf, el golf course (**7**)
canal, el canal (5); channel (5, 9)
canas, las gray hair (**1**)
cáncer, el cancer (**11**)
cancha, la court (sports) (**2**)
cangrejo, el crab (**4, 10**)
cantante, el/la singer (**PA**)
cantar to sing (**PA**)
caña de azucar, la sugar cane (**5**)
capa, la layer (**7**)
cara, la face (**1, 11**)
características notables, las notable characteristics (**1**)
características personales, las personal characteristics (**1**)
cárcel, la prison (11)
carga, la cargo (**8**)
cargar to carry (**10**)
carne, la meat (**4**)
carne de cerdo, la pork (**4**)
carne de cordero, la lamb (**4**)
carne de res, la beef (**4**)
carne molida, la ground beef (**4**)
carnicería, la butcher shop (**7**)
caro/a expensive (**2**)
carpintero/a, el/la carpenter (**3**)
carrera, la race (**2**)
carretera, la highway (**5**)
carta, la menu (**4**)
carta de presentación, la cover letter (**8**)
carta de recomendación, la letter of recommendation (**8**)
carta personal, la personal letter (**8**)
cartel, el poster (**12**)
cartero/a, el/la mail carrier (**8**)
casa de tus sueños, la dream house (**PB**)
casado/a married (**1**)
casarse to marry; to get married (**1**)
casco, el helmet (**2**)
casi almost (**5**)
castaño/a brunette; brown (**1**)
castillo, el castle (**2**)
casualidad, la coincidence (**5, 7, 11**)
catarata, la waterfall (**10**)
catedral, la cathedral (**7**)
cazar to go hunting (**2**)
ceja, la eyebrow (**1, 11**)
celebración, la celebration (**4**)
celebrar to celebrate (**4**)
celoso/a jealous (**1**)
cemento, el cement (**3**)
cenar to have dinner (**3**)
cepillo, el brush (**7**)
cepillo de dientes, el toothbrush (**7**)
cerámica, la ceramics (**9**)
cerca, la fence (**3**)
cerca de near (**10**)
cercano/a close by (**5**)

A49

cerebro, el brain (**11**)
ceremonia de premiación, la awards ceremony (1)
cereza, la cherry (**4**)
cerrar (ie) to close (PA)
césped, el grass; lawn (3)
cesta, la basket; shopping basket (2)
cestería, la basket weaving; basketry (**9**)
cetrería, la falconry (10)
champú, el shampoo (**7**)
Chao. Bye. (1)
charco, el puddle (**11**)
charla, la talk (PB)
chicle, el gum (**7**)
chimenea, la fireplace; chimney (3)
chistoso/a funny (**1**)
chófer, el/la chauffeur; driver (5)
chuleta, la chop (**4**)
cicatriz, la scar (**1**)
ciencias (políticas), las (political) science (8)
ciertas cosas, certain things (5)
ciervo, el deer (10)
cifra, la figure; number (10)
cifrar to encrypt (**5**)
cine, el cinema; films; movies (**9**)
cinematógrafo/a, el/la cinematographer (**9**)
cinturón de seguridad, el seat belt (5)
ciruela, la plum (**4**)
cita, la date (**1**)
ciudadano/a, el/la citizen (10)
clarinete, el clarinet (**9**)
¡Claro! Sure!; Of course! (1, 3)
Claro que no. Of course not. (10)
Claro que sí. Of course. (3, 7, 10)
clavadismo, el cliff diving (2)
clave, la clue (9)
clavo, el nail (7)
clima, el climate (**10**)
climático/a climatic (**10**)
coche, el car (5)
cocina, la kitchen (3)
cocinar to cook (PA)
codo, el elbow (**11**)
col, la cabbage (**4**)
colaborador/a, el/la collaborator (4)
coleccionar to collect (2)
coleccionar tarjetas de béisbol to collect baseball cards (2)
colega, el/la colleague (1, 8)
colgar (o → ue) to hang (3)
coliflor, la cauliflower (**4**)
collar, el necklace (**7**)
colonia, la cologne (7)
combustible, el fuel (**10**)
comedia, la comedy (**9**)
comentar en un blog to post to a blog (2)
comenzar (ie) to begin (PA)
comer to eat (PA)
comerciante, el/la shopkeeper; merchant (8)
comercio, el business (8)
comida, la food (**4**)
comisaría, la police station (PB, 7)
¿Cómo? What? (2)
¿Cómo amaneció usted / amaneciste? How are you this morning? (1)
¿Cómo andas? How are you doing? (PA)
Cómo no. Of course. (7, 10)
¿Cómo voy / llego a...? How do I go / get to . . . ? (4)

comparar con to compare with (3)
compartir to share (PA, 1)
compatible compatible (**5**)
competencia, la competition (**2**)
competición, la competition (**2**)
competir (e → i → i) to compete (2)
competitivo/a competitive (2)
cómplice, el/la accomplice (5)
componer to repair; to fix an object (3); to compose (**9**)
comportamiento, el behavior (4)
comportarse to behave (11)
compositor/a, el/la composer (**9**)
comprar to buy (PA)
comprender to understand (PA)
comprobar (o → ue) to check; to confirm (11)
compromiso, el engagement (4)
computador/computadora, el/la computer (5)
común common (4)
Con cariño With love (8)
¡Con mucho gusto! It would be a pleasure! (3)
Con permiso. With your permission; Excuse me. (2)
con tal (de) que provided that (7)
concordancia, la agreement (5, 7)
concurso, el game show; pageant; contest (5, 9)
condición, la condition (**11**)
conectado online (5)
conectar to connect (5)
confundido/a confused (1)
congelar to freeze; to crash (5)
conocer to be acquainted with (PA)
conocido/a acquaintance; known (1)
conseguir (i) to get (PA)
conseguir un puesto de... to get a job / position as . . . (**8**)
consejero/a, el/la counselor (1, 8)
conservar to conserve (**10**)
construir to construct (3)
consuelo, el sympathy (8)
consultorio, el doctor's office (**7**)
consumo, el consumption (10)
contador/a, el/la accountant (**8**)
contaminante, el contaminant (10)
contar (ue) to tell; to count on (1)
contener (ie) to contain (PA)
contestar to answer (PA)
contigo with you (2)
contraseña, la password (5)
contratar to hire (**8**)
contratista, el/la contractor (3)
controvertido/a controversial (3)
copa, la goblet; wine glass (3)
Cordialmente Cordially (8)
coro, el choir (9)
corregir (i) to correct (PA)
correo de voz, el voicemail (5)
correo electrónico, el e-mail (4, 5)
correr to run (PA)
cortar to cut (5)
cortar el césped to cut the grass (3)
corto/a short (**11**)
cortometraje, el short (film) (**9**)
cosechar to harvest (10)
coser to sew (2)
costar (ue) to cost (PA)
costilla, la rib (**11**)

cotidiano/a everyday; daily (**9**)
crear to create (PA, **9**)
creencia, la belief (4)
creer to believe (PA)
crema de afeitar, la shaving cream (**7**)
criar to raise (10)
crónica, la chronicle (5)
crucero, el cruise ship (5)
crudo/a raw (4, PB)
cruzar to cross (5)
cuadra, la city block (1, 3)
cuadro, el square (PA)
cuando when (2, 7)
cuarteto, el quartet (**9**)
cuarto, el room (3); one quarter (PB)
cubierto/a covered (8)
cubrir to cover (3, 4)
cuchillo, el knife (1)
cuentista, el/la short-story writer (**9**)
cuerdas, las strings; string instruments (7, **9**)
cuerpo humano, el human body (**11**)
cueva, la cave (3)
cuidado, el care (2)
Cuídese. / Cuídate. Take care. (1)
culpa, la blame (4)
culpable guilty (7)
cumpleaños, el birthday (1, **4**)
cumplir... años to have a birthday; to turn . . . years old (**4**)
cuñado/a, el/la brother-in-law / sister-in-law (**1**)
cura, el priest (4)
cura, la cure (**11**)
curativo/a curative (3)
currículum (vitae) (C.V.), el résumé (**8**)
curso, el class (3)
cursor, el cursor (5)

D

danza, la dance (**9**)
dañar to damage; to harm (10)
dañino/a harmful (**11**)
daño, el harm (**10**)
dar to give (PA)
dar a luz to give birth (4)
darse prisa to hurry (PA)
datos, los data (5); information (8)
de buena / mala calidad good / poor quality (**7**)
de mal en peor from bad to worse (11)
de manera que so that (7)
de modo que so that (7)
De ninguna manera. No way. (10)
de nuevo again (1)
¿De parte de quién? Who shall I say is calling? (**7**)
de repente all of a sudden (5)
¿De veras? Really? (11)
deber (+ inf.) should; must (PA)
decir to say; to tell (PA, **1**, PB)
declarar to testify (7)
declive, el decline (10)
decorado, el set (9)
decorar to decorate (2)
decreto, el decree (4)
deforestación, la deforestation (10)
dejar de to stop; to cease (2, 8)
dejar de fumar cigarrillos to quit smoking cigarettes (**11**)

delantero forward (soccer) (2)
demasiado/a/os/as too much / many (1)
demostrar (ue) to demonstrate (PA)
dentista, el/la dentist (8)
dependiente/a, el/la store clerk (7)
deportes, los sports (2)
deportista sporty; sports-loving person (2)
deportivo/a sports-related (2)
depresión, la depression (11)
deprimido/a depressed (1)
derretir (e → i → i) to melt (4)
desacuerdo, el disagreement (10)
desafío, el challenge (2)
desaparecer to disappear (10)
desaparición, la disappearance (2)
desastre, el disaster (10)
descalzo/a barefoot (11)
descanso, el rest (1)
descargar to download (5)
desconectado/a offline (5)
descongelar to thaw (10)
desconocido/a unknown (5)
describir to describe (PA)
descubrir to discover (1)
Desde luego. Of course. (7, 10)
deseado/a desired (5)
desear to wish (2, 9)
desenchufar to unplug (5)
deseo, el wish (2)
desfile, el parade (4)
deshacer to undo (5)
desierto, el desert (10)
desmayarse to faint (3, 11)
desodorante, el deodorant (7)
desorganizado/a disorganized (1)
despedida, la farewell (1); closing
    (of a letter) (8)
despedir (e → i → i) to fire (from a job) (8)
despedirse (e → i → i) to say goodbye
    (1, 11)
despensa, la pantry (3)
desperdiciar to waste (10)
desperdicio/desperdicios, el/los waste;
    waste products (5, 10)
despistado/a absentminded;
    scatterbrained (1)
desplazado/a displaced (10)
después (de) (que) afterward; after (4, 7, 10)
destacar(se) to stand out (3)
destreza, la skill (8)
destruir to destroy (10)
detalle, el detail (3)
detener (ie) to detain (11)
detrás de behind (7, 10)
deuda, la debt (2)
devolver (ue) to return (an object) (PA)
Día de la Independencia, el Independence
    Day (4)
Día de la Madre, el Mother's Day (4)
Día de las Brujas, el Halloween (4)
Día de los Muertos, el Day of the Dead (4)
Día de San Valentín, el Valentine's Day (4)
Día del Padre, el Father's Day (4)
diabetes, la diabetes (11)
diablo, el devil (5)
diálogo, el dialogue (1)
diamante, el diamond (7)
dibujar to draw (PA, 9)
dibujo, el drawing (PA, 9)

dibujos animados, los cartoons (9)
dientes de juicio, los wisdom teeth (8)
Diga. / Dígame. Hello? (7)
digital digital (5)
digitalizar to digitalize (5)
dinero en efectivo, el cash (7)
dinosaurio, el dinosaur (10)
dirección, la address (5)
director/a, el/la director (9)
director/a de escena, el/la stage
    manager (9)
discapacitado/a physically / psychologically
    handicapped (1)
disco duro, el hard drive (5)
discordia, la discord (3)
Disculpa. / Discúlpame. Excuse me.
    (fam.) (2)
disculparse to apologize (2)
Disculpe. / Discúlpeme. Excuse me.
    (form.) (2)
Disculpen. / Discúlpenme. Excuse me.
    (form. pl.) (2)
discurso, el speech (9)
discutir to argue; to discuss (4)
diseñador/a, el/la designer (3)
diseño, el design (9)
disfrazarse to wear a costume; to disguise
    oneself (4)
disfrutar to enjoy (2)
disminuir to diminish (11)
distraerse to get distracted (4)
diva, la diva (9)
divertirse (e → ie → i) to enjoy oneself; to
    have fun (PA)
divorciado/a divorced (1)
divorciarse to divorce; to get divorced (1)
doblar to turn (7)
doblarse to bend (11)
Doble/n a la derecha / izquierda. Turn
    right / left. (4)
dolor de cabeza, el headache (11)
dona, la donut (4)
dormir (ue, u) to sleep (PA)
dormitorio, el bedroom (3)
dosis, la dosage (11)
drama, el drama (9)
dramaturgo/a, el/la playwright (9)
drogadicto/a, el/la drug addict (11)
ducharse to shower (11)
duda, la doubt (5)
dudar to doubt (3, 9)
dueño/a, el/la owner (3)
dulce sweet (3)
dulces, los candies (4)
durazno, el peach (4)

E

ecológico/a ecological (10)
ecosistema, el ecosystem (10)
edad, la age (1)
editar to edit (9)
educado/a polite (1)
Efectivamente. Precisely. (10)
efecto invernadero, el greenhouse effect (10)
egoísta selfish (1)
ejecutivo/a, el/la executive (8)
electricista, el/la electrician (3)
elote, el ear of corn (4)

email, el e-mail (5)
embarazada pregnant (1)
embarazo, el pregnancy (4)
emoción, la excitement (2)
emocionante exciting (5)
empaquetar to pack up (12)
empate, el tie (game) (2)
empezar (ie) to begin (PA)
empleado/a, el/la employee (8)
emplear to use; to employ (7, 8)
empleo, el job (1)
empresa, la corporation; business (8)
En absoluto. Absolutely. (1, 10)
en aquel entonces back then (10)
en caso (de) que in case (7)
en cuanto as soon as (7)
En mi vida. Never in my life. (10)
En otras palabras... In other words . . . (9)
en seguida immediately (after) (4)
¿En serio? Seriously? (11)
enamorado/a in love (1)
enamorarse (de) to fall in love (with) (4)
encantar to love; to like very much (1)
encargado/a in charge (7)
encargarle (a alguien) to commission
    (someone) (9)
encerrar (ie) to enclose (PA)
enchufar to plug in (5)
enchufe, el plug (5)
encima in addition (3)
encima de on top of (5, 10)
encontrar (ue) to find (PA)
encuesta, la survey (11)
enfermedad, la illness (11)
enfermería, la nursing (8)
enfocarse (en) to focus (on) (PB)
enfoque, el focus (4)
enfrente (de) in front (of); across from;
    facing (3)
engañar to deceive (4)
engendrar to generate (11)
¡Enhorabuena! Congratulations! (8)
enlace, el link (5)
enseñar to teach; to show (PA)
entender (ie) to understand (PA)
entonces then; next (4)
entre sí among themselves (1)
entrenador/a, el/la coach; trainer (1, 2)
entrenamiento, el training (11)
entrenar to train (2, 8)
entretener (ie) to entertain (7)
entrevista, la interview (PA, 8)
entrevistar to interview (2, PB, 8)
envase, el package; container (10)
envejecer to grow old; to age (1)
envejecimiento, el aging (11)
enyesar to put a cast on (11)
equipaje, el luggage (5)
equipo, el team (2)
equipo de cámara / sonido, el camera /
    sound crew (9)
equipo deportivo, el sporting equipment (2)
equivocado/a wrong (5)
erosión, la erosion (10)
Es... This is . . . (7)
es bueno / malo it's good / bad (9)
Es cierto. It's true. (10)
Es decir... That's to say . . . (9)
Es dudoso to be doubtful (9)

A51

293

Es importante que... It is important that . . . (2, 9, **11**)

Es imprescindible que... It is essential that . . . (**11**)

Es mejor que... It's better that / than . . . (2, 9)

Es necesario que... It's necessary that . . . (2, 9, **11**)

Es preferible que... It's preferable that . . . (2, 9)

es probable it's probable (9)

Es que... It's that . . . ; The fact is that . . . (9)

es una lástima it's a shame (9)

Es verdad. It's true. (PA, 10)

escalar to climb (2)

escalofríos, los chills (**11**)

escanear to scan (5)

escáner, el scanner (5)

escaparate, el store window (7)

escasez, la scarcity (10)

escenario, el stage (9)

escoger to choose (PA)

escolar school (*adj.*) (2)

esconder to hide (3)

escribir to write (PA, **1**)

escritor/a, el/la writer, author (8)

escuela secundaria, la high school (1)

esculpir to sculpt (9)

escultor/a, el/la sculptor (9)

escultura, la sculpture (9)

esfuerzo, el effort (6)

esmalte de uñas, el nail polish (7)

esmog, el smog (10)

Eso es. That's it. (7, 10)

espárragos, los asparagus (4)

especialidad, la specialty (7)

espectáculo, el show (9)

espejito, el little mirror (1)

espejo, el mirror (3)

espejo retrovisor, el rearview mirror (5)

esperar to wait for; to hope (PA, 2, 9)

espinacas, las spinach (4)

esqueleto, el skeleton (4)

esquiar to ski (2)

esquina, la corner (4)

¿Está _____ (en casa)? Is _____ there? / at home? (7)

Está bien. Okay; It's alright. (10)

establecer to establish (9)

estación, la station (4)

estacionamiento, el parking lot (11)

estadio, el stadium (2)

estado, el state (PA)

estanque, el pond (3)

estante, el shelf (2)

estar to be (PA, 7)

estar comprometido/a to be engaged (4)

estar embarazada to be pregnant (4)

este, el east (5)

Este... Well . . . ; Um . . . (11)

estético/a aesthetic (9)

estilo, el style (1)

Estimado/a señor/a... Dear Mr. / Mrs . . . (8)

estirarse to stretch (11)

Esto pasará pronto. This will soon pass. (8)

Estoy de acuerdo. Okay; I agree. (7, 10)

Estoy perdido/a. I'm lost. (4)

estrella, la star (4)

estrenar to show for the first time (1)

estrés, el stress (2)

estudiar to study (PA)

estufa, la stove (4)

etapas de la vida, las stages of life (1)

etiqueta, la etiquette (8)

evento de la vida, el life event (4)

evitar to avoid (8)

Exactamente. Exactly. (7, 10)

Exacto. Exactly. (7, 10)

examen físico, el physical exam (11)

excursionista, el/la hiker (2)

exhibir to exhibit (9)

exigente demanding (3)

exigir to demand (2, 9)

existente existing (3)

explicación, la explanation (6)

exterminado/a exterminated (10)

extraer to extract (3)

extranjero, el abroad (5)

extraterrestre otherworldly (5)

extrovertido/a extroverted (1)

F

fábrica, la factory (7)

fabricar to manufacture; to make; to produce (8, 10)

factura (mensual), la (monthly) bill (3)

fallar to fail (11)

faltar to need; to lack (1)

fama, la fame (3)

familia, la family (PA, **1**)

farmacia, la pharmacy (7)

faro, el headlight (5)

fascinar to fascinate (1)

fecha, la date (4)

fecha límite, la deadline (8)

¡Felicidades! Congratulations! (8)

felicitar to express good wishes (8)

¡Fenomenal! Phenomenal! (5, 8)

ferretería, la hardware store (7)

fertilizante, el fertilizer (10)

festejar to celebrate (6)

fiebre, la fever (7)

¡Figúrate! Imagine! (10)

fijarse en to pay attention to (4)

filmar to film (9)

finalmente finally (4)

financiero/a financial (8)

fingir to pretend (9)

firmar (los documentos) to sign (papers) (PA, **5**)

firmeza, la firmness (7)

flamenco, el flamenco (9)

flan, el caramel custard (4)

flojo/a lazy (1)

florero, el vase (3)

flotante floating (2)

foca, la seal (10)

fondos, los funds (9)

formación, la education; training (5, 8)

¡Formidable! Super! (5)

foto, la photo (PA)

fracturar(se) to break; to fracture (11)

fregadero, el kitchen sink (3)

freír (e → i → i) to fry (4)

frenesí, el frenzy (6)

frenos, los braces (1); brakes (5)

frente, la forehead (1, **11**)

fresa, la strawberry (4)

frito/a fried (4, PB)

frontera, la border (5)

fruta, la fruit (4)

frutería, la fruit store (7)

fuego, el fire (3)

fuego (lento, mediano, alto), el (low, medium, high) heat (4)

fuente, la fountain (7); source (8)

fuerte strong (11)

función, la show; production (9)

funda (de almohada), la pillowcase (3)

furioso/a furious (1)

G

gallo, el rooster (10)

ganado de vacuno / vacas, el cattle (8)

ganar to win (2)

ganar la vida to earn a living (2)

ganga, la bargain (7)

gastador/a extravagant; wasteful (1)

gastar to spend; to wear out; to waste (2, 3)

gaucho, el cowboy (8)

gemelos, los twins (1)

generoso/a generous (1)

geográfico/a geographical (10)

gerencia de hotel, la hotel management (8)

gerente/a, el/la manager (4, 8)

gesto, el gesture (8, 10)

gira, la tour (5)

gobierno, el government (3)

gorila, el gorilla (10)

gotas para los ojos, las eyedrops (11)

grabado, el etching (9)

Gracias por haber(me) llamado. Thank you for calling (me). (7)

graduación, la graduation (4)

gráfico/a graphic (9)

granjero/a, el/la farmer (8)

gratis free (2)

grosero/a rude (1)

guardar to put away; to keep; to save; to file (3, 5)

guardia de seguridad, el/la security guard (5)

guía, el/la guide (5)

guiar to guide (4)

guión, el script (9)

guionista, el/la scriptwriter; screenwriter (9)

guisado, el stew (4)

guisantes, los peas (4)

gustar to like (3, 9)

Gusto en verlo/la/te. Nice to see you. (1)

gustos, los likes (1)

H

hábil capable (3)

habitación, la room (3)

habitar to live in (3)

hábitat, el habitat (10)

hablar to speak (PA)

hacer to do; to make (PA, **1**)

hacer a mano to make by hand (9)

hacer artesanía to do crafts (2)

hacer clic to click (5)

hacer el papel to play the role (3, **9**)

hacer falta to need; to be lacking (**1**)
hacer gárgaras to gargle (**11**)
hacer jogging to jog (**2**)
hacer la conexión to log on (**5**)
hacer mímica to play charades (**PA, 9**)
hacer pilates to do Pilates (**2**)
hacer publicidad to advertise (**8**)
hacer ruido to make noise (**10**)
hacer surf to surf (**2**)
hacer trabajo de carpintería to do
   woodworking (**2**)
hacer un crucero to go on a cruise (**5**)
hacer un pedido to place an order (**7**)
hacer una huelga to strike; to go on strike (**8**)
hacer volar un volantín to fly a kite (**7**)
hacer yoga to do yoga (**2**)
hacerse to become (**8**)
harina, la flour (**4**)
harto/a fed up (**1**)
hasta (que) until (**7**)
Hasta la próxima. Till the next time. (1)
hecho, el deed (**11**)
hecho de nilón made of nylon (**7**)
hecho de oro made of gold (**7**)
hecho de piel made of leather / fur (**7**)
hecho de plata made of silver (**7**)
hectárea, la 2.471 acres (**4**)
heladería, la ice-cream store (**7**)
herencia, la heritage; inheritance (**PA, 1**)
hermanastro/a, el/la stepbrother / stepsister (**1**)
hermano/a, el/la brother / sister (**PA**)
herramienta, la tool (**3**)
hervido/a boiled (**4, PB**)
hervir (e → ie → i) to boil (**4**)
hierba, la grass (**3**); herb (**11**)
hijastro/a, el/la stepson / stepdaughter (**1**)
hijo/a, el/la son / daughter (**PA**)
hijo/a único/a, el/la only child (**1**)
hincharse to swell (**11**)
hipertensión, la high blood pressure (**11**)
hipoteca, la mortgage (**3**)
historia, la story (**4**)
hogar, el home (**3**)
hombre de negocios, el businessman (**8**)
hombro, el shoulder (**11**)
honesto/a honest (**1**)
hongos, los mushrooms (**4**)
honradez, la honesty; integrity (**4**)
horario, el schedule; timetable (**1, 8**)
horno, el oven (**3**)
hotel de lujo, el luxury hotel (**5**)
huelga, la strike (**8**)
hueso, el bone (**10, 11**)
huésped, el/la guest (**2, 5**)
humilde humble (**4**)
humo, el smoke (**10**)

I

icono, el icon (**5**)
igual same (**1**)
iguana, la iguana (**10**)
imagen, la image (**5, 9**)
¡Imagínate! Imagine! (**10**)
importar to matter; to be important (**1**)
imprescindible essential (**7**)
impresora, la printer (**5**)
imprevisto/a unforeseen (**11**)
imprimir to print (**5**)

improvisar to improvise (**9**)
incluso including (**5**)
incómodo/a uncomfortable (**5**)
incredulidad, la disbelief (**11**)
indicaciones, las directions (**4, 7**)
indicar to indicate (**PA**)
indignado/a indignant (**4**)
infanta, la daughter of a king of Spain (**1**)
inflamación, la inflammation (**11**)
informar to inform, to tell (**9**)
informática, la computer science (**5**)
informe, el report (**3**)
infraestructura, la infrastructure (**10**)
ingeniería, la engineering (**3, 8**)
ingeniero/a (químico/a), el/la (chemical)
   engineer (**8**)
ingenuo/a naive (**11**)
ingrediente, el ingredient (**4**)
ingresar to be admitted (**11**)
inminente imminent (**8**)
innovador/a innovative (**9**)
inolvidable unforgettable (**1**)
insecticida, el insecticide (**10**)
insinuante flirtatious (**1**)
insistir (en) to insist (**2, 9**)
inspeccionar to inspect (**9**)
instrumentos de metal, los brass
   instruments (**9**)
instrumentos de viento / madera, los wood
   instruments; woodwinds (**9**)
insuperable unsurpassable (**9**)
intentar to try (**1**)
intento, el intention (**3**)
intercambiar to exchange (**5**)
intercambio, el exchange (**5**)
interesar to interest (**1**)
Internet, el Internet (**5**)
introvertido/a introverted (**1**)
invertir (e → ie → i) to invest (**8**)
invitado/a, el/la guest (**4, 5**)
invitar a alguien to extend an invitation; to
   invite someone (**1**)
involucrarse to get involved (**10**)
ir to go (**PA**)
ir de camping to go camping (**2**)
irse to go away; to leave (**PA**)
isla, la island (**10**)
itinerario, el itinerary (**5**)

J

jabón, el soap (**7**)
jamás never; not ever (emphatic) (**2, 11**)
jaqueca, la migraine; severe headache (**11**)
jardín, el garden (**3**)
jardinería, la gardening (**3**)
jardinero/a, el/la gardener (**3**)
jarra, la pitcher (**3**)
jefe/a, el/la boss (**8**)
jirafa, la giraffe (**10**)
jornada completa / parcial, la full-time /
   part-time workday (**8**)
joven, el/la young person (**9**)
joyas, las jewelery (**7**)
joyería, la jewelery store (**4**)
jubilación, la retirement (**1, 8**)
jubilarse to retire (**8**)
jugar (o → ue) to play (**PA**)
jugar a las cartas to play cards (**2**)

jugar a las damas to play checkers (**2**)
jugar a videojuegos to play video games (**2**)
jugar al ajedrez to play chess (**2**)
jugar al boliche to bowl (**2**)
jugar al hockey (sobre hielo; sobre hierba) to
   play hockey (ice; field) (**2**)
jugar al horcado to play hangman (**PB**)
jugar al póquer to play poker (**2**)
jugar al voleibol to play volleyball (**2**)
juguete, el toy (**1, 5**)
juguetería, la toy store (**7**)
junta, la commission; board; committee (**8**)
junto/a together (**PA**)
justicia criminal, la criminal justice (**8**)
justo/a just; right (**4**)
juventud, la youth (**1**)

K

karting, el go-kart racing (**5**)
kilogramo, el kilogram (2.2 pounds) (**4**)

L

La verdad es que... The truth is . . . (**11**)
laberinto, el labyrinth (**1**)
labio, el lip (**1, 11**)
laboral work-related (**8**)
ladrillo, el brick (**3**)
ladrón/ladrona, el/la thief (**5**)
lago, el lake (**5**)
langosta, la lobster (**4**)
largo/a long (**11**)
Lástima pero... It's a shame / pity but . . . (**3**)
lavadora, la washing machine (**3**)
lavarse to wash oneself (**PA**)
¡Le / Te felicito! Congratulations! (**8**)
Le / Te habla... This is . . . (**7**)
¿Le / Te importa? Do you mind? (**5**)
¿Le / Te importa (si...)? Do you mind
   (if . . .)? (**5**)
¿Le / Te parece bien? Do you like the
   suggestion? (**5**)
leer to read (**PA**)
lema, el slogan (**3**)
lengua, la language (**PA**); tongue (**11**)
lentes de sol, los sunglasses (**5**)
letra, la letter (**1**)
letras, las letters (*literature*) (**1**)
letrero, el sign (**11**)
levantar pesas to lift weights (**2**)
levantarse to get up; to stand up (**PA**)
ley, la law (**5**)
libertad, la freedom (**2**)
lienzo, el canvas (**9**)
ligero/a light (**2**)
limusina, la limousine (**5**)
liquidación, la clearance sale (**7**)
liviano/a lightweight (**7**)
llamada, la phone call (**2**)
llamarse to be called; to be named (**PA**)
llamativo/a striking; colorful; showy; bright
   (**3, 9**)
llanura, la plain (**10**)
llegar to arrive (**PA**)
Lo dudo. I doubt it. (**11**)
Lo / La / Te llamo más tarde. I will call
   you later. (**7**)
lo malo the bad thing (**8**)

lo **mejor** the best thing (8)
lo **mismo** the same thing (8)
lo **peor** the worst thing (8)
(Lo que) quiero decir... (What) I mean . . . (9)
Lo siento. I'm sorry. (8)
Lo siento, pero no puedo esta vez / en esta ocasión. Tengo otro compromiso. I'm sorry, but I can't this time. I have another commitment. / I have other plans. (3) (8)
lobo, el wolf (**10**)
loción, la lotion (**7**)
loro, el parrot (**10**)
lucir to show; to display (7)
lucro, el profit (8)
luego then; next (4)
luego que as soon as (**7**)
lugar, el place (**7**)
lujo, el luxury (2, **11**)
luna de miel, la honeymoon (**4**)
lunar, el beauty mark; mole (**1**)

M

madera, la wood (**3**)
madrina, la godmother (**1**)
maestría, la masters (degree) (8)
maestro/a, el/la teacher (8)
maleducado/a impolite; rude (**1**)
malo/a bad (9)
maltratar to abuse (1)
malvado/a evil (4)
mamá, la mom (PA)
mamífero, el mammal (10)
manatí, el manatee (**10**)
manchita, la little spot (11)
manga corta, la short sleeve (**7**)
manga larga, la long sleeve (**7**)
mango, el mango (**4**)
manguera, la garden hose (**3**)
mano, la hand (PA)
mantener (ie) to maintain (PA, 2)
mantequilla, la butter (**4**)
mapa, el map (5)
maquillarse to put on makeup (PA)
máquina de afeitar, la electric shaver / razor (**7**)
máquina de fax, la fax machine (**5**)
mar, el sea (**10**)
marca, la brand (5, PB)
marcar to mark (8)
mareo/mareos, el/los dizziness (**11**)
mariachi, el mariachi (**9**)
marido, el husband (**1**)
mariposa, la butterfly (**10**)
mariscos, los seafood (**4**)
marrón brown (4)
martillo, el hammer (7)
más que nunca more than ever (4)
más tarde later (4)
masa, la dough (7)
máscara, la mask (2)
materia, la material; subject (9)
materiales de la casa, los housing materials (**3**)
mayoría, la majority (2)
Me da igual. It's all the same to me. (12)
Me da mucha pena pero... I'm really sorry but . . . (3)

Me estás tomando el pelo. You're kidding me / pulling my leg. (10)
¿Me podría/n decir cómo se llegar a...? Could you (all) tell me how to get to . . .? (4)
mecánico/a, el/la mechanic (8)
media manga half sleeve (**7**)
media naranja, la soul mate (**9**)
medicamento, el medicine (**11**)
medio, el middle (1)
medio ambiente, el environment (5, **10**)
medios, los means (9)
mejilla, la cheek (**1**, **11**)
mejor better (PA, 9)
mejor, el/la the best (PA, 9)
mejoramiento, el improvement (3)
mejorar to improve (2, **10**)
menospreciar to underestimate (11)
mensaje de texto, el text message (**5**)
mente, la mind (4)
mentir (ie, i) to lie (PA)
mentira, la a lie (2)
mentón, el chin (**1**)
mercadeo, el marketing (**8**)
mercado, el market (4)
mercado de pulgas, el flea market (**7**)
merengue, el merengue (**9**)
meta, la goal (3, **8**)
metano, el methane (5)
meter la pata to put your foot in your mouth (9)
meterse to get in(to) (**11**)
mezcla, la mixture (1)
mezclar to mix (4)
mezquita, la mosque (**7**)
mi/s my (PA)
Mi más sentido pésame. You have my sympathy. (8)
miedo de salir en escena, el stage fright (**9**)
miel, la honey (4)
mientras (que) while (PA, **7**, **10**)
mío/a/os/as mine (PA)
Mire... / Mira... Look . . . (**7**)
mirón, el lurker (**5**)
Mis más sinceras condolencias. My most heartfelt condolences. (8)
mismo/a oneself (2)
mitad, la half (PB)
mito, el myth (2)
moda, la fashion (3, 8)
molestar to bother (**1**)
molesto/a annoyed (4)
mono, el monkey (**10**)
mononucleosis, la mononucleosis (**11**)
montaje, el staging; editing (**9**)
montar to assemble (9)
montar a caballo to go horseback riding (**2**)
monumento nacional, el national monument; monument of national importance (**5**)
moreno/a black (hair) (**1**)
morir (ue, u) to die (PA, **1**)
mortero, el mortar (3)
mostrador, el counter(top) (3, **7**)
mostrar (ue) to show (PA)
motivo, el motif; theme (**9**)
moto, la motorcycle (PA)
mudarse to move (3)
muela de juicio, la wisdom tooth (8)
muerte, la death (**1**)

mujer, la wife (**1**)
mujer de negocios, la businesswoman (**8**)
muletas, las crutches (**11**)
multitarea, la multitasking (**5**)
mundial (*adj.*) world (2)
muñeca, la wrist (**11**)
mural, el mural (**9**)
muralista, el/la muralist (**9**)
murciélago, el bat (**10**)
muro, el wall (*around a house*) (**3**)
músculo, el muscle (**11**)
música, la music (**9**)
música alternativa, la alternative music (**9**)
música popular, la popular music (**9**)
muslo, el thigh (**11**)
musulmán/musulmana Muslim (7)
Muy atentamente Sincerely (8)
(Muy) Buenos / Buenas. Good morning / afternoon. (1)
Muy estimado/a señor/a... Dear Mr. / Mrs. . . . (8)
Muy señor/a mío/a... Dear Sir / Madam . . . (8)

N

nacer to be born (**1**)
nacimiento, el birth (**1**, **4**)
Nada de eso. Of course not. (10)
narcomanía, la drug addiction (**11**)
naturaleza, la nature (**10**)
naturaleza muerta, la still life (**9**)
náuseas, las nausea (**11**)
navaja de afeitar, la razor (**7**)
navegador, el browser (**5**)
navegador personal, el GPS; navigation system (**5**)
navegar to navigate; to surf (**5**)
Navidad, la Christmas (**4**)
necesitar to need (PA, 2, 9)
negar (ie) to deny (3)
negociar to negotiate (8)
negocio/negocios, el/los business (PB, **8**)
nervio, el nerve (**11**)
¡Ni lo sueñes! Don't even think about it! (10)
nieto/a, el/la grandson / granddaughter (**1**)
nilón nylon (7)
niñez, la childhood (**1**)
nivel, el level (2, **4**)
No cabe duda. There's no doubt; Without a doubt. (10)
¿No cree(s)(n) que...? Don't you think that . . . ? (11)
no creer not to believe; not to think (3, 9)
No es verdad. It's not true. (PA)
No está. He / She is not home. (7)
no estar seguro (de) to be uncertain (3, 9)
No estoy de acuerdo. I don't agree. (10)
no hay de qué you're welcome (2)
No hay duda. There's no doubt; Without a doubt. (10)
No hay más remedio. There's no other way / solution. (10)
No lo creo. I don't believe it; I don't think so. (11)
¡No me diga/s! You don't say!; No way! (5, 7, 10, 11)
no obstante notwithstanding (10)

no pensar (e → ie) not to think (3, 9)
¡No puede ser! This / It can't be! (5, 10, 11)
No se encuentra. He / She is not home. (7)
No se / te preocupe/s. Don't worry. (8)
noreste northeast (5)
noroeste northwest (5)
norte, el north (5)
Nos / Me encantaría (pero)... We / I would love to (but) . . . (3)
Nos vemos. See you. (1)
noticiero, el news program (9)
novato, el rookie (2)
novato/novata, el/la novice, beginner (2)
noviazgo, el engagement; courtship (4)
novio/a, el/la boyfriend /girlfriend; groom / bride (4)
nuera, la daughter-in-law (1)
nuestro/a/os/as our/s (PA)

O

o or (2)
O sea... That is . . . (9, 11)
obesidad, la obesity (11)
obra, la work (3)
obra de teatro, la play (9)
obra maestra, la masterpiece (9)
obrero/a, el/la worker (3)
obtener (e → ie) to obtain (PA)
ocultar to hide (3)
ocupar to occupy (2)
oeste, el west (5)
oferta, la (special) offer (5, 7)
oficina de turismo, la tourism office (5)
ofrecer to bid (7)
oído, el inner ear (11)
Oiga... Hey . . . (form.) (7)
oír to hear (PA)
ojalá (que) I hope so (2)
óleo, el oil painting (9)
olla, la pot (3)
onda, la wave (10)
operar to operate (11)
opuesto/a opposite (1)
oración, la sentence (PA)
ordenador, el computer (5)
orfebrería, la crafting of precious metals (9)
organista, el/la organist (9)
organizado/a organized (1)
organizar to organize (9)
órgano, el organ (9)
orgullo, el pride (5)
orgulloso/a proud (1)
oscuro/a dark (4)
oveja, la sheep (10)
Oye... Hey . . . (fam.) (7)

P

paciente, el/la patient (11)
padrino, el godfather (1)
página principal, inicial, de hogar, la homepage (5)
país, el country (PA)
paisaje, el countryside (5); landscape (9)
palo (de golf; de hockey), el golf club; hockey stick (2)
paloma, la pigeon; dove (10)
palomitas de maíz, las popcorn (4)

pan dulce, el sweet roll (4)
panadería, la bread store; bakery (7)
panqueque, el pancake (4)
pantalla, la screen (2, 5)
pantano, el marsh (10)
pañal, el diaper (10)
papaya, la papaya (4)
papel, el paper; role (5, 9)
papel de envolver, el wrapping paper (7)
papel higiénico, el toilet paper (7)
papelería, la stationery shop (7)
papelito, el little piece of paper (PA)
paperas, las mumps (11)
paquete, el package (5)
par, el pair (2)
para for; in order to (5)
para aquel entonces by then (8)
para que so that (7)
parachoques, el bumper (5)
parada, la (bus) stop (2)
parador, el inn (3)
paráfrasis, la loose interpretation (8)
paraíso, el paradise (2)
Parece mentira. It's hard to believe. (11)
parecer to seem; to appear (1)
pareja, la couple; partner (1)
pariente/a, el/la relative (1)
párrafo, el paragraph (1)
partido, el game (2)
pasado, el past (3)
pasar to pass (2)
pasatiempos, los pastimes (2)
Pascua, la Easter (4)
pasear en barco (de vela) to sail (2)
paseo, el promenade (1)
pasillo, el hall (3)
paso, el step; stage (PA)
paso de peatones, el crosswalk (5)
pasta de dientes, la toothpaste (7)
pastelería, la pastry shop (7)
patinar en monopatín to skateboard (2)
patines, los skates (2)
pato, el duck (10)
patrocinador/a, el/la patron (9)
pavo, el turkey (4)
paz, la peace (10)
pecas, las freckles (1)
pedagogía, la teaching (8)
pedazo, el piece (4)
pedido, el request; order (2, 5)
pedir (e → i → i) to ask (for); to request (PA, 2, 9)
pedir clarificación to ask for clarification (2)
pegar to hit (1); to paste (5)
peinarse to comb one's hair (11)
pelar to peel (4)
pelear(se) to fight (2, 4)
peligro, el danger (2, 10)
peligroso/a dangerous (1)
pelirrojo/a red-haired (1)
pelo, el hair (1)
pelo canoso, el gray hair (1)
pelo corto, el short hair (1)
pelo lacio, el straight hair (1)
pelo largo, el long hair (1)
pelo rizado, el curly hair (1)
pelota, la ball (PA, 2)
peluca, la wig (1)

peluquero/a, el/la hair stylist (8)
penicilina, la penicillin (11)
pensar (ie) to think (PA)
peor worse (9)
peor, el/la the worst (9)
pepino, el cucumber (4)
perder (e → ie) to lose (PA)
perder (e → ie) peso to lose weight (11)
perderse (e → ie) to get lost (5)
Perdón. / Perdóname. Pardon. (fam.) (2)
Perdón, ¿sabe/n usted / ustedes llegar al...? Pardon, do you (all) know how to get to . . . ? (4)
Perdóneme. Pardon. (form.) (2)
perfil, el profile (1)
perforación del cuerpo, la body piercing (1)
perfume, el perfume (7)
periodista, el/la journalist (8)
pero but (2)
perseguir (i) to chase (PA)
persianas, las blinds (3)
personal, el personnel (8)
personalidad, la personality (1)
pesadilla, la nightmare (7)
pesado/a dull; tedious (1)
pesar, el regret; sorrow (8)
pesas, las weights (2)
pescadería, la fish store (7)
pescado, el fish (4)
pescar to fish (2)
pestañas, las eyelashes (1, 11)
pesticida, el pesticide (10)
picaflor, el hummingbird (10)
piedra, la stone (3)
piel, la skin (1, 11); fur; leather (7)
pieza musical, la musical piece (9)
pila, la battery (5)
pilates, el Pilates (2)
piloto/a, el/la pilot (8)
piloto/a de carreras, el/la race car driver (5)
pimiento, el pepper (4)
pincel, el paintbrush (9)
pingüino, el penguin (5, 10)
pintado/a painted (5)
pintalabios, el lipstick (7)
pintar to paint (2, 3)
pintor/a, el/la painter (9)
pintura, la painting (9)
piña, la pineapple (4)
pirámide, la pyramid (1)
pisar to step on (5)
piscina, la swimming pool (3)
piso, el apartment (4)
pista, la track; rink (2); clue (5, PB)
planear to plan (9)
plátano, el plantain (4)
platillo, el saucer (3)
plato, el main dish (4)
plato hondo, el bowl (3)
playa, la beach (10)
plomero/a, el/la plumber (3)
poder (ue) to be able to (PA)
poder, el power (PA)
poderoso/a powerful (1)
político/a, el/la politician (8)
poner to put; to place (PA, 1)
ponerse (la ropa) to put on (one's clothes) (PA)
ponerse (nervioso/a) to become (nervious) (PA)

A55

ponerse de acuerdo to agree; to reach an agreement (2, **3**)
por for; through; by; because of (**5**)
por ciento percent (PB)
por ejemplo for example (3)
por eso for this reason (5, **10**)
por favor please (5)
por fin finally; in the end (PA, 4, 5)
por lo menos at least (PA, 5)
por lo tanto therefore (5)
por lo visto apparently (5)
por medio de by means of (10)
por otro lado on the other hand (**10**)
por suerte luckily (PA)
¡Por supuesto! Sure!; Of course! (3, 5, 7, 10)
por último last (in a list) (4)
porque because (**2**)
portada, la entrance (4)
portarse bien to behave well (**1**)
portarse mal to misbehave (**1**)
portero/a, el/la doorman (5)
postre, el dessert (4)
practicar artes marciales, las to do martial arts (**2**)
practicar ciclismo, el to go cycling (**2**)
practicar esquí acuático, el to go waterskiing (**2**)
practicar lucha libre, la to wrestle (**2**)
Precisamente. Precisely. (10)
precisar to say exactly; to specify (11)
predecir (i) to predict (11)
preferir (e → ie → i) to prefer (PA, 2, 9)
preguntar to ask (a question) (PA)
premio, el prize (1)
prenda, la garment (7)
prender to start (5)
preparar to prepare; to get ready (PA)
preparativos, los preparations (PB)
preservar to preserve (10)
presión alta / baja, la high / low (blood) pressure (**11**)
préstamo, el loan (3)
presumido/a conceited; arrogant (1)
presupuesto, el budget (3)
prevenir (e → ie) to prevent (**10**)
primer día / mes, el the first day / month (4)
primera comunión, la First Communion (4)
primero at first; first; in the beginning (4)
primito/a, el/la little cousin (2)
primo/a, el/la cousin (PA)
princesa, la princess (1)
príncipe, el prince (1)
probar (ue) to try (1)
procedente coming (8)
procedimiento, el procedure (11)
profesión, la profession (**8**)
profesional professional (**8**)
programa de computación, el software (5)
prohibir to prohibit (2, 9)
pronóstico del tiempo, el weather report (2)
pronto soon (4)
propiedad, la property (3)
propietario/a, el/la owner; landlord (**8**)
propina, la tip (3)
propio/a own (PA)
proponer to suggest; to recommend (2, 9)
Propongo que... I propose that . . . (**11**)
propósito, el purpose (11)
proyecto, el project (3)

prueba, la proof (10)
prueba médica, la medical test (**11**)
psicología, la psychology (**8**)
psicólogo/a, el/la psychologist (**8**)
publicidad, la advertising (**8**)
publicitar to advertise; to publicize (**8**)
¿Puede/n usted / ustedes decirme dónde está...? Can you tell me where . . . is? (4)
¿Puedo tomar algún recado? Can I take a message? (7)
puerto, el port (**5**)
pues well; since (**2**)
Pues... Um . . . ; Well . . . (**11**)
puesto, el job; position (**8**)
puesto que given that (7)
pulmón, el lung (**11**)
pulpo, el octopus (**10**)
pulsar el botón derecho to right-click (**5**)
pulsera, la bracelet (7)
puma, el puma (**10**)
punto, el dot (*in a URL*) (**5**)

Q

que that; who; which; whom (**2**, 5)
¡Qué barbaridad! How awful! (5)
¡Qué bueno! Good! (5)
¿Qué dice/s? What do you say? (5)
¿Qué dijiste / dijo? What did you say? (2)
¡Qué emoción! How exciting!; How cool! (5)
¡Qué estupendo! How stupendous! (8)
¡Qué extraordinario! Howextraordinary! (8)
(Qué) Gusto en verlo/la/te! How nice to see you! (1)
¿Qué hay de nuevo? What's new? (1)
¿Qué le / te parece? What do you think (about the idea)? (5)
Que le / te vaya bien. Take care. (1)
¡Qué maravilloso! How marvelous! (8)
¿Qué me cuentas? What do you say?; What's up? (1)
¿Qué opina/s? What do you think? (5)
¡Qué pena / lástima! What a pity / shame! (5, 8)
¿Qué quiere decir...? What does . . . mean? (2)
¿Qué significa...? What does . . . mean? (2)
¿Qué tal amaneció usted / amaneciste? How are you this morning? (1)
¡Qué va! No way! (10)
quedar to have something left (**1**)
quedarse to stay; to remain (PA)
quedarse sin hacer to be left undone (10)
queja, la complaint (11)
quemadura, la burn (**11**)
quemar to burn (3)
querer (e → ie) to want; to love; to wish (PA, 2, 9)
Querido/a... Dear . . . (8)
quien(es) that; who (2); whom (5)
quinceañera, la fifteenth birthday celebration (4)
Quisiera invitarte/le/les... I would like to invite you (all) . . . (**3**)
quitarse (la ropa) to take off (one's clothes) (PA)
quizás maybe (2)

R

radiografía, la X-ray (**11**)
raíces, las roots (1)

rapidez, la speed (5)
raqueta, la racket (**2**)
raro/a strange (1)
rato, el little while (3)
ratón, el mouse (5)
razón, la reason (PA)
real royal (1)
rebaja, la sale; discount (7)
recalentar (ie) to reheat (4)
recámara, la room (3)
recepcionista, el/la receptionist (5)
receptáculo, el receptacle (8)
receta, la recipe (4)
rechazar una invitación to decline an invitation (3)
recibir to receive (PA)
recién recently (PB)
recoger to pick up (1)
recomendar (e → ie) to recommend (PA, 2, 9)
Recomiendo que... I recommend that . . . (**11**)
reconocer to recognize; to admit (PA)
recordar (o → ue) to remember; to remind (PA, **1**)
recorrido, el trip (5)
recreativo/a recreational (2)
recuerdo, el souvenir (5)
reducir to reduce (**10**)
reemplazar to replace (**10**)
reflejar to reflect (9)
reflexionar to reflect (1)
regalar to give (4)
regalo, el present (4)
regar (e → ie) las flores to water the flowers (3)
regla, la rule (8)
regresar to return (PA)
reina, la queen (1)
reiniciar to reboot (**5**)
reino, el kingdom (1)
reliquia, la relic (8)
relleno, el filling (4, 7)
relleno/a filled (8)
reloj de pulsera, el wristwatch (7)
remar to row (2)
remate, el auction; sale (7)
remedio casero, el home remedy (11)
remo, el rowing (**2**)
remodelar to remodel; to renovate (3)
renovable renewable (10)
renovar (o → ue) to remodel; to renovate; to renew (3, 5)
renunciar (a) to resign; to quit (8)
reñir (i) to scold (1)
reparar to repair (3)
repasar to review (5)
repaso, el review (PA)
repetir (i) to repeat (PA)
Repite/a, por favor. Repeat, please. (2)
reportaje, el report (1)
reportero/a, el/la reporter (8)
representar to represent; to perform (9)
reproductor de MP3, el MP3 player (5, **9**)
requerir (ie) to require (10)
requisito, el requirement (8)
rescatar to rescue (10, 11)
resolver (ue) to solve (1)
respirar to breathe (**11**)

responder to respond (5)
respuesta, la answer (1)
restaurar to restore (5)
resultado, el result; score (**2, 11**)
resumen, el summary (1)
retraso, el delay (11)
retrato, el portrait (**9**)
reunirse to get together; to meet (PA)
revista, la magazine (3)
revolver (o → ue) to stir (**4**)
rey, el king (1)
riesgo, el risk (**10**)
rinoceronte, el rhinoceros (**10**)
río, el river (**10**)
rivalidad, la rivalry (2)
robar to rob (5)
robo, el robbery (5)
rodar (o → ue) (en exteriores) to film (on location) (**9**)
rodear to surround (10)
rodilla, la knee (**11**)
rogar (o → ue) to beg (2, 9)
romper to break (**1**)
ropa, la clothing (**7**)
ropa interior, la underwear (**7**)
rosado/a pink (4)
rubio/a blond (**1**)
ruido, el noise (2)
ruinas, las ruins (3)
ruleta, la roulette (PA)

S

saber to know (3)
Sabes... You know . . . (11)
sabotear to hack (**5**)
sacar to obtain (3)
sacar fotos to take pictures / photos (5)
sacar la mala hierba to weed (**3**)
sacar la sangre to draw blood (**11**)
sala, la living room (**3**)
salario, el salary (**8**)
salchicha, la sausage (**4**)
salir (con) to leave (PA); to go out (with) (**4**)
salón, el living room (1)
saltamontes, el grasshopper (**10**)
saludar to greet; to say hello (1, **11**)
saludo, el greeting (**1**, 8)
Saludos a (nombre) / todos por su / tu casa. Say hi to (name) / everyone at home. (1)
salvaje wild (10)
salvar to save (10)
sanarse to heal (11)
sandía, la watermelon (**4**)
santo/a, el/la saint (4)
sarampión, el measles (**11**)
sardina, la sardine (**4**)
sartén, la skillet; frying pan (**3**)
sastrería, la tailor shop (7)
saxofón, el saxophone (**9**)
saxofonista, el/la saxophonist (**9**)
¡Se rueda! Action! (**9**)
secadora, la dryer (**3**)
secretario/a, el/la secretary (**8**)
seguidores/as, los/las fans; groupies; followers (9)
seguir (i) to follow; to continue (doing something) (PA)

seguir derecho to go straight (7)
según according to (PA, 1, 10)
seguridad, la confidence (1)
seguro del coche, el car insurance (**5**)
selva nubosa, la cloud forest (5)
semejanza, la similarity (3, 6)
seminario, el seminar (1)
sencillo/a modest; simple (**1**, 3, PB)
sendero, el path (4)
¡Sensacional! Sensational! (8)
sensible sensitive (1)
sentarse (e → ie) to sit down (PA)
sentido, el sense (2)
sentir (e → ie → i) to regret (3, 9)
sentirse (e → ie → i) to feel (PA)
separarse to separate; to get separated (**1**)
sequía, la drought (**10**)
ser to be (PA, **7, 8**)
ser buena gente to be a good person (1)
ser bueno / malo to be good / bad (3, 9)
ser dudoso to be doubtful (3, 9)
ser humano, el human being (5)
ser mala gente to be a bad person (1)
ser probable to be probable (3, 9)
ser una lástima to be a shame (3, 9)
Sería mejor... It would be better to . . . (11)
serie, la series (4)
serio/a serious (1)
servicio, el room service (5)
servicios, los public restrooms (7)
servidor, el server (5)
servir (e → i) to serve (PA)
si if (PA, 9)
SIDA, el AIDS (**11**)
sierra, la mountain range (**10**)
Siga/n derecho / todo recto. Go straight. (4)
siglo, el century (6)
significado, el meaning (1)
significar to mean (6)
signo, el sign (8)
siguiente following (PA)
¡Silencio! Quiet everybody (on the set)! (**9**)
simpatía, la sympathy (8)
Sin duda. Without a doubt.; No doubt. (10)
sin embargo nevertheless (**10**)
sin fines de lucro nonprofit (**8**)
sin que without (7)
sinfónica, la symphony orchestra (9)
sino but rather (**10**)
síntoma, el symptom (**11**)
sobre, el envelope (5)
sobre todo above all (3)
sobrepoblación, la overpopulation (**10**)
sobrevivir to survive (**10**)
sobrino/a, el/la nephew / niece (**1**)
¡Socorro! Help! (10)
soler (ue) to be accustomed to (4)
solicitar to apply for (a job); to solicit (8)
solicitud, la application form (8)
solista, el/la soloist (9)
soltero/a single (not married) (**1**)
soltero/a, el/la single man; single woman; bachelor(ette) (1)
sombra, la shadow (6)
sombrilla, la umbrella (5)
sonar (ue) to seem familiar; to sound (2, 5)
sonido, el sound (5)
sonreír (i) to smile (5)
sonrisa, la smile (2)

soñar (ue) to dream (4)
sopera, la soup bowl (**3**)
sorprendido/a surprised (**1**)
sorpresa, la surprise (10)
sostener (ie) to sustain (**10**)
sótano, el basement (**3**)
Soy... This is . . . (7)
su/s his / her / its / your (*form.*) / their (PA)
suavemente smoothly (2)
subtítulos, los subtitles (**9**)
suceso, el event (1)
suegro/a, el/la father-in-law / mother-in-law (**1**)
sueldo, el salary (**8**)
suelo, el ground (1)
sueño, el dream (3, 6)
sufrimiento, el suffering (5)
sufrir to suffer (2)
sugerir (e → ie → i) to suggest (2, 3, 9)
sugerir una alternativa to suggest an alternative (**11**)
Sugiero que... I suggest that . . . (11)
superficie, la surface (11)
supervisor/a, el/la supervisor (**8**)
supuestamente allegedly (3)
sur, el south (1, **5**)
sureste southeast (5)
suroeste southwest (5)
sustancia, la substance (**10**)
sustantivo, el noun (PA)
susto, el scare (PB)
suyo/a/os/as his / hers / yours (*form.*) / theirs (PA)

T

tabla de surf, la surfboard (**2**)
tacaño/a cheap (**1**)
tacón (alto, bajo), el heel (high, low) (**7**)
talco, el talcum powder (**7**)
talentoso/a talented (**9**)
talla, la wood sculpture; carving (**9**)
taller, el workshop; studio (**9**, 11)
talón, el heel (*of the foot*) (**11**)
tamaño, el size (**2**)
tampoco nor; neither (PA)
tan... como as . . . as (9)
tan pronto como as soon as (7)
tanto/a/os/as... como as much / many . . . as (9)
tapiz, el tapestry (9)
tarjeta, la card; greeting card (7)
tarjeta de crédito, la credit card (7)
tasa, la rate (10)
tatuaje, el tattoo (**1**)
Te digo... I'm telling you . . . (10)
teatro, el theater (9)
teclado, el keyboard (**5**, 9)
técnico/a technical (9)
tecnología, la technology (5)
tejedor/a, el/la weaver (9)
tejer to knit (2)
tejido, el weaving (**9**)
tela, la fabric (7)
telefonista, el/la telephone operator (5)
teléfono celular, el cell phone (5)
teléfono de ayuda, el help line (6)
telenovela, la soap opera (4, **9**)
televidente, el/la television viewer (9)

televisión, la television (9)
tema, el subject; theme (1)
temer to be afraid (of) (3, 9)
temporada, la a while; a period of time (1)
tener (ie) to have (PA)
tener éxito to be successful (2)
tener experiencia to have experience (8)
tener miedo (de) to be afraid (of) (3, 9)
tener que ver (con) to have to do with (3, 4)
tener una cita to have a date (4)
teñido/a dyed (hair) (1)
teñirse (i) el pelo to dye one's hair (1)
terco/a stubborn (1)
terminar to finish; to end (PA)
término de la cocina, el cooking term (4)
termómetro, el thermometer (11)
ternera, la veal (4)
terreno, el terrain; land; field (2)
tertulia, la social gathering (3)
tesis, la thesis (PB)
tiburón, el shark (10)
tienda, la shop; store (7)
tienda de ropa, la clothing store (7)
Tierra, la Earth (10)
tierra, la land (10)
tigre, el tiger (10)
tímido/a shy (1)
tintorería, la dry cleaners (7)
tío/tía, el/la uncle / aunt (PA)
tirar to throw (PA, 1, 3)
tirar un platillo volador to throw a frisbee; to play frisbee (2)
titulado/a, el/la graduate (8)
título, el title, degree (1, 7)
toalla, la towel (3)
tobillo, el ankle (11)
tocador, el dresser (3)
tocar (un instrumento) to play (an instrument) (9)
tocino, el bacon (4)
tomar to take; to drink (PA)
tomar apuntes to take notes (8)
tomar el pulso to take someone's pulse (11)
tomar la presión to take someone's blood pressure (11)
tomar la temperatura to check someone's temperature (11)
Tome/n un taxi / autobus. Take a taxi / bus. (4)
tono de voz, el tone of voice (1)
torcerse (ue) to sprain (11)
torneo, el tournament (2)
tornillo, el screw (7)
toronja, la grapefruit (4)

tortuga, la turtle (10)
toser to cough (11)
tóxico/a poisonous (10)
trabajar to work (PA)
trabajar en el jardín to garden (2)
trabajo, el job (8)
traducir to translate (8)
traer to bring (PA)
tragedia, la tragedy (9)
tranquilo/a calm (3)
Tranquilo. Relax.; Calm down. (8)
transmisión, la transmission (5)
transporte, el transportation (5)
trasero, el buttocks (11)
traslado, el transfer (5)
tratamiento, el treatment (10, 11)
tratar to treat (4)
trato, el treatment (10)
trenza, la braid (1)
trepador/a climbing (11)
trío, el trio (9)
trombón, el trombone (9)
trompo, el top (toy) (7)
tu/s your (*fam.*) (PA)
turnarse to take turns (PA)
tuyo/a/os/as yours (*fam.*) (PA)

U

ubicarse to be located (4)
último/a last (1)
Un (fuerte) abrazo A (big) hug (8)
uña, la nail (11)
usar to use (PA)
utilizar to use; to utilize (1)

V

vacaciones, las vacations (5, 8)
vacuna, la vaccination (11)
valle, el valley (10)
valor, el value (9)
vaquero, el cowboy (8)
varicela, la chicken pox (11)
Vaya/n derecho / todo recto. Go straight. (4)
vecino/a, el/la neighbor (3)
vehículo utilitario deportivo, el sport utility vehicle (*SUV*) (5)
vejez, la old age (1)
vela, la candle (3)
velocidad, la speed (5)
vena, la vein (11)
venado, el deer (10)
vendedor/a, el/la seller; vendor (2)

venenoso/a poisonous (9)
venir (ie) to come (PA)
venta, la sale (6, 8)
ventanilla, la ticket window (2)
ventas (por teléfono), las (telemarketing) sales (8)
ver to see (PA, 1)
verdadero/a true (PB)
verdura, la vegetable (4)
vergüenza, la shame (8)
verruga, la wart (11)
verso, el line; verse (4)
vertedero, el garbage dump (10)
verter (e → ie) to pour (4)
vestuario, el costume; wardrobe; dressing room (9)
veterinario/a, el/la veterinarian (8)
vez, la time (2)
viajar por to tour (5)
viajes, los travel; trips (5)
viejo/a old (9)
violín, el violin (9)
viruela, la smallpox (10)
vistazo, el look; glance (1)
visual visual (9)
viticultura, la winegrowing (8)
viudo/a, el/la widower / widow (1)
vivir to live (PA)
vocero/a, el/la spokesperson (8)
volantín, el kite (7)
volcán, el volcano (10)
volver (o → ue) to return (PA, 1)
vomitar to vomit (11)
vuelo, el flight (5)
vuelta, la race (2)
vuestro/a/os/as your/s (*fam. pl. Spain*) (PA)

Y

y and (2)
Ya lo creo. I'll say. (10)
¡Ya no lo aguanto! I can't take it any more! (5)
ya que since; because (7)
yerno, el son-in-law (1)
yeso, el plaster (3)
yoga, el yoga (2)

Z

zanahoria, la carrot (4)
zancos, los stilts (7)
zapatería, la shoe store (7)
zorro, el fox (10)

A58

Appendix 6

English–Spanish Glossary

A

A (big) hug Un (fuerte) abrazo (8)
able to, to be poder (o → ue) (PA)
above arriba (5)
above all sobre todo (3)
abroad el extranjero (5)
absentminded despistado/a (1)
Absolutely. Absolutamente.; En absoluto. (1, 10)
absorb shock, to amortiguar (11)
abuse, to maltratar (1)
accelerator el acelerador (5)
accept an invitation, to aceptar una invitación (3)
accomplice el/la cómplice (5)
according to según (PA, 1, 10)
accountant el/la contador/a (8)
accustomed to, to be soler (ue) (4)
acquaintance conocido/a (1)
acquainted with, to be conocer (PA)
acquisition la adquisición (8)
across from enfrente (de) (3)
act, to actuar (8, 9)
Action! ¡Se rueda! (9)
add, to añadir (PA, 3, 4, 8)
address la dirección (5)
administrative administrativo/a (8)
admit, to reconocer (PA)
admitted, to be ingresar (11)
adobe el adobe (3)
adolescence la adolescencia (1)
advance, to ascender (e → ie) (8)
advertise, to hacer publicidad; publicitar (8)
advertisement el anuncio (PA)
advertising la publicidad (8)
advise, to aconsejar (1, 2, 4, 9)
aesthetic estético/a (9)
affirmatively afirmativamente (1)
afraid (of), to be temer; tener miedo (de) (3, 9)
after después (de) (que) (4, 7, 10)
afterward después (de) (que) (4, 7, 10)
again de nuevo (1)
age la edad (1)
age, to envejecer (1)
agency la agencia (8)
agent el/la agente (8)
aging el envejecimiento (11)
agree, to ponerse de acuerdo (2, 3)
agreeable agradable (1)
agreement el acuerdo; la concordancia (2, 5, 7, 8, 10)
AIDS el SIDA (11)
air conditioning el aire acondicionado (3)
alcoholism el alcoholismo (11)
all of a sudden de repente (5)
allegedly supuestamente (3)
allergy la alergia (11)
alligator el caimán (5)
allude, to aludir (4, 7)
almost casi (5)
altar el altar (4)

alternative music la música alternativa (9)
although aunque (7)
among themselves entre sí (1)
ample amplio/a (3)
and y (2)
animal el animal (10)
ankle el tobillo (11)
annoyed molesto/a (4)
answer la respuesta (1)
answer, to contestar (PA)
antihistamine el antihistamínico (11)
apartment el piso (4)
apologize, to disculparse (2)
apparatus el aparato (5)
apparently por lo visto (5)
appear, to parecer (1)
appearance la apariencia (1)
appendicitis la apendicitis (11)
applaud, to aplaudir (9)
applicant el/la aspirante (8)
application form la solicitud (8)
applied aplicado/a (5)
applied arts las artes aplicadas (9)
apply for (a job), to solicitar (8)
appreciate, to apreciar (5)
appropriate apropiado/a (2)
appropriate, to apropiarse (8)
architect el/la arquitecto/a (3)
argue, to discutir (4)
arid árido/a (10)
arrangement el arreglo (5)
arrive, to llegar (PA)
arrogant presumido/a (1)
arthritis la artritis (11)
article el artículo (7)
artisan el/la artesano/a (9)
artist el/la artista (9)
arts and crafts la artesanía (9)
as . . . as tan... como (9)
as much / many . . . as tanto/a/os/as... como (9)
as soon as en cuanto; luego que; tan pronto como (7)
ashamed avergonzado/a (1)
ask (a question), to preguntar (PA)
ask (for), to pedir (e → i → i) (PA, 2, 9)
ask for clarification, to pedir clarificación (2)
asparagus los espárragos (4)
assemble, to montar (9)
at (*in an e-mail address / message*), @ la arroba (5)
at first primero
at least por lo menos (PA, 5)
athlete el/la atleta (2)
athletic atlético/a (2)
attached adjunto/a (PB)
attachment el archivo adjunto (5)
attend, to asistir a (5)
attract, to atraer (10)
auction el remate (7)
aunt la tía (PA)
author el/la escritor/a (8)

avocado el aguacate (4)
avoid, to evitar (8)
awards ceremony la ceremonia de premiación (1)

B

baby el bebé (4)
bachelorette la soltera (1)
back then aquel entonces; en aquel entonces (10)
bacon el tocino (4)
bad malo/a (9)
bad, to be ser malo (3, 9)
bad person, to be a ser mala gente (1)
bad thing, the lo malo (8)
bakery la panadería (7)
bald calvo/a (1)
ball la pelota (PA, 2)
ballet el ballet (9)
banker el/la banquero/a (8)
banking la banca (8)
bankruptcy la bancarrota (8)
baptism el bautizo (4)
barbecue la barbacoa (3)
barbecued a la parrilla (4, PB)
barefoot descalzo/a (11)
bargain la ganga (7)
basement el sótano (3)
basket la cesta (2)
basket weaving la cestería (9)
basketry la cestería (9)
bat el bate (2); el murciélago (10)
battery la pila (7)
bay la bahía (10)
be, to estar; ser (PA, 7, 8)
be a good person, to ser buena gente (1)
be ashamed of, to avergonzarse (o → ue) de (3, 9)
be lacking, to hacer falta (1)
beach la playa (10)
beard la barba (1)
beat, to batir (4)
beauty mark el lunar (1)
because porque (2); ya que (7)
because of a causa de (5); por (5)
become hacerse (8)
become (nervous), to ponerse (nervioso/a) (PA)
become quiet, to callarse (PA)
bedroom el dormitorio (3)
bee la abeja (10)
beef la carne de res (4)
before (*time / space*) antes (de) que (4, 7)
beg, to rogar (o → ue) (2, 9)
begin, to comenzar (e → ie); empezar (e → ie) (PA)
beginner el/la novato/novata (2)
behave, to comportarse (11)
behave well, to portarse bien (1)
behavior el comportamiento (4)
behind detrás de (7, 10)
belief la creencia (4)

A59

believe, to creer (PA)
bend, to doblarse (11)
beneficial beneficioso/a (5)
benefits los beneficios (8, 11)
best, the el/la mejor (PA, 9)
best thing, the lo mejor (8)
better mejor (PA, 9)
bid, to ofrecer (7)
bill (*monthly*) la factura (mensual) (3)
biodegradable biodegradable (10)
bird/s el ave (*f.*) (5); las aves (4)
birth el nacimiento (1, 4)
birth, to give dar a luz (4)
birthday el cumpleaños (1, 4)
birthday, to have a cumplir... años (4)
black (hair) moreno/a (1)
blame la culpa (4)
blender la batidora (3)
blinds las persianas (3)
block (*city*) la cuadra (1, 3)
blond rubio/a (1)
board la junta (8)
body piercing la perforación del cuerpo (1)
boil, to hervir (e → ie → i) (4)
boiled hervido/a (4, PB)
bone el hueso (10, 11)
bonus el bono (8)
boot up, to arrancar (5)
border la frontera (5)
born, to be nacer (1)
boss el/la jefe/a (8)
both ambos/as (PB)
bother, to molestar (1)
bowl el plato hondo (3)
bowl, to jugar al boliche (2)
box, to boxear (2)
boyfriend el novio (4)
bracelet la pulsera (7)
braces los frenos (1)
braid la trenza (1)
brain el cerebro (11)
brakes los frenos (5)
brand la marca (5, PB)
brass instruments los instrumentos de
    metal (9)
bread store la panadería (7)
break, to romper (1); fracturar(se) (11)
breathe, to respirar (11)
breeze la brisa (4)
brick el ladrillo (3)
bride la novia (4)
bright llamativo/a (3, 9)
bring, to traer (PA)
broil, to asar (4)
bronchitis la bronquitis (11)
brother-in-law el/la cuñado/a (1)
brown castaño/a (1); marrón (4)
browser el navegador (5)
brunette castaño/a (1)
brush el cepillo (7)
brusquely bruscamente (4)
budget el presupuesto (3)
bumper el parachoques (5)
burn la quemadura (11)
burn, to quemar (3)
(bus) stop la parada (2)
business el comercio; la empresa; el/los
    negocio/negocios (PB, 8)
businessman el hombre de negocios (8)
businesswoman la mujer de negocios (8)
but pero (2)
but rather sino (10)

butcher shop la carnicería (7)
butter la mantequilla (4)
butterfly la mariposa (10)
buttocks el trasero (11)
buy, to comprar (PA)
by por (5)
by means of por medio de (10)
by the way a propósito (4)
by then para aquel entonces (8)
Bye. Chao. (1)

C

cabbage la col (4)
called, to be llamarse (PA)
calm tranquilo/a (3)
Calm down. Tranquilo. (8)
camel el camello (10)
camera la cámara (5)
camera / sound crew el equipo de cámara /
    sonido (9)
Can I take a message? ¿Puedo tomar algún
    recado? (7)
Can you tell me where . . . is? ¿Puede/n
    usted / ustedes decirme dónde está...? (4)
canal el canal (5, 9)
cancer el cáncer (11)
candies los dulces (4)
candle la vela (3)
candy el bombón (4)
canvas el lienzo (9)
capable hábil (3)
car el coche (5)
(car) horn la bocina (5)
car insurance el seguro del coche (5)
caramel custard el flan (4)
card la tarjeta (7)
care el cuidado (2)
cargo la carga (8)
carpenter el/la carpintero/a (3)
carrot la zanahoria (4)
carry, to cargar (10)
cartoons los dibujos animados (9)
carving la talla (9)
cash el dinero en efectivo (7)
cashier el/la cajero/a (8)
castle el castillo (2)
cathedral la catedral (7)
cattle el ganado de vacuno / vacas (8)
cauliflower la coliflor (4)
cave la cueva (3)
cease, to dejar de (2, 8)
celebrate, to celebrar (4); festejar (6)
celebration la celebración (4)
celery el apio (4)
cell phone el teléfono celular (5)
cement el cemento (3)
century el siglo (6)
ceramic tiles los azulejos (3)
ceramics la cerámica (9)
certain things ciertas cosas (5)
challenge el desafío (2)
champion (*female*) la campeona (2)
champion (*male*) el campeón (2)
championship el campeonato (2)
channel el canal (5, 9)
chase, to perseguir (e → i) (PA)
chauffeur el/la chófer (5)
cheap tacaño/a (1)
check, to comprobar (o → ue) (11)
check someone's temperature, to tomar
    la temperatura (11)
cheek la mejilla (1, 11)

Cheer up! ¡Ánimo! (8)
cheerful alegre (1)
(chemical) engineer el/la ingeniero/a
    (químico/a) (8)
cherry la cereza (4)
chicken pox la varicela (11)
childhood la niñez (1)
chills los escalofríos (11)
chimney la chimenea (3)
chin el mentón (1)
choir el coro (9)
choose, to escoger (PA)
chop la chuleta (4)
Christmas la Navidad (4)
chronicle la crónica (5)
cinema el cine (9)
cinematographer el/la cinematógrafo/a (9)
citizen el/la ciudadano/a (10)
clarify, to aclarar (5)
clarinet el clarinete (9)
class el curso (3)
clay el barro (9)
clearance sale la liquidación (7)
click, to hacer clic (5)
cliff diving el clavadismo (2)
climate el clima (10)
climatic climático/a (10)
climb, to escalar (2)
climbing trepador/a (11)
close, to cerrar (e → ie) (PA)
close by cercano/a (5)
closing (*of a letter*) la despedida (8)
clothing la ropa (7)
clothing store la tienda de ropa (7)
cloud forest la selva nubosa (5)
clue la clave (7); la pista (5, PB)
coach el/la entrenador/a (1, 2)
coffeemaker la cafetera (3)
coincidence la casualidad (5, 7, 11)
collaborator el/la colaborador/a (4)
colleague el/la colega (1, 8)
collect, to coleccionar (2)
collect baseball cards, to coleccionar
    tarjetas de béisbol (2)
cologne la colonia (7)
colorful llamativo/a (3, 9)
comb one's hair, to peinarse (11)
come, to venir (e → ie) (PA)
comedy la comedia (9)
coming procedente (8)
commission la junta (8)
commission (someone), to encargarle
    (a alguien) (9)
committee la junta (8)
common común (4)
compare with, to comparar con (3)
compatible compatible (5)
compete, to competir (e → i → i) (2)
competition la competencia; la
    competición (2)
competitive competitivo/a (2)
complaint la queja (11)
compose, to componer (9)
composer el/la compositor/a (9)
compromise el acuerdo (2, 8, 10)
computer el/la computador/computadora;
    el ordenador (5)
computer science la informática (5)
conceited presumido/a (1)
condition la condición (11)
confidence la seguridad (5)
confirm, to comprobar (o → ue) (11)
confused confundido/a (1)

A60

Congratulations! ¡Enhorabuena!; ¡Felicidades!; ¡Le / Te felicito! (8)
connect, to conectar (5)
conserve, to conservar (10)
construct, to construir (3)
consumption el consumo (10)
contain, to contener (e → ie) (PA)
container el envase (10)
contaminant el contaminante (10)
contest el concurso (5, 9)
continue (doing something), to seguir (e → i) (PA)
contractor el/la contratista (3)
controversial controvertido/a (3)
cook, to cocinar (PA)
cooking term el término de la cocina (4)
coral reef el arrecife (10)
Cordially Cordialmente (8)
corner la esquina (4)
corporation la empresa (8)
corpse el cadáver (9)
correct, to corregir (e → i) (PA)
cost, to costar (o → ue) (PA)
costume el vestuario (9)
costume, to wear a disfrazarse (4)
cotton el algodón (7)
cough, to toser (11)
Could you (all) tell me how to get to . . . ? ¿Me podría/n decir cómo se llega a...? (4)
counsel, to aconsejar (1, 2, 4, 9)
counselor el/la consejero/a (1, 8)
count on, to contar (o → ue) (4)
counter(top) el mostrador (3, 7)
country el país (PA)
countryside el paisaje (5)
couple la pareja (1)
court (sports) la cancha (2)
courtship el noviazgo (4)
cousin el/la primo/a (PA)
cousin (little) el/la primito/a (2)
cover, to cubrir (3, 4)
cover letter la carta de presentación (8)
covered cubierto/a (8)
cowboy el gaucho; el vaquero (8)
cozy acogedor/a (4)
crab el cangrejo (4, 10)
crafting of precious metals la orfebrería (9)
crafts, to do hacer artesanía (2)
crash, to congelar (5)
create, to crear (PA, 9)
credit card la tarjeta de crédito (7)
criminal justice la justicia criminal (8)
cross, to cruzar (5)
crosswalk el paso de peatones (5)
cruise ship el crucero (5)
crutches las muletas (11)
cucumber el pepino (4)
cupboard la alacena (3)
curative curativo/a (3)
cure la cura (11)
curly hair el pelo rizado (1)
current actual (8)
cursor el cursor (5)
customs la aduana (5)
cut, to cortar (5)
cut the grass, to cortar el césped (3)

D

daily cotidiano/a (9)
damage, to dañar (10)
dance el baile (4); la danza (9)
dance, to bailar (PA)

danger el peligro (2, 10)
dangerous peligroso/a (1)
dark oscuro/a (4)
data los datos (5)
date la cita; la fecha (4)
daughter la hija (PA)
daughter of a king of Spain la infanta (1)
daughter-in-law la nuera (1)
Day of the Dead el Día de los Muertos (4)
deadline la fecha límite (8)
Dear . . . Querido/a... (8)
Dear Madam . . . Muy señora mía... (8)
Dear Mr. / Mrs. . . . Estimado/a señor/a... (8)
Dear Mr. . . . Muy estimado señor... (8)
Dear Mrs. . . . Muy estimada señora... (8)
Dear Sir . . . Muy señor mío... (8)
death la muerte (1)
debt la deuda (2)
deceive, to engañar (4)
decline el declive (10)
decline an invitation, to rechazar una invitación (3)
decorate, to decorar (2)
decorative arts las artes decorativas (9)
decree el decreto (4)
deed el hecho (11)
deer el ciervo (10); el venado (10)
deforestation la deforestación (10)
degree el título (1, 7)
delay el retraso (11)
delete, to borrar (5)
demand, to exigir (2, 9)
demanding exigente (3)
demonstrate, to demostrar (ue) (PA)
dentist el/la dentista (8)
deny, to negar (ie) (3)
deodorant el desodorante (7)
depletion el agotamiento (10)
depressed deprimido/a (1)
depression la depresión (11)
describe, to describir (PA)
desert el desierto (10)
design el diseño (9)
designer el/la diseñador/a (3)
desired deseado/a (5)
dessert el postre (4)
destroy, to destruir (10)
detail el detalle (3)
detain, to detener (e → ie) (11)
devil el diablo (5)
diabetes la diabetes (11)
dialogue el diálogo (1)
diamond el diamante (7)
diaper el pañal (10)
die, to morir (o → ue → u) (PA, 1)
digital digital (5)
digital camera la cámara digital (5)
digitalize, to digitalizar (5)
diminish, to disminuir (11)
dinner, to have cenar (3)
dinosaur el dinosaurio (10)
directions las indicaciones (4, 7)
director el/la director/a (9)
dirt road el camino (5)
disagreement el desacuerdo (10)
disappear, to desaparecer (10)
disappearance la desaparición (2)
disaster el desastre (10)
disbelief la incredulidad (11)
discord la discordia (3)
discount la rebaja (7)
discover, to descubrir (1)
discuss, to discutir (4)

disguise oneself, to disfrazarse (4)
disgusted asqueado/a (1)
dislike someone, to caer mal (1)
disorganized desorganizado/a (1)
displaced desplazado/a (10)
display, to lucir (7)
distracted, to get distraerse (4)
diva la diva (9)
diving el buceo (2)
divorce, to divorciarse (1)
divorced divorciado/a (1)
divorced, to get divorciarse (1)
dizziness el/los mareo/mareos (11)
do, to hacer (PA, 1)
Do you like the suggestion? ¿Le / Te parece bien? (5)
Do you mind? ¿Le / Te importa? (5)
Do you mind (if . . .)? ¿Le / Te importa (si...)? (5)
doctor's office el consultorio (7)
Don't even think about it! ¡Ni lo sueñes! (10)
Don't worry. No se / te preocupe/s. (8)
Don't you think that . . . ? ¿No cree(s)(n) que...? (11)
donut la dona (4)
doorman el/la portero/a (5)
dosage la dosis (11)
dot (in a URL) el punto (5)
doubt la duda (3)
doubt, to dudar (3, 9)
doubtful, to be ser dudoso (3, 9)
dough la masa (7)
dove la paloma (10)
download, to descargar (5)
drama el drama (9)
draw, to dibujar (PA, 9)
draw blood, to sacar la sangre (11)
drawing el dibujo (PA, 9)
dream el sueño (3, 6)
dream, to soñar (o → ue) (4)
dream house la casa de tus sueños (PB)
dresser el tocador (3)
dressing room el vestuario (9)
drink, to beber; tomar (PA)
driver el/la chófer (5)
drought la sequía (10)
drug addict el/la drogadicto/a (11)
drug addiction la narcomanía (11)
dry árido/a (10)
dry cleaners la tintorería (7)
dryer la secadora (3)
duck el pato (10)
dull pesado/a (1)
dye one's hair, to teñirse (e → i) el pelo (1)
dyed (hair) teñido/a (1)

E

each cada (PA)
ear (inner) el oído (11)
ear of corn el elote (4)
earn a living, to ganar la vida (2)
earrings los aretes (7)
Earth la Tierra (10)
east el este (5)
Easter la Pascua (4)
eat, to comer (PA)
ecological ecológico/a (10)
ecosystem el ecosistema (10)
edit, to editar (9)
education la formación (5, 8)
effort el esfuerzo (6)

A61

elbow el codo (**11**)
elderly anciano/a (**1**)
electric razor / shaver la máquina de afeitar (**7**)
electrician el/la electricista (**3**)
e-mail el correo electrónico (4, 5); el e-mail (**5**)
embarrassed avergonzado/a (**1**)
employ, to emplear (7, 8)
employee el/la empleado/a (**8**)
enclose, to encerrar (e → ie) (PA)
encourage, to animar (2)
encrypt, to cifrar (**5**)
end, to terminar (PA)
end, at the al final (4)
end, in the por fin (PA, 4, 5)
endangered species los animales en peligro de extinción (**10**)
engaged, to be estar comprometido/a (**4**)
engagement el compromiso (4); el noviazgo (4)
engineering la ingeniería (3, **8**)
enjoy, to disfrutar (2)
enjoy oneself, to divertirse (e → ie → i) (PA)
entertain, to entretener (e → ie) (7)
entrance la portada (4)
envelope el sobre (**5**)
environment el medio ambiente (5, **10**)
erase, to borrar (**5**)
erosion la erosión (**10**)
essential imprescindible (7)
establish, to establecer (9)
etching el grabado (9)
etiquette la etiqueta (8)
even if aunque (7)
even when aun cuando (7)
event el suceso (1)
everyday cotidiano/a (**9**)
evil malvado/a (4)
Exactly. Exactamente.; Exacto. (7, 10)
exchange el intercambio (5)
exchange, to intercambiar (5)
excitement la emoción (2)
exciting emocionante (5)
Excuse me. (*fam.*); (*form. pl.*); (*form.*) Con permiso.; Disculpa. / Discúlpame.; Disculpen. / Discúlpenme.; Disculpe. / Discúlpeme. (2)
executive el/la ejecutivo/a (**8**)
exhausted agotado/a (**1**)
exhibit, to exhibir (**9**)
existing existente (3)
expensive caro/a (2)
experience, to have tener experiencia (**8**)
explanation la explicación (6)
express good wishes, to felicitar (8)
extend an invitation, to invitar a alguien (3)
exterminated exterminado/a (**10**)
extract, to extraer (3)
extravagant gastador/a (**1**)
extroverted extrovertido/a (**1**)
eyebrow la ceja (1, **11**)
eyedrops las gotas para los ojos (**11**)
eyelashes las pestañas (1, **11**)

F

fabric la tela (7)
face la cara (**1**, **11**)
facing enfrente (de) (3)
factory la fábrica (**7**)
fail, to fallar (11)
faint, to desmayarse (3, **11**)
falconry la cetrería (10)
fall la caída (3)
fall in love (with), to enamorarse (de) (4)

fame la fama (3)
family la familia (PA, **1**)
fan/s el/la aficionado/a (1, 2, 4); los/las seguidores/as (**9**)
farewell la despedida (**1**)
farmer el/la granjero/a (**8**)
fascinate, to fascinar (**1**)
fashion la moda (3, 8)
father-in-law el suegro (**1**)
Father's Day el Día del Padre (**4**)
fax machine la máquina de fax (**5**)
fed up harto/a (**1**)
feel, to sentirse (e → ie → i) (PA)
feel ashamed of, to avergonzarse (o → ue) de (3, 9)
feeling down agobiado/a (7, 10)
fence la cerca (3)
fertilizer el fertilizante (**10**)
fever la fiebre (7)
field el campo (2); el terreno (2)
fifteenth birthday celebration la quinceañera (4)
fight, to pelear(se) (**2, 4**)
figure la cifra (10)
file el archivo (**5**)
file, to guardar (3, **5**)
filled relleno/a (8)
filling el relleno (4, 7)
film, to; film (on location), to filmar; rodar (o → ue) (en exteriores) (**9**)
films el cine (9)
finally finalmente (4); por fin (PA, 4, 5)
financial financiero/a (**8**)
find, to encontrar (o → ue) (PA)
find out, to averiguar (PA)
finish, to terminar (PA)
fire el fuego (3)
fire (*from a job*), to despedir (e → i → i) (**8**)
firefighter el/la bombero/a (**8**)
fireplace la chimenea (3)
firmness la firmeza (7)
first al principio; primero (3, 4)
first, at al principio (3, 4)
First Communion la primera comunión (4)
first day / month, the el primer día / mes (4)
fish el pescado (**4**)
fish, to pescar (2)
fish store la pescadería (**7**)
fit, to ajustarse (3)
fix, to arreglar (1, 8)
fix an object, to componer (3)
flamenco el flamenco (**9**)
flea market el mercado de pulgas (7)
flight el vuelo (5)
flight attendant el/la asistente de vuelo (**8**)
flirtatious insinuante (1)
floating flotante (2)
flour la harina (4)
fly a kite, to hacer volar un volantín (7)
focus el enfoque (4)
focus (on), to enfocarse (en) (PB)
follow, to seguir (e → i) (PA)
followers los/las seguidores/as (**9**)
following a continuación (2); siguiente (PA)
food la comida (**4**)
for para; por (**5**)
for example por ejemplo (3)
for this reason por eso (5, **10**)
forehead la frente (1, **11**)
forward (*soccer*) delantero (2)
fountain la fuente (7)
fox el zorro (**10**)

fracture, to fracturar(se) (**11**)
freckles las pecas (**1**)
free gratis (2)
freedom la libertad (2)
freeway la autopista (5)
freeze, to congelar (**5**)
frenzy el frenesí (6)
fresh water el agua dulce (5)
fried frito/a (4, PB)
frightened asustado/a (**1**)
from bad to worse de mal en peor (11)
front (of), in enfrente (de) (3)
fruit la fruta (**4**)
fruit store la frutería (**7**)
fry, to freír (e → i → i) (**4**)
frying pan la sartén (3)
fuel el combustible (**10**)
full-time workday la jornada completa (**8**)
fun, to have divertirse (e → ie → i) (PA)
funds los fondos (9)
funny chistoso/a (**1**)
fur; fur, made of la piel; hecho de piel (**7**)
furious furioso/a (**1**)

G

game el partido (2)
game show el concurso (5, **9**)
garbage dump el vertedero (**10**)
garden el jardín (3)
garden, to trabajar en el jardín (2)
garden hose la manguera (3)
gardener el/la jardinero/a (**3**)
gardening la jardinería (3)
gargle, to hacer gárgaras (**11**)
garlic el ajo (**4**)
garment la prenda (7)
gas pedal el acelerador (**5**)
generate, to engendrar (11)
generous generoso/a (**1**)
geographical geográfico/a (**10**)
gesture el gesto (8, 10)
get, to conseguir (PA)
get a job, to; get a position as . . . , to conseguir un puesto de... (**8**)
get in(to), to meterse (**11**)
get involved, to involucrarse (10)
get lost, to perderse (e → ie) (**5**)
get off, to bajar de (2)
get ready, to preparar (PA)
get up, to levantarse (PA)
giraffe la jirafa (**10**)
girlfriend la novia (4)
give, to dar (PA); regalar (3)
given that puesto que (7)
glance el vistazo (1)
go, to ir (PA)
go away, to irse (PA)
go camping, to ir de camping (**2**)
go cycling, to practicar ciclismo (2)
go on a cruise, to hacer un crucero (5)
go on strike, to hacer una huelga (8)
go out (with), to salir (con) (**4**)
go straight, to seguir derecho (7)
Go straight. Siga/n derecho / todo recto.; Vaya/n derecho / todo recto. (4)
go waterskiing, to practicar esquí acuático (2)
goal la meta (3, **8**)
goat la cabra (**10**)
goblet la copa (3)
goddaughter la ahijada (**1**)
godfather el padrino (**1**)

A62

godmother la madrina (**1**)
godson el ahijado (**1**)
go-kart racing el karting (**5**)
gold, made of hecho de oro (**7**)
golf club el palo de golf (**2**)
golf course el campo de golf (**7**)
Good! ¡Bueno! (**8**); ¡Qué bueno! (**5**)
good, to be ser bueno (**3, 9**)
Good afternoon. (Muy) Buenos / Buenas. (**1**)
Good morning. (Muy) Buenos / Buenas. (**1**)
good quality de buena calidad (**7**)
goods los bienes (**7**)
gorilla el gorila (**10**)
government el gobierno (**3**)
GPS el navegador personal (**5**)
graduate el/la titulado/a (**8**)
graduation la graduación (**4**)
granddaughter la nieta (**1**)
grandfather el abuelo (**PA**)
grandmother la abuela (**PA**)
grandson el nieto (**1**)
grapefruit la toronja (**4**)
graphic gráfico/a (**9**)
grass el césped (**3**); la hierba (**3**)
grasshopper el saltamontes (**10**)
grateful agradecido/a (**3**)
gray hair las canas; el pelo canoso (**1**)
great-grandfather el bisabuelo (**1**)
great-grandmother la bisabuela (**1**)
greenhouse effect el efecto invernadero (**10**)
greet, to saludar (**1, 11**)
greeting el saludo (**1, 8**)
greeting card la tarjeta (**7**)
grilled a la parrilla; asado/a (**4, PB**)
groom el novio (**4**)
ground el suelo (**1**)
ground beef la carne molida (**4**)
groupies los/las seguidores/as (**9**)
grow old, to envejecer (**1**)
guess, to adivinar (**PA, 1, 8**)
guest el/la huésped; el/la invitado/a (**2, 4, 5**)
guide el/la guía (**5**)
guide, to guiar (**4**)
guilty culpable (**7**)
gum el chicle (**7**)

H

habitat el hábitat (**10**)
hack, to sabotear (**5**)
hair el pelo (**1**)
hairstylist el/la peluquero/a (**8**)
half la mitad (**PB**)
half sleeve media manga (**7**)
hall el pasillo (**3**)
Halloween el Día de las Brujas (**4**)
hammer el martillo (**7**)
hand la mano (**PA**)
hand embroidery el bordado a mano (**7**)
handbag el bolso (**7**)
handheld beater la batidora (**3**)
hang, to colgar (o → ue) (**3**)
Hang in there! ¡Ánimo! (**8**)
happy alegre (**1**)
happy (about), to be alegrarse (de) (**3, 9**)
hard drive el disco duro (**5**)
hardware store la ferretería (**7**)
harm el daño (**10**)
harm, to dañar (**10**)
harmful dañino/a (**11**)
harp el arpa (**7**)
harvest, to cosechar (**10**)
have, to tener (e → ie) (**PA**)

have a date, to tener una cita (**4**)
have to do with, to tener que ver (con) (**3, 4**)
He / She is not home. No está.; No se encuentra. (**7**)
head la cabeza (**1**)
headache el dolor de cabeza (**11**)
headlight el faro (**5**)
heal, to sanarse (**11**)
hear, to oír (**PA**)
heart attack el ataque al corazón (**11**)
heat (*low, medium, high*) el fuego (*lento, mediano, alto*) (**4**)
heat, to calentar (e → ie) (**3, 4**)
hectare (*2.471 acres*) la hectárea (**4**)
heel (*high, low*) el tacón (*alto, bajo*) (**7**)
heel (*of the foot*) el talón (**11**)
height la altura (**5**)
Hello. Aló. (**7**)
Hello? Bueno.; Diga. / Dígame. (**7**)
helmet el casco (**2**)
help la ayuda (**3**)
Help! ¡Socorro! (**10**)
help, to ayudar (**5**)
helpline el teléfono de ayuda (**6**)
her su (**PA**)
herb la hierba (**11**)
here acá (**1**)
heritage la herencia (**PA, 1**)
hers suya (**PA**)
Hey . . . (*fam.*) Oye... (**7**)
Hey . . . (*form.*) Oiga... (**7**)
hide, to esconder; ocultar (**3**)
high / low (blood) pressure la presión alta / baja (**11**)
high blood pressure la hipertensión (**11**)
high school la escuela secundaria (**1**)
highway la autopista (**5**); la carretera (**5**)
hiker el/la excursionista (**2**)
hip la cadera (**11**)
hire, to contratar (**8**)
his su; suyo (**PA**)
hit, to pegar (**1**)
hockey stick el palo de hockey (**2**)
home el hogar (**3**)
home remedy el remedio casero (**11**)
homemaker el amo/a de casa (**8**)
homepage la página principal / inicial / de hogar (**5**)
honest honesto/a (**1**)
honesty la honradez (**4**)
honey la miel (**4**)
honeymoon la luna de miel (**4**)
hope, to esperar (**PA, 2, 9**)
horseback riding, to go montar a caballo (**2**)
host el anfitrión (**7, 12**)
hostess la anfitriona (**7, 12**)
hot caluroso/a (**4**)
hotel management la administración de hoteles; la gerencia de hotel (**8**)
housing materials los materiales de la casa (**3**)
How are you doing? ¿Cómo andas? (**PA**)
How are you this morning? ¿Cómo amaneció usted / amaneciste?; ¿Qué tal amaneció usted / amaneciste? (**1**)
How awful! ¡Qué barbaridad! (**5**)
How cool! ¡Qué emoción! (**5**)
How do I go / get to . . . ? ¿Cómo voy / llego a...? (**4**)
How exciting! ¡Qué emoción! (**5**)
How extraordinary! ¡Qué extraordinario! (**8**)
How marvelous! ¡Qué maravilloso! (**8**)
How nice to see you! (Qué) Gusto en verlo/la/te! (**1**)

How stupendous! ¡Qué estupendo! (**8**)
hug, to abrazar (**2, 11**)
Hugs Abrazos (**8**)
human being el ser humano (**5**)
human body el cuerpo humano (**11**)
humble humilde (**4**)
hummingbird el picaflor (**10**)
hunting, to go cazar (**2**)
hurry, to darse prisa (**PA**)
husband el marido (**1**)

I

I agree. Estoy de acuerdo. (**7, 10**)
I can't take it any more! ¡Ya no lo aguanto! (**5**)
I don't agree. No estoy de acuerdo. (**10**)
I don't believe it No lo creo. (**11**)
I don't think so. No lo creo. (**11**)
I doubt it. Lo dudo. (**11**)
I hope so ojalá (que) (**2**)
I propose that . . . Propongo que... (**11**)
I recommend that . . . Recomiendo que... (**11**)
I suggest that . . . Sugiero que... (**11**)
I will call you later. Lo / La / Te llamo más tarde. (**7**)
I would like to invite you (all) . . . Quisiera invitarte/le/les... (**3**)
I would love to (but) . . . Me encantaría (pero)... (**3**)
I'll say. Ya lo creo. (**10**)
I'm lost. Estoy perdido/a. (**4**)
I'm really sorry but . . . Me da mucha pena pero... (**3**)
I'm sorry. Lo siento. (**8**)
I'm sorry, but I can't this time. I have another commitment. / I have other plans. Lo siento pero no puedo esta vez / en esta ocasión. Tengo otro compromiso. (**3, 8**)
I'm telling you . . . Te digo... (**10**)
ice-cream store la heladería (**7**)
icon el icono (**5**)
if si (**PA, 9**)
iguana la iguana (**10**)
illness la enfermedad (**11**)
image la imagen (**5, 9**)
Imagine! ¡Figúrate! (**10**); ¡Imagínate! (**10**)
immediately (after) en seguida (**4**)
imminent inminente (**8**)
impolite maleducado/a (**1**)
important, to be importar (**1**)
improve, to mejorar (**2, 10**)
improvement el mejoramiento (**3**)
improvise, to improvisar (**9**)
in addition encima (**3**)
in case en caso (de) que (**7**)
in charge encargado/a (**7**)
in love enamorado/a (**1**)
in order to para (**5**)
In other words . . . En otras palabras... (**9**)
in spite of a pesar de que (**7**)
in the beginning al principio (**3, 4**)
in the open air al aire libre (**2**)
including incluso (**5**)
Independence Day el Día de la Independencia (**4**)
indicate, to indicar (**PA**)
indignant indignado/a (**4**)
inflammation la inflamación (**11**)
inform, to informar (**9**)
information los datos (**8**)
infrastructure la infraestructura (**10**)
ingredient el ingrediente (**4**)

inheritance la herencia (PA, **1**)
inn el parador (**3**)
innovative innovador/a (**9**)
insecticide el insecticida (**10**)
inside adentro (**3**)
insist, to insistir (en) (**2, 9**)
inspect, to inspeccionar (**9**)
integrity la honradez (**4**)
intention el intento (**3**)
interest, to interesar (**1**)
Internet el Internet (**5**)
interview la entrevista (PA, **8**)
interview, to entrevistar (**2**, PB, **8**)
introverted introvertido/a (**1**)
invest, to invertir (e → ie → i) (**8**)
invite someone, to invitar a alguien (**3**)
Is ___ there? / at home? ¿Está ___
   (en casa)? (**7**)
island la isla (**10**)
isolated aislado/a (**11**)
isolation el aislamiento (**10**)
It can't be! ¡No puede ser! (**5, 10, 11**)
It is essential that . . . Es imprescindible
   que... (**11**)
It is important that . . . Es importante
   que... (**2, 9, 11**)
It would be a pleasure! ¡Con mucho gusto! (**3**)
It would be better to . . . Sería mejor... (**11**)
It's a shame / pity but . . . Lástima pero... (**3**)
It's all the same to me. Me da igual. (**12**)
It's alright. Está bien. (**10**)
It's better that / than . . . Es mejor que...
   (**2, 9**)
It's hard to believe. Parece mentira. (**11**)
It's necessary that . . . Es necesario que...
   (**2, 9, 11**)
It's not true. No es verdad. (PA)
It's preferable that . . . Es preferible que...
   (**2, 9**)
It's that . . . Es que... (**9**)
It's true. Es cierto.; Es verdad. (PA, **10**)
item el artículo (**7**)
itinerary el itinerario (**5**)
its su (PA)

J

jealous celoso/a (**1**)
jewelery las joyas (**7**)
jewelery store la joyería (**4**)
job el empleo (**1**); el puesto; el trabajo (**8**)
jog, to hacer jogging (**2**)
joint la articulación (**11**)
joke la broma (**3, 4**)
joke around, to bromear (**5**)
jot down apuntar (**11**)
journalist el/la periodista (**8**)
just justo/a (**4**)

K

keep, to guardar (**3, 5**)
keep quiet, to callarse (PA)
keyboard el teclado (**5, 9**)
kilogram (*2.2 pounds*) el kilogramo (**4**)
king el rey (**1**)
kingdom el reino (**1**)
kiss; kiss (*little*) el beso (**4**); el besito (**2**)
kiss, to besar (**11**)
kitchen la cocina (**3**)
kitchen sink el fregadero (**3**)
kite el volantín (**7**)
knee la rodilla (**11**)

knife el cuchillo (**1**)
knit, to tejer (**2**)
know, to saber (**3**)
known conocido/a (**1**)

L

labyrinth el laberinto (**1**)
lack, to faltar (**1**)
lake el lago (**5**)
lamb la carne de cordero (**4**)
land el terreno (**2**); la tierra (**10**)
landlord el/la propietario/a (**8**)
landscape el paisaje (**9**)
language la lengua (PA)
last último/a (**1**)
last (in a list) por último (**4**)
later más tarde (**2**)
law la ley (**5**)
lawn el césped (**3**)
lawyer el/la abogado/a (**8**)
layer la capa (**7**)
lazy flojo/a (**1**)
learn, to aprender (PA)
leather la piel (**7**)
leather, made of hecho de piel (**7**)
leave, to irse; salir (con) (PA)
left undone, to be quedarse sin hacer (**10**)
Let's see . . . A ver... (**11**)
letter la letra (**1**)
letter of recommendation la carta de
   recomendación (**8**)
letters (*literature*) las letras (**1**)
level el nivel (**2, 4**)
librarian el/la bibliotecario/a (**5**)
lie la mentira (**2**)
lie, to mentir (e → ie → i) (PA)
life event el evento de la vida (**4**)
lift weights levantar pesas (**2**)
light ligero/a (**2**)
lightbulb la bombilla (**7**)
lightweight liviano/a (**7**)
like, to gustar (**3, 9**)
like someone, to caer bien (**1**)
like very much, to encantar (**1**)
likes los gustos (**1**)
limousine la limusina (**5**)
line el verso (**4**)
link el enlace (**5**)
lip el labio (**1, 11**)
lipstick el pintalabios (**7**)
little mirror el espejito (PA)
little piece of paper el papelito (PA)
little spot la manchita (**11**)
little stool el banquito (**4**)
little while el rato (**3**)
live, to vivir (PA)
live in, to habitar (**3**)
living room la sala (**3**); el salón (**1**)
loan el préstamo (**3**)
lobster langosta, la (**4**)
located, to be ubicarse (**4**)
log on , to hacer la conexión (**5**)
long largo/a (**11**)
long hair el pelo largo (**1**)
long sleeve la manga larga (**7**)
long walk la caminata (**1**)
look el vistazo (**7**)
Look . . . Mire... / Mira... (**7**)
loose interpretation la paráfrasis (**8**)
lose, to perder (e → ie) (PA)
lose weight, to perder (e → ie) peso (**11**)
lotion la loción (**7**)

love, to encantar (**1**); querer (e → ie) (PA, **2, 9**)
luckily por suerte (PA)
luggage el equipaje (**5**)
lunch, to have almorzar (o → ue) (PA)
lung el pulmón (**11**)
lurker el mirón (**5**)
luxury el lujo (**2, 11**)
luxury hotel el hotel de lujo (**5**)

M

magazine la revista (**3**)
maid el/la camarero/a (**5**)
mail carrier el/la cartero/a (**8**)
mailbox el buzón (**8**)
main dish el plato (**4**)
maintain, to mantener (e → ie) (PA, **2**)
majority la mayoría (**2**)
make, to hacer (PA, **1**); fabricar (**8, 10**)
make by hand, to hacer a mano (**9**)
make noise, to hacer ruido (**10**)
mammal el mamífero (**10**)
manager el/la gerente/a (**4, 8**)
manatee el manatí (**10**)
mango el mango (**4**)
manufacture, to fabricar (**8, 10**)
map el mapa (**5**)
mariachi el mariachi (**9**)
mark, to marcar (**8**)
market el mercado (**4**)
marketing el mercadeo (**8**)
married casado/a (**1**)
married, to get casarse (**1**)
marry, to casarse (**1**)
marsh el pantano (**10**)
martial arts las artes marciales (**2**)
martial arts, to do practicar las artes
   marciales (**2**)
mask la máscara (**2**)
masterpiece la obra maestra (**9**)
masters (degree) la maestría (**8**)
material la materia (**9**)
matter, to importar (**1**)
maybe quizás (**2**)
mean, to significar (**6**)
meaning el significado (**1**)
means los medios (**9**)
measles el sarampión (**11**)
meat la carne (**4**)
mechanic el/la mecánico/a (**8**)
medical attention la atención médica (**11**)
medical test la prueba médica (**11**)
medicine el medicamento (**11**)
meet, to reunirse (PA)
melt, to derretir (e → i → i) (**4**)
menu la carta (**4**)
merchant el/la comerciante (**8**)
merengue el merengue (**9**)
methane el metano (**5**)
middle el medio (**1**)
migraine la jaqueca (**11**)
milkshake el batido (**4**)
mind la mente (**4**)
mine mío/a/os/as (PA)
mirror el espejo (**3**)
misbehave, to portarse mal (**1**)
mix, to mezclar (**4**)
mixer la batidora (**3**)
mixture la mezcla (**1**)
modest sencillo/a (**1, 3**, PB)
mole el lunar (**1**)
mom la mamá (PA)
monkey el mono (**10**)

A64

mononucleosis la mononucleosis (**11**)
monument of national importance
  el monumento nacional (**5**)
more than ever más que nunca (**4**)
mortar el mortero (**3**)
mortgage la hipoteca (**3**)
mosque la mezquita (**7**)
mother-in-law la suegra (**1**)
Mother's Day el Día de la Madre (**4**)
motif el motivo (**9**)
motorcycle la moto (PA)
mountain range la sierra (**10**)
mouse el ratón (**5**)
moustache el bigote (**1**)
move, to mudarse (**3**)
movies el cine (**9**)
MP3 player el reproductor de MP3 (**5**, **9**)
multitasking la multitarea (**5**)
mumps las paperas (**11**)
mural el mural (**9**)
muralist el/la muralista (**9**)
muscle el músculo (**11**)
mushrooms los hongos (**4**)
music la música (**9**)
musical piece la pieza musical (**9**)
Muslim musulmán/musulmana (**7**)
must deber (+ inf.) (PA)
my mi/s (PA)
My most heartfelt condolences. Mis más
  sinceras condolencias. (**8**)
myth el mito (**2**)

N

nail el clavo (**7**); la uña (**11**)
nail polish el esmalte de uñas (**7**)
naive ingenuo/a (**11**)
named, to be llamarse (PA)
national monument el monumento
  nacional (**5**)
nature la naturaleza (**10**)
nausea las náuseas (**11**)
navigate, to navegar (**5**)
navigation system el navegador personal (**5**)
near cerca de (**10**)
necklace el collar (**7**)
need, to necesitar; (PA, **2**, **9**); faltar (**1**); hacer
  falta (**1**)
negotiate, to negociar (**8**)
neighbor el/la vecino/a (**3**)
neighborhood el barrio (**2**, **3**)
neither tampoco (PA)
nephew el sobrino (**1**)
nerve el nervio (**11**)
never jamás (**2**, **11**)
Never in my life. En mi vida. (**10**)
nevertheless sin embargo (**10**)
news program el noticiero (**9**)
next entonces; luego (**4**)
nice amable (**1**)
Nice to see you. Gusto en verlo/la/te. (**1**)
niece la sobrina (**1**)
nightmare la pesadilla (**7**)
No doubt. Sin duda. (**10**)
No way! ¡No me diga/s! (**5**, **7**, **10**, **11**);
  ¡Qué va! (**10**)
No way. De ninguna manera. (**10**)
noise el ruido (**2**)
nonprofit sin fines de lucro (**8**)
nor tampoco (PA)
north el norte (**5**)
northeast noreste (**5**)
northwest noroeste (**5**)

not ever (*emphatic*) jamás (**2**, **11**)
not to believe no creer (**3**, **9**)
not to think no creer; no pensar (e → ie) (**3**, **9**)
notable characteristics las características
  notables (**1**)
notwithstanding no obstante (**10**)
noun el sustantivo (PA)
novice el/la novato/novata (**2**)
now that ahora que (**7**)
number la cifra (**10**)
nursing la enfermería (**8**)
nylon nilón (**7**)
nylon, made of hecho de nilón (**7**)

O

obesity la obesidad (**11**)
obtain, to obtener (e → ie) (PA); ocupar (**2**);
  sacar (**3**)
octopus el pulpo (**10**)
Of course! ¡Claro!; (**1**, **3**); ¡Por supuesto!
  (**3**, **5**, **7**, **10**)
Of course. Claro que sí. (**3**, **7**, **10**); Cómo
  no.; Desde luego. (**7**, **10**)
Of course not. Claro que no.; Nada de eso. (**10**)
offer (*special*) la oferta (**5**, **7**)
offline desconectado/a (**5**)
often a menudo (PA)
oil painting el óleo (**9**)
OK . . . Bueno... (**11**)
Okay. Estoy de acuerdo.; Está bien. (**7**, **10**)
old viejo/a (**9**)
old age la vejez (**1**)
olive la aceituna (**4**)
on board a bordo (**5**)
On / To the contrary. Al contrario. (**10**)
on the other hand por otro lado (**10**)
on top of encima de (**5**, **10**)
oneself mismo/a (**2**)
online conectado (**5**)
only child el/la hijo/a único/a (**1**)
open, to abrir (PA, **1**)
operate, to operar (**11**)
opposite opuesto/a (**1**)
or o (**2**)
orange anaranjado/a (**4**)
order el pedido (**2**, **5**)
organ el órgano (**9**)
organist el/la organista (**9**)
organize, to organizar (**9**)
organized organizado/a (**1**)
otherworldly extraterrestre (**5**)
our/s nuestro/a/os/as (PA)
outskirts las afueras (**7**)
oven el horno (**3**)
overpopulation la sobrepoblación (**10**)
overwhelmed agobiado/a (**7**, **10**)
own propio/a (PA)
owner el/la dueño/a (**3**); el/la propietario/a (**8**)

P

pack up, to empaquetar (**12**)
package el paquete (**5**); el envase (**10**)
pageant el concurso (**5**, **9**)
paint, to pintar (**2**, **3**)
paintbrush el pincel (**9**)
painted pintado/a (**5**)
painter el/la pintor/a (**9**)
painting la pintura (**9**)
pair el par (**2**)
pancake el panqueque (**4**)
pantry la despensa (**3**)

papaya la papaya (**4**)
paper el papel (**5**, **9**)
parade el desfile (**4**)
paradise el paraíso (**2**)
paragraph el párrafo (**1**)
Pardon. (*fam.*) Perdón. / Perdóname. (**2**)
Pardon. (*form.*) Perdóneme. (**2**)
**Pardon, do you (all) know how to get
  to . . .?** Perdón, ¿sabe/n usted / ustedes
  llegar al...? (**4**)
parking lot el estacionamiento (**11**)
parrot el loro (**10**)
partner la pareja (**1**)
part-time workday la jornada parcial (**8**)
pass, to pasar (**2**)
password la contraseña (**5**)
past el pasado (**3**)
paste, to pegar (**5**)
pastimes los pasatiempos (**2**)
pastry shop la pastelería (**7**)
path el sendero (**4**); el camino (**5**)
patient el/la paciente (**11**)
patron el/la patrocinador/a (**9**)
pay attention to, to fijarse en (**4**)
peace la paz (**1**)
peach el durazno (**4**)
peas los guisantes (**4**)
peel, to pelar (**4**)
penguin el pingüino (**5**, **10**)
penicillin la penicilina (**11**)
pepper el pimiento (**4**)
percent por ciento (PB)
perform, to representar (**9**)
performance art el arte dramático (**9**)
perfume el perfume (**7**)
period of time la temporada (**1**)
personal characteristics las características
  personales (**1**)
personal letter la carta personal (**8**)
personality la personalidad (**1**)
personnel el personal (**8**)
pesticide el pesticida (**10**)
pharmacy la farmacia (**7**)
Phenomenal! ¡Fenomenal! (**5**, **8**)
phone call la llamada (**2**)
photo la foto (PA)
physical appearance el aspecto físico (**1**)
physical exam el examen físico (**11**)
physically / psychologically handicapped
  discapacitado/a (**1**)
pick up, to recoger (**1**)
pictures / photos, to take sacar fotos (**5**)
piece el pedazo (**4**)
pigeon la paloma (**10**)
Pilates el pilates (**2**)
Pilates, to do hacer pilates (**2**)
pillow la almohada (**3**)
pillowcase la funda (de almohada) (**3**)
pilot el/la piloto/a (**8**)
pineapple la piña (**4**)
pink rosado/a (**4**)
pitcher la jarra (**3**)
place el lugar (**7**)
place, to poner (PA, **1**)
place an order, to hacer un pedido (**7**)
plain la llanura (**10**)
plan, to planear (**9**)
plantain el plátano (**4**)
plaster el yeso (**3**)
play la obra de teatro (**9**)
play, to jugar (o → ue) (PA)
play (an instrument), to tocar
  (un instrumento) (**9**)

play cards, to jugar a las cartas (2)
play charades, to hacer mímica (PA, 9)
play checkers, to jugar a las damas (2)
play chess, to jugar al ajedrez (2)
play frisbee, to tirar un platillo volador (2)
play hangman, to jugar al horcado (PB)
play hockey (ice; field), to jugar al hockey
  (sobre hielo; sobre hierba) (2)
play poker, to jugar al póquer (2)
play the role, to hacer el papel (3, 9)
play video games, to jugar a videojuegos (2)
play volleyball, to jugar al voleibol (2)
playwright el/la dramaturgo/a (9)
pleasant agradable (1)
please por favor (1)
plug el enchufe (5)
plug in, to enchufar (5)
plum la ciruela (4)
plumber el/la plomero/a (3)
pocket el bolsillo (7)
poisonous tóxico/a (10)
poisonous venenoso/a (9)
police station la comisaría (PB, 7)
polite educado/a (1)
(political) science las ciencias (políticas) (8)
politician el/la político/a (8)
pond el estanque (3)
poor quality de buena / mala calidad (7)
popcorn las palomitas de maíz (4)
popular music la música popular (9)
pork la carne de cerdo (4)
port el puerto (5)
portrait el retrato (9)
position el puesto (8)
post to a blog, to comentar en un blog (2)
poster el cartel (12)
pot la olla (3)
potter el/la alfarero/a (9)
pottery la alfarería (9)
pottery making la alfarería (9)
poultry las aves (4)
pour, to verter (e → ie) (4)
power el poder (PA)
powerful poderoso/a (1)
Precisely. Precisamente. (10);
  Efectivamente. (10)
predict, to predecir (i) (1)
prefer, to preferir (e → ie → i) (PA, 2, 9)
pregnancy el embarazo (4)
pregnant embarazada (1)
pregnant, to be estar embarazada (4)
preparations los preparativos (PB)
prepare, to preparar (PA)
present (adj.) actual (8)
present el regalo (4)
preserve, to preservar (10)
pretend, to fingir (5)
prevent, to prevenir (e → ie) (10)
pride el orgullo (5)
priest el cura (4)
prince el príncipe (1)
princess la princesa (1)
print, to imprimir (5)
printer la impresora (5)
prison la cárcel (11)
prize el premio (1)
probable, to be ser probable (3, 9)
procedure el procedimiento (11)
produce, to fabricar (8, 10)
production la función (9)
profession la profesión (8)
professional profesional (8)
profile el perfil (1)

profit el lucro (8)
prohibit, to prohibir (2, 9)
project el proyecto (3)
promenade el paseo (1)
promote, to ascender (e → ie) (8)
promoted, to be ascender (e → ie) (8)
proof la prueba (10)
property la propiedad (3)
proud orgulloso/a (1)
provided that con tal (de) que (7)
psychologist el/la psicólogo/a (8)
psychology la psicología (8)
public restrooms los servicios (7)
publicize, to publicitar (8)
puddle el charco (11)
puma el puma (10)
pumpkin la calabaza (4)
purpose el propósito (11)
put, to poner (PA, 1)
put a cast on, to enyesar (11)
put away, to guardar (3, 5)
put on (one's clothes), to ponerse
  (la ropa) (PA)
put on makeup, to maquillarse (PA)
put your foot in your mouth, to meter
  la pata (2)
pyramid la pirámide (1)

Q

qualification la calificación (8, 11)
quality la calidad (5)
quarter (one) el cuarto (PB)
quartet el cuarteto (9)
queen la reina (1)
quiet callado/a (1)
Quiet everybody (on the set)! ¡Silencio! (9)
quit, to renunciar (a) (8)
quit smoking cigarettes, to dejar de fumar
  cigarrillos (11)

R

race la carrera (2); la vuelta (2)
race car driver el/la piloto/a de carreras (5)
rack la pista (5, PB)
racket la raqueta (2)
raise, to criar (10)
rate la tasa (10)
raw crudo/a (4, PB)
razor la navaja de afeitar (7)
reach an agreement, to ponerse de acuerdo
  (2, 3)
read, to leer (PA)
real estate los bienes raíces (3)
Really? ¿De veras? (11)
rearview mirror el espejo retrovisor (5)
reason la razón (PA)
reboot, to reiniciar (5)
receive, to recibir (PA)
recently recién (PB)
receptacle el receptáculo (8)
receptionist el/la recepcionista (5)
recipe la receta (4)
recognize, to reconocer (PA)
recommend, to aconsejar (1, 2, 4, 9); proponer
  (2, 9); recomendar (e → ie) (PA, 2, 9)
recreational recreativo/a (2)
red-haired pelirrojo/a (1)
reduce, to reducir (10)
referee el/la árbitro/a (2)
reflect, to reflexionar (1); reflejar (9)
regret el pesar (8)

regret, to sentir (e → ie → i) (3, 9);
  arrepentirse (e → ie → i) de (4, PB)
reheat, to recalentar (ie) (4)
relative el/la pariente/a (1)
Relax. Tranquilo. (8)
relic la reliquia (8)
remain, to quedarse (PA)
remember, to acordarse (o → ue) de (PA);
  recordar (o → ue) (PA, 1)
remind, to recordar (o → ue) (PA, 1)
remodel, to remodelar (3); renovar (o → ue)
  (3, 5)
renew, to renovar (o → ue) (3, 5)
renewable renovable (10)
renovate, to remodelar (3); renovar (o → ue)
  (3, 5)
rent el alquiler (3)
rent, to alquilar (3)
rent a car, to alquilar un coche (5)
repair, to reparar (3); componer (9)
repeat, to repetir (e → i) (PA)
Repeat, please. Repite/a por favor. (2)
replace, to reemplazar (10)
report el reportaje (1); el informe (3)
reporter el/la reportero/a (8)
represent, to representar (9)
request el pedido (2, 5)
request, to pedir (e → i → i) (PA, 2, 9)
require, to requerir (e → ie) (10)
requirement el requisito (8)
rescue, to rescatar (10, 11)
resign, to renunciar (a) (8)
respond, to responder (5)
rest el descanso (1)
restore, to restaurar (5)
result el resultado (2, 11)
résumé el currículum (vitae) (C.V.) (8)
retire, to jubilarse (8)
retirement la jubilación (1, 8)
return, to regresar (PA); volver (o → ue)
  (PA, 1)
return (an object), to devolver (o → ue)
  (PA)
review el repaso (PA)
review, to repasar (5)
rhinoceros el rinoceronte (10)
rib la costilla (11)
right justo/a (4)
right-click, to pulsar el botón derecho (5)
ring el anillo (7)
rink la pista (2)
risk el riesgo (10)
rivalry la rivalidad (2)
river el río (10)
roast, to asar (4)
rob, to robar (5)
robbery el robo (5)
role el papel (5, 9)
rookie el novato (2)
room el cuarto (3); la alcoba; la habitación;
  la recámara (3)
room service el servicio (5)
rooster el gallo (10)
roots las raíces (1)
roulette la ruleta (PA)
route el camino (5)
row, to remar (2)
rowing el remo (2)
royal real (1)
rude grosero/a; maleducado/a (1)
rug la alfombra (4)
ruin, to arruinar (8)
ruins las ruinas (3)

A66

rule la regla (8)
run, to correr (PA)
running water el agua corriente (3)

S

sail, to pasear en barco (de vela) (2)
saint el/la santo/a (4)
salary el salario; el sueldo (8)
sale la venta (6, 8); la rebaja (7); el remate (7)
same igual (1)
same thing, the lo mismo (8)
sand la arena (5)
sardine la sardina (4)
saucepan la cacerola (3)
saucer el platillo (3)
sausage la salchicha (4)
save, to guardar (3, 5); ahorrar (8); salvar (10)
savings el ahorro (8)
sawdust el aserrín (4)
saxophone el saxofón (9)
saxophonist el/la saxofonista (9)
say, to decir (PA, **1**, PB)
say exactly, to precisar (11)
say goodbye, to despedirse (e → i → i) (1, **11**)
say hello, to saludar (1, **11**)
Say hi to everyone at home. Saludos a todos por su / tu casa. (1)
Say hi to (*name*) at home. Saludos a (*nombre*) por su / tu casa. (1)
scan, to escanear (5)
scanner el escáner (5)
scar la cicatriz (1)
scarcity la escasez (10)
scare el susto (PB)
scarf la bufanda (7)
scatterbrained despistado/a (1)
schedule el horario (1, **8**)
school (*adj.*) escolar (2)
scold, to reñir (i) (1)
score el resultado (2, 11); la calificación (8, 11)
screen la pantalla (2, **5**)
screenwriter el/la guionista (9)
screw el tornillo (7)
script el guión (9)
scriptwriter el/la guionista (9)
scuba dive, to bucear (2)
sculpt, to esculpir (9)
sculptor el/la escultor/a (9)
sculpture la escultura (9)
sea el mar (10)
seafood los mariscos (4)
seal la foca (10)
search la búsqueda (2)
seatbelt el cinturón de seguridad (5)
secretary el/la secretario/a (8)
security guard el/la guardia de seguridad (5)
see, to ver (PA, **1**)
See you. Nos vemos. (1)
seem, to parecer (**1**)
seem familiar, to sonar (o → ue) (2, 5)
selfish egoísta (1)
self-portrait el autorretrato (9)
seller el/la vendedor/a (2)
seminar el seminario (1)
Sensational! ¡Sensacional! (8)
sense el sentido (2)
sensitive sensible (1)
sentence la oración (PA)
separate, to separarse (1)
separated, to get separarse (1)
series la serie (4)

serious serio/a (**1**)
Seriously? ¿En serio? (11)
serve, to servir (e → i) (PA)
server el servidor (5)
set el decorado (9)
severe headache la jaqueca (11)
sew, to coser (2)
shadow la sombra (6)
shame la vergüenza (8)
shame, to be a ser una lástima (3, 9)
shampoo el champú (7)
share, to compartir (PA, 1)
shark el tiburón (10)
shave, to afeitarse (11)
shaving cream la crema de afeitar (7)
She is not home. No se encuentra. (7)
sheep la oveja (10)
shelf el estante (3)
shoe store la zapatería (7)
shop la tienda (7)
shopkeeper el/la comerciante (8)
shopping basket la cesta (2)
short corto/a (**11**)
short (*film*) el cortometraje (9)
short hair el pelo corto (1)
short sleeve la manga corta (7)
short-story writer el/la cuentista (9)
should deber (+ inf.) (PA)
shoulder el hombro (**11**)
show el espectáculo; la función (9)
show, to enseñar (PA); mostrar (o → ue) (PA); lucir (7)
show for the first time, to estrenar (1)
shower, to ducharse (11)
showy llamativo/a (3, **9**)
shrimp los camarones (4)
shy tímido/a (1)
sidewalk la acera (3)
sign el signo (8); el letrero (11)
sign (papers), to firmar (los documentos) (PA, 5)
silver, made of hecho de plata (7)
similarity la semejanza (3, 6)
simple sencillo/a (**1**, 3, PB)
since pues (2); ya que (7)
Sincerely (Muy) Atentamente (8)
sing, to cantar (PA)
singer el/la cantante (PA)
single (*not married*) soltero/a (1)
single man el soltero (1)
single woman la soltera (1)
sister-in-law el/la cuñado/a (1)
sit down, to sentarse (e → ie) (PA)
size el tamaño (2)
skateboard, to patinar en monopatín (2)
skates los patines (2)
skeleton el esqueleto (4)
ski, to esquiar (2)
ski pole el bastón de esquí (2)
skill la destreza (8)
skillet la sartén (3)
skin la piel (1, **11**)
skull la calavera (4)
slash (*in a URL*), / la barra (5)
sleep, to dormir (o → ue → u) (PA)
sling el cabestrillo (11)
slogan el lema (3)
small truck la camioneta (5)
smallpox la viruela (10)
smile la sonrisa (2)
smile, to sonreír (e → i) (5)
smog el esmog (10)
smoke el humo (10)

smoothly suavemente (2)
snack la botana (4)
so that de manera que; de modo que; para que (2)
soap el jabón (7)
soap opera la telenovela (4, **9**)
social gathering la tertulia (3)
software el programa de computación (5)
solicit, to solicitar (8)
soloist el/la solista (9)
solve, to resolver (o → ue) (**1**)
something left, to have quedar (**1**)
sometimes a veces (11)
son el/la hijo/a (PA)
son-in-law el yerno (1)
soon pronto (4)
sorrow el pesar (8)
soul el alma (2)
soulmate la media naranja (9)
sound el sonido (7)
sound, to sonar (o → ue) (2, 5)
soup bowl la sopera (3)
source la fuente (8)
south el sur (1, **5**)
southeast sureste (5)
southern austral (5)
southwest suroeste (5)
souvenir el recuerdo (5)
space el ámbito (7)
speak, to hablar (PA)
specialty la especialidad (7)
specify, to precisar (11)
speech el discurso (9)
speed la rapidez (5); la velocidad (5)
spend, to gastar (2, 3)
spinach las espinacas (4)
spokesperson el/la vocero/a (8)
sport utility vehicle (*SUV*) el vehículo utilitario deportivo (5)
sporting equipment el equipo deportivo (2)
sports los deportes (2)
sports-loving person deportista (2)
sports-related deportivo/a (2)
sporty deportista (2)
sprain, to torcerse (o → ue) (**11**)
square el cuadro (PA)
squash la calabaza (4)
squirrel la ardilla (10)
stadium el estadio (2)
stage el paso (PA); el escenario (9)
stage fright el miedo de salir en escena (9)
stage manager el/la director/a de escena (9)
stages of life las etapas de la vida (1)
staging el montaje (9)
stand out, to destacar(se) (3)
stand up, to levantarse (PA)
star la estrella (4)
start, to prender (5)
start up, to arrancar (5)
state el estado (8)
station la estación (4)
station wagon la camioneta (5)
stationery shop la papelería (7)
stay, to quedarse (PA)
step el paso (PA)
step on, to pisar (2)
stepbrother el hermanastro (1)
stepdaughter la hijastra (1)
stepsister la hermanastra (1)
stepson el hijastro (1)
stew el guisado (4)
still life la naturaleza muerta (9)
stilts los zancos (7)

A67

stir, to revolver (o → ue) (**4**)
stock market la bolsa (**8**)
stone la piedra (**3**)
stop, to dejar de (**2, 8**)
store la tienda (**7**)
store clerk el/la dependiente/a (**7**)
store window el escaparate (**7**)
story la historia (**4**)
stove la estufa (**4**)
straight hair el pelo lacio (**1**)
straighten up, to arreglar (**1, 8**)
strange raro/a (**1**)
strawberry la fresa (**4**)
stream el arroyo (**10**)
stress el estrés (**2**)
stretch, to estirarse (**11**)
stretcher la camilla (**11**)
strike la huelga (**8**)
strike, to hacer una huelga (**8**)
striking llamativo/a (**3, 9**)
string instruments las cuerdas (**7, 9**)
strings las cuerdas (**7, 9**)
strong fuerte (**11**)
stubborn terco/a (**1**)
studio el taller (**9**, 11)
study, to estudiar (**PA**)
style el estilo (**1**)
subject el tema (**1**); la materia (**9**)
substance la sustancia (**10**)
subtitles los subtítulos (**9**)
successful, to be tener éxito (**2**)
suffer, to sufrir (**2**)
suffering el sufrimiento (**5**)
sugar cane la caña de azucar (**5**)
suggest, to proponer (**2, 9**); sugerir (e → ie → i) (**2, 3, 9**)
suggest an alternative, to sugerir una alternativa (**11**)
summary el resumen (**1**)
sunglasses los lentes de sol (**5**)
Super! ¡Formidable! (**5**)
supervisor el/la supervisor/a (**8**)
support el apoyo (**1**)
Sure! ¡Claro! (**1, 3**); ¡Por supuesto! (**3, 5, 7, 10**)
surf, to hacer tanto (**2**); navegar (**5**)
surface la superficie (**11**)
surfboard la tabla de surf (**2**)
surprise la sorpresa (**10**)
surprised sorprendido/a (**1**)
surround, to rodear (**10**)
surroundings los alrededores (**3**)
survey la encuesta (**11**)
survive, to sobrevivir (**10**)
sustain, to sostener (e → ie) (**10**)
sweep, to barrer (**3**)
sweet el bombón (**4**)
sweet (adj.) dulce (**3**)
sweet roll el pan dulce (**4**)
swell, to hincharse (**11**)
swimming pool la piscina (**3**)
sympathy el consuelo (**8**); la simpatía (**8**)
symphony orchestra la sinfónica (**9**)
symptom el síntoma (**11**)

T

tailor shop la sastrería (**7**)
take, to tomar (**PA**)
Take a bus. Tome/n un autobus. (**4**)
Take a taxi. Tome/n un taxi. (**4**)
Take care. Cuídese. / Cuídate. (**1**)
Take care. Que le / te vaya bien. (**1**)
take notes, to tomar apuntes (**8**)

take off (one's clothes), to quitarse (la ropa) (**PA**)
take over, to apropiarse (**8**)
take someone's blood pressure, to tomar la presión (**11**)
take someone's pulse, to tomar el pulso (**11**)
take turns, to turnarse (**PA**)
talcum powder el talco (**7**)
talented talentoso/a (**9**)
talk la charla (**PB**)
tapestry el tapiz (**9**)
tattoo el tatuaje (**1**)
teach, to enseñar (**PA**)
teacher el/la maestro/a (**8**)
teaching la pedagogía (**8**)
team el equipo (**2**)
technical técnico/a (**9**)
technology la tecnología (**5**)
tedious pesado/a (**1**)
(telemarketing) sales las ventas (por teléfono) (**8**)
telephone operator el/la telefonista (**5**)
television la televisión (**9**)
(television) network la cadena (de televisión) (**PA**)
television viewer el/la televidente (**9**)
tell, to decir (**PA, 1, PB**); contar (o → ue) (**1**); informar (**9**)
terrain el terreno (**2**)
testify, to declarar (**7**)
text message el mensaje de texto (**5**)
Thank you for calling (me). Gracias por haber(me) llamado. (**7**)
that que (**2, 5**); quien(es) (**5**)
That is . . . O sea... (**9, 11**)
That's it. Así es.; Eso es. (**7, 10**)
That's to say . . . Es decir... (**9**)
thaw, to descongelar (**10**)
The fact is that . . . Es que... (**9**)
The truth is . . . La verdad es que... (**11**)
theater el teatro (**9**)
their/s sus / suyos/as (**PA**)
theme el motivo (**9**)
theme el tema (**1**)
then entonces; luego (**4**)
therefore por lo tanto (**5**)
There's no doubt No cabe duda.; No hay duda. (**10**)
There's no other solution. No hay más remedio. (**10**)
There's no other way. No hay más remedio. (**10**)
thermometer el termómetro (**11**)
thesis la tesis (**PB**)
thief el/la ladrón/ladrona (**5**)
thigh el muslo (**11**)
think, to pensar (e → ie) (**PA**)
This can't be! ¡No puede ser! (**5, 10, 11**)
This is . . . Es...; Soy...; Le / Te habla... (**7**)
This will soon pass. Esto pasará pronto. (**8**)
threat la amenaza (**10**)
threaten, to amenazar (**10**)
through por (**5**)
throw a frisbee, to tirar un platillo volador (**2**)
thus así (**2**)
ticket window la ventanilla (**2**)
tie (game) el empate (**2**)
tied atado/a (**8**)
tiger el tigre (**10**)
tight apretado/a (**7**)
Till the next time. Hasta la próxima. (**1**)
time la vez (**2**)
timetable el horario (**1, 8**)

tip la propina (**3**)
title el título (**1, 7**)
throw, to tirar (**PA, 1, 3**)
to the left of a la izquierda de (**7**)
to the right of a la derecha de (**7**)
To whom it may concern A quién corresponda (**8**)
together junto/a (**PA**)
together, to get reunirse (**PA**)
toilet paper el papel higiénico (**7**)
tolerate, to aguantar (**9**)
tone of voice el tono de voz (**1**)
tongue la lengua (**11**)
too much / many demasiado/a/os/as (**1**)
tool la herramienta (**3**)
toothbrush el cepillo de dientes (**7**)
toothpaste la pasta de dientes (**7**)
top (toy) el trompo (**7**)
torch la antorcha (**4**)
tour la gira (**5**)
tour, to viajar por (**5**)
tourism office la oficina de turismo (**5**)
tournament el torneo (**2**)
towel la toalla (**3**)
toy el juguete (**1, 5**)
toy store la juguetería (**7**)
track and field el atletismo (**2**)
traffic jam el atasco (**5**)
tragedy la tragedia (**9**)
train, to entrenar (**2, 8**)
trainer el/la entrenador/a (**1, 2**)
training la formación (**5, 8**); el entrenamiento (**11**)
transfer el traslado (**5**)
translate, to traducir (**8**)
transmission la transmisión (**5**)
transportation el transporte (**5**)
travel los viajes (**5**)
travel agency la agencia de viajes (**6**)
tray la bandeja (**11**)
treat, to tratar (**4**)
treatment el trato (**10**); el tratamiento (**10, 11**)
trio el trío (**9**)
trip el recorrido (**5**)
trips los viajes (**5**)
trombone el trombón (**9**)
true verdadero/a (**PB**)
try, to intentar; probar (o → ue) (**1**)
turkey el pavo (**4**)
turn, to doblar (**7**)
Turn right / left. Doble/n a la derecha / izquierda. (**4**)
turn . . . years old, to cumplir... años (**4**)
turnpike la autopista (**5**)
turtle la tortuga (**10**)
twins los gemelos (**1**)

U

Um . . . Este...; Pues... (**11**)
umbrella la sombrilla (**5**)
umpire el/la árbitro/a (**2**)
uncertain, to be no estar seguro (de) (**3, 9**)
uncle el tío (**PA**)
uncomfortable incómodo/a (**5**)
underestimate, to menospreciar (**11**)
understand, to comprender; entender (e → ie) (**PA**)
underwear la ropa interior (**7**)
undo, to deshacer (**5**)
unforeseen imprevisto/a (**11**)
unforgettable inolvidable (**1**)
unknown desconocido/a (**5**)

A68

unless a menos que (7)
unplug, to desenchufar (5)
unsurpassable insuperable (9)
until hasta (que) (7)
up arriba (5)
update, to actualizar (5)
use, to usar; utilizar (PA, 1); emplear (7, 8)
utilize, to utilizar (1)

V

vacations las vacaciones (5, 8)
vaccination la vacuna (11)
Valentine's Day el Día de San Valentín (4)
valley el valle (10)
value el valor (9)
van la camioneta (5)
vase el florero (3)
veal la ternera (4)
vegetable la verdura (4)
vein la vena (11)
vendor el/la vendedor/a (2)
verse el verso (4)
veterinarian el/la veterinario/a (8)
violin el violín (9)
visual visual (9)
visual arts el arte visual (9)
voicemail el correo de voz (5)
volcano el volcán (10)
vomit, to vomitar (11)

W

wait for, to esperar (PA, 2, 9)
walk, to andar (1)
wall (*around a house*) el muro (3)
wallet la billetera (7)
want, to querer (e → ie) (PA, 2, 9)
wardrobe el vestuario (9)
wart la verruga (11)
wash oneself, to lavarse (PA)
washing machine la lavadora (3)
waste el/los desperdicio/desperdicios (5, 10)
waste, to gastar (2, 3); desperdiciar (10)
waste products el/los desperdicio/desperdicios (5, 10)
wasteful gastador/a (1)
water the flowers, to regar (e → ie) las flores (3)
watercolor la acuarela (4, 9)
waterfall la catarata (10)
watermelon la sandía (4)
wave la onda (10)
We would love to (but) . . . Nos encantaría (pero)... (3)

wear out, to gastar (2, 3)
weather report el pronóstico del tiempo (2)
weaver el/la tejedor/a (9)
weaving el tejido (9)
web camera la cámara web (5)
wedding la boda (3, 4)
wedding anniversary el aniversario de boda (4)
weed, to sacar la mala hierba (3)
weighed down agobiado/a (7, 10)
weights las pesas (2)
well pues (2)
Well . . . Bueno...; Este...; Pues... (11)
well done bien hecho/a (5)
west el oeste (5)
whale la ballena (10)
What? ¿Cómo? (2)
What a pity! ¡Qué pena / lástima! (5, 8)
What a shame! ¡Qué pena / lástima! (5, 8)
What do you say? ¿Qué me cuentas? (1); ¿Qué dice/s?; ¿Qué dijiste / dijo? (5)
What do you think? ¿Qué opina/s? (5)
What do you think (about the idea)? ¿Qué le / te parece? (5)
What does . . . mean? ¿Qué quiere decir...?; ¿Qué significa...? (2)
(What) I mean . . . (Lo que) quiero decir... (9)
What's new? ¿Qué hay de nuevo? (1)
What's up? ¿Qué me cuentas? (1)
when cuando (2, 7)
When you get to . . ., turn . . . Al llegar a..., doble/n... (4)
which que (2, 5)
while mientras (que) (PA, 7, 10)
while, a la temporada (1)
who quien(es) (2); que (2, 5)
Who shall I say is calling? ¿De parte de quién? (7)
whom que (2, 5); quien(es) (5)
wide ancho/a (11)
widow la viuda (1)
widower el viudo (1)
wife la mujer (1)
wig la peluca (1)
wild salvaje (10)
win, to ganar (2)
wine glass la copa (3)
winegrowing la viticultura (8)
wisdom teeth los dientes de juicio (8)
wisdom tooth la muela de juicio (8)
wish el deseo (2)
wish, to querer (e → ie) (PA, 2, 9); desear (2, 9)
With love Con cariño (8)
with you contigo (2)

With your permission. Con permiso. (2)
without sin que (7)
Without a doubt. Sin duda.; No cabe duda.; No hay duda. (10)
wolf el lobo (10)
wood la madera (3)
wood instruments los instrumentos de viento / madera (9)
wood sculpture la talla (9)
woodwinds los instrumentos de viento / madera (9)
woodworking, to do hacer trabajo de carpintería (2)
work la obra (3)
work, to trabajar (PA)
worker el/la obrero/a (3)
work-related laboral (8)
workshop el taller (9, 11)
world mundial (*adj.*) (2)
worse peor (9)
worst, the el/la peor (9)
worst thing, the lo peor (8)
wrapping paper el papel de envolver (7)
wrestle, to practicar lucha libre (2)
wrist la muñeca (11)
wristwatch el reloj de pulsera (7)
write, to escribir (PA, 1)
writer el/la escritor/a (8)
wrong equivocado/a (5)

X

X-ray la radiografía (11)

Y

yoga el yoga (2)
yoga, to do hacer yoga (2)
You don't say! ¡No me diga/s! (5, 7, 10, 11)
You have my sympathy. Mi más sentido pésame. (8)
You know . . . Sabes... (11)
young person el/la joven (9)
your (*fam.*) tu/s (PA)
your (*form.*) su (PA)
You're kidding me. Me estás tomando el pelo. (10)
You're pulling my leg. Me estás tomando el pelo. (10)
you're welcome no hay de qué (2)
your/s (*fam. pl. Spain*) vuestro/a/os/as (PA)
yours (*fam.*) tuyo/a/os/as (PA)
yours (*form.*) suyo/a (PA)
youth la juventud (1)

A69

ndex